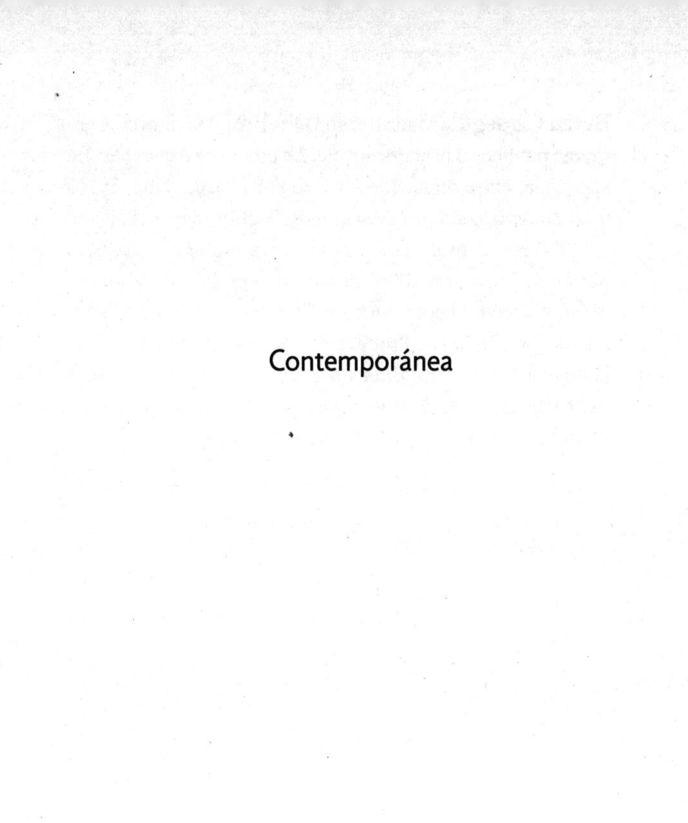

Contemporánea

Belén Gopegui (Madrid, 1963) En 1993, la editorial Anagrama publicó su primera novela, *La escala de los mapas*. Le siguieron, entre otras, *Tocarnos la cara* (Anagrama, 1995) y *La conquista del aire* (Anagrama, 1998), adaptada al cine en 2000 con el título *Las razones de mis amigos*. En 2001, publicó *Lo real*; en 2004, *El lado frío de la almohada*; en 2006, se estrenó la pieza teatral *Coloquio* escrita en colaboración con Unidad de Producción Alcores. En 2007, publicó la novela *El padre de Blancanieves*; en 2009, *Deseo de ser punk* y en 2011, *Acceso no autorizado* (Mondadori). Sus novelas han sido traducidas a numerosas lenguas.

Belén Gopegui

La conquista del aire

DEBOLS!LLO

Primera edición: septiembre, 2012

© 1998, Belén Gopegui
© 2012, Random House Mondadori, S. A.
Travessera de Gràcia, 47-49. 08021 Barcelona

creative commons

Esta obra está bajo una licencia Creative Commons
Reconocimiento - No comercial - Sin obra derivada 3.0. (CC BY-NC-ND 3.0)

Printed in Spain – Impreso en España

ISBN: 978-84-9989-997-8
Depósito legal: B-20135-2012

Compuesto en Fotocomposición 2000, S. A.

Impreso en Liberdúplex, S. L. U.
Sant Llorenç d'Hortons (Barcelona)

P 999978

A la memoria de Miguel Verdaguer y
a José Manuel Baráibar

Prólogo

Viene siendo costumbre en los últimos tiempos que algunos autores y autoras se insinúen a través de la contraportada de su novela. Apenas nada, dos o tres líneas para sugerir cuál fue la dificultad que quisieron resolver o bien, si ésta se aparece con evidencia suficiente, dos o tres líneas dedicadas al sesgo de la narración, a cierta especie de luz que se proyecta sobre la materia tratada y, al dejar trozos en sombra, resalta una mejilla, un busto, un conflicto argumental. Líneas sin firma, líneas de contrabando mezcladas con aquellas otras en que el libro se anuncia a sí mismo.

¿Por qué no renunciar del todo?, me he preguntado a menudo. ¿Por qué no entregar ese texto a los profesionales de la publicidad y someterse a un código retórico cuyo fin es administrar los deseos ajenos? Pero cada cierto tiempo vuelvo a verlas: entre el elogio del editor y la marca del autor y el resumen atractivo de la historia, aparecen esas líneas, como si más allá de la publicidad alentara un resto de sentido. Mientras la publicidad apela a las carencias del receptor, y busca seducir antes que convencer, algún autor o autora quiere apelar todavía a la inteligencia, decir que la novela no es un mero artefacto estimulador de sensaciones, que no es equivalente a ciertos productos televisivos o a ciertos juegos de ordenador concebidos para que los destinatarios se sientan ya perspicaces, ya intrigados, ya gratificados en sus carencias emocionales.

Cabe, también, cuestionar el límite de las líneas de contrabando. El prólogo, intervención que precede al discurso, al logos, es una práctica de tiempos confusos. Estos nuestros lo son así en lo que concierne a los valores, así en lo que concierne a la novela. Cayó la modernidad, cayó nuestro pequeño imperio austrohúngaro y estamos, como los personajes de Joseph Roth, moviéndonos en coordenadas que desaparecen. Hasta tanto las nuevas no se perfilen con claridad, me interesa introducir el espacio desde el que he planteado *La conquista del aire*, al margen de que las declaraciones de un autor o autora no deban ser determinantes, pero sí útiles.

«Creo que el dilema entre el arte como medio y el arte como algo autónomo en su propio ámbito definido no es tal dilema: los términos y las cuestiones que se suscitan son más bien las pruebas de un fracaso», escribió Raymond Williams. Este dilema, esta derrota, ha marcado la novela del siglo XX, y lo ha hecho con tal fuerza que ya no vemos su origen inquisitivo sino que lo aceptamos como descripción del único terreno en que puede producirse la literatura. Un terreno bífido que atañe a una y sólo a una de estas dos opciones.

Sin duda, la novela como medio ha ganado la partida, pervirtiendo de cualquier modo su origen y pasando a ser novela como medio para entretener: novela que triunfa cuando logra que el lector o lectora deje, durante algunas horas, de pensar y se limite a responder a los estímulos de la lectura con obediencia. En este sentido, estimo que la intriga, la pena, el morbo o el deseo de emulación son respuestas emocionales, pero que también lo son la simpatía por las ocurrencias del narrador, o la complicidad en el reconocimiento de guiños formales y literarios. En cuanto a la novela como algo autónomo en su propio ámbito definido, habiendo quedado relegada a la insuficiente categoría de novela de productores que leen los productores, curiosamente acaba por convertirse en una variedad singular de la novela como medio para generar, en su caso, prestigio o separación.

Va a terminar el siglo, aunque probablemente la historia diga que el siglo terminó en noviembre de 1989. Aquel dilema señalado por Raymond Williams fue el fruto de una sociedad no asentada, una sociedad que confiaba en erigir mamparas infranqueables entre la barbarie exterior y la vida sensible de la burguesía. Hoy las mamparas se han roto, ya no quedan jardines inviolados ni una cultura heredada, ni un modo de ser que aísle las mansiones de la vida vulgar. Sólo el dinero instituye indumentarias, modales, tradiciones, pero el dinero es algo fungible y es, por tanto, lo opuesto a la esencia. En la medida en que ha desaparecido el balneario de la cultura, desaparece también la posibilidad de elegir una novela escrita para el interior o el exterior del balneario.

Ahora la novela no se enfrenta a un problema de ámbitos ni de públicos sino, me parece, a un problema de configuración. Así como una línea describe una trayectoria pero sólo el vector del sentido introduce un hacia dónde, así el trazo de la experiencia contiene los sucesos, pero sin el sentido no es más que una vía muerta. La novela que no nombre el significado, que no ilumine el sentido, la novela que sólo quiera ser emoción y no ser emoción que se sabe a sí misma, terminará por confundirse con cualquier otro medio de entretenimiento. Y bien, si la novela actúa como instrumento formador de vida en tanto que propone estructuras, criterios, direcciones para la experiencia de las personas, entonces la emoción no puede ser, se entiende, eliminada. Pero sólo cobra significado narrativo cuando una conciencia entra en relación con ella, tal es el territorio de lo novelable: emoción y conciencia, razón y sentimiento, el mito y el logos.

Dicho de otro modo, la novela se pierde, se diluye, cuando renuncia a saber, así un actor que, complaciéndose de tal modo en su engaño, en los efectos de su engaño, olvida que una vez hubo un engaño y se entrega de lleno a su papel: ya no sabe por qué quiso simular la enfermedad o la locura pues ahora su cuerpo está realmente enfermo, pero tanto le deleita ver cómo el público se conmueve con sus gemidos, se ríe con sus muecas, que cada día las acentúa más, extrema los temblores, la *maniera*, pendiente sólo de producir efectos pues es lo único que tiene y ya no sabe qué venía después del efecto.

Después del efecto viene, a mi juicio y como decía, el significado. Aun cuando el escritor o la escritora escriban porque poseen un temperamento narcisista, por soberbia o porque han encontrado una fuente de ingresos, su narrador, la voz que da cuenta de una historia, no es carnal. Su interés no está anclado en motivos anteriores sino que lo determina el sentido de su narración. El interés del narrador de *La conquista del aire* pudiera ser mostrar algunos mecanismos que empañan la hipotética libertad del sujeto. Para ello ha elegido una historia de dinero. Si del discurso dominante se sigue que quienes tengan sus necesidades mínimas cubiertas pueden actuar frente al dinero como frente a una realidad externa, separada, y ser desprendidos o austeros o avariciosos, y darle más o menos importancia, esta novela plantea la posibilidad de que el dinero anide hoy en la conciencia moral del sujeto.

El período de expansión del capitalismo produjo historias de grandes fortunas e incluso de herencias medianas que habían de batirse con otras instancias de legitimidad, así el rango aristocrático, la política o el talento. En la Grecia clásica, al menos algunos hombres podían desarrollar sus facultades en la asamblea, en el teatro, en la lucha, y confinar el dinero al recinto de lo doméstico. Hoy, sin embargo, cualquier instancia decae frente a la única capaz de traducir a todas las demás. El progreso acabó con los privilegios aristocráticos, pero no pudo instaurar la hegemonía de lo común, de la razón, sino un único y último valor de cambio. No obstante, parecería que hay áreas no tocadas, tal vez el discurso idealista en torno a ciertos valores y el discurso de los afectos.

El narrador quiere saber si es cierto que esas áreas permanecen al margen o si es tal la socialización que el dinero crece con el sujeto, construye su conciencia y, por tanto, a partir de ahora sería cuando menos romántico y falaz escribir una novela de aprendizaje pues, no habiendo escalas de valores en liza, primero tendría que darse la posibilidad de que una persona actúe de forma libre y entre en conflicto con la realidad sin haber interiorizado el libro de órdenes de nuestro tiempo. El narrador quiere saber y por eso narra.

Agosto de 1997

Primera parte

I

No dormían. Era el martes 11 de octubre de 1994, la noche había caído sobre Madrid hacía ya varias horas y, en las calles, escaparates encendidos, luces de automóviles, el alumbrado público, rótulos, el párrafo de claridad en la escalera de los edificios repentinamente abiertos, mujeres fumando, hombres fumando, el interior de los últimos autobuses, ventanas como sellos luminosos y semáforos disputaban contra esa sombra mientras, en camas y pisos distintos, Carlos Maceda, Santiago Álvarez y Marta Timoner se debatían con el insomnio.

Habían comido los tres juntos, como solían hacer una vez cada dos o tres meses, al margen de que se vieran, con sus parejas o solos, en otras ocasiones. Al restaurante se entraba por una puerta en arco de madera pintada de rojo. Pese a la tosquedad del suelo demasiado gastado, igual que las paredes, los precios no eran bajos o así se lo había parecido a ellos la primera vez que fueron, diez años atrás, reunidos entonces para celebrar el final de sus carreras universitarias.

No dormían. Veían un salero. No lejos de su mesa, una manzana en un frutero blanco. Veían el resultado de la conversación: ocho millones. Mientras esperaban el primer plato, estuvieron hablando de un conocido común con el énfasis de los que han elegido invocar en voz alta una escala de valores.

Cuando ya les traían el pisto, la menestra, la crema de puerros, Carlos Maceda dijo:

—¿Podéis prestarme dinero? Es para mi empresa.

Como agua quieta el calor se les depositaba sobre las piernas. La almohada estaba tibia.

Carlos intentaba apoyar el pecho en la espalda de Ainhoa, amoldarse a su respiración, pero su mujer se revolvía, tensa. Santiago tenía los ojos abiertos, estaba solo. Marta se levantó procurando no despertar a Guillermo.

Había una quemadura en el mantel. Ocupaba la mitad de un cuadrado rojo y el borde de uno blanco. Marta la recordaba porque había puesto el mechero sobre la quemadura sin darse cuenta y luego, al cogerlo, la había visto, y había pasado el dedo por sus bordes. Carlos necesitaba ocho millones de pesetas, cuatro de cada uno. El paño rojo y el pan. Ese salero. Marta se tumbó en el sofá del salón. Cuatro millones equivalían al sueldo de un año y medio. Era como si Carlos le hubiera pedido prestado su año sabático. Se vio a sí misma, una vez más, en ese año que dedicaría a estudiar en Alemania. Después, y supo que era después, se dijo que también Guillermo contaba con los cuatro millones, en realidad los dos contaban con ellos para comprar una casa, aunque Guillermo, pensó, no se lo recordaría. De algún modo el dinero le pertenecía más a Marta; a fin de cuentas, tres millones y medio los había aportado ella cuando se casaron. Y el coche era un regalo de sus padres. Gracias a eso, en cuatro años habían conseguido ahorrar dos millones más, a pesar de los viajes, la buena vida y el alquiler un poco excesivo del piso. No tenía por qué pasar nada, pero si pasaba contarían con un millón y medio. Era un riesgo asumible, se dijo. Además, Guillermo apreciaba a Carlos. Guillermo entendería que si ellos dos hubieran tenido un problema grave, Marta no habría dudado en recurrir a Carlos. En cambio, si en la comida ella hubiera mentido a Carlos diciéndole que no disponían de ese dinero, Guillermo, cuando ella se lo contara, la recriminaría. Enchufó los auriculares al equipo de música. Pero no llegó a ponérselos. Oídos a través del tabique, los ronquidos de Guillermo en vez de ponerle nerviosa la calmaban.

Carlos Maceda notaba que iba a dormirse. Había encontrado ya un portal con saledizo donde aguardar a que pasara la lluvia del insomnio, un pedazo seco de acera al amparo de dos palabras: «Lo necesito». Porque se había atrevido a decírselas a Santiago y a Marta, ahora las podía repetir. Cierto que había dudado. Temía atropellarse, perder confianza y, en el último momento, verse impelido a pedir excusas o a dar explicaciones. Resistió, sin embargo. Dijo:

—Lo necesito. —Y después esperó con los ojos rápidos. El puente recto de la nariz de Santiago, la boca de Marta, el salero, la frasca de vino. Sus manos palparon la mesa buscando el pan. Y pensó que también ellos estarían aguantando el silencio mientras elegían la respuesta. Ocho millones. Cuatro de cada uno. Carlos había calculado que los tenían y que aún les quedaría algo, quizá no mucho más, en el banco, disponible. Estaba allí el dinero. Era un número en un ordenador, era una posibilidad y él la necesitaba. Mover el dinero de sitio. Que durante algún tiempo esa posibilidad estuviera en el balance de Jard, S.L. Y luego regresara a su lugar de origen. Unos pocos meses, muy pocos, el tiempo mínimo para no tener que liquidar la empresa, para terminar el trabajo empezado y poder venderlo. Ocho millones para no tirarlo todo por la borda. Cuatro más cuatro más cero. Tres amigos. Los tres mejores amigos. Ellos debían de saber que si lo pedía era porque de verdad lo necesitaba, y porque iba a devolverlo. Se dio la vuelta. Su pierna izquierda rozó el pie derecho de Ainhoa.

Minutos después Santiago Álvarez miraba hacia la mesilla y veía las 4.05 en números rojos. A Sol no le gustaban los despertadores con luz, por eso cuando ella dormía allí, Santiago ponía los números contra la pared. Pero Santiago estaba solo. Sol se había ido de viaje y, además, Sol tenía su propia casa. Aun estando ella en Madrid, podían haber dormido cada uno en su casa. No le extrañaba a Santiago la cama medio vacía, ni tampoco el insomnio. La vigilia. Vigilar la rendija de la persiana por donde aparece una interferencia de luz. Levantarse a cerrarla para ver cómo la habitación se hace negra y, después, permanecer tumbado, dentro de esa gelatina de oscuridad. El insomnio le parecía lo mejor de sí mismo. Una especie de garantía, una fianza. En el insomnio podía ver durante cuánto tiempo la respuesta adecuada había estado en su boca sin salir fuera. Por eso Marta se le adelantó: «Tengo que preguntarle a Guillermo pero no creo que haya problemas —había dicho. Y acto seguido—: Cuenta con ello». Ésa era, en efecto, la respuesta adecuada. ¿Adecuada, o quizá debía decir obligada? ¿De dónde le venía esa obligación? ¿Y por qué, y gracias a qué esa obligación había podido más que todo su miedo? Se había sumado enseguida a las palabras de Marta: «Claro, Carlos, cuenta con ello». Con algunos segundos de retraso pero al menos, a diferencia de Marta, él se había comprometido sin condiciones, sin maridos ni esposas ni veredictos pendientes.

El agua se rompió en el grifo del lavabo cuando Carlos puso las manos. Deshechos, fríos, los chorros le mojaban las muñecas. Enchufó la maquinilla eléctrica, vio su mentón, sus ojos castaños, su flequillo y al final del espejo, dos futuros: Marta y Santiago hipotecando, por su causa, un grado de libertad. Carlos pensó en el plazo. Aunque nadie había hablado de plazos, esperaba que ellos le hubieran fijado uno. Él, desde luego, se lo había fijado. Cuatro meses. Devolvérselo antes del 10 de febrero. Y era un plazo tan duro, tan inapelable como el ruido que hizo el cierre de la correa metálica de su reloj. Cuando le dieran el cheque, se lo diría. Casi se arrepintió de haberse afeitado: ahora su cara parecía más joven y accesible.

A las nueve y media Santiago encendía su primer cigarrillo, Marta entraba en el ministerio y Carlos arrancaba la vespa. Era de color naranja claro. Carlos sabía que le daba un aire de cartero, sobre todo si llevaba colgada en bandolera su vieja bolsa de lona marrón. Ainhoa quería que tirase esa bolsa. Ainhoa aún no sabía lo del préstamo.

En el ministerio, Marta Timoner empezó a ordenar su mesa. Miraba los papeles acumulados como si el trabajo fuese obligatorio, fuese «más» obligatorio que antes. Una casa se convertía en una cárcel cuando no había forma de salir. De repente ella misma se había cerrado la salida por una larga temporada. Qué absurdo, se dijo, ella no quería salir. Le interesaba su trabajo, en concreto una parte de ese trabajo. No había ninguna cárcel, no había celdas ni régimen disciplinario sino la oportunidad de desarrollar un proyecto. Por no haber, ni siquiera había un puesto seguro, sino un contrato de asistencia técnica, un puesto provisional rozando lo irregular. Qué absurdo, volvió a enfadarse consigo misma porque la llegada de uno de los dos contratados que compartían el despacho con ella le había molestado como un consejo no pedido. Sonó el teléfono y, antes de que hablara la recepcionista, Marta recordó su cita de las diez con Manuel Soto, un antiguo compañero de facultad. Trabajaba en el control de gestión de una televisión privada y quería consultar los borradores de una normativa de proyectos audiovisuales que estaba elaborando la Unión Europea. Libros blancos, literatura gris no necesariamente confidencial aunque tampoco de libre acceso. Algunos años antes, Marta, de haberse encontrado en una situación parecida, quizá también habría hecho el favor, pero no en sus horas de trabajo. Lo habría considerado una falta de responsabilidad, una malversación del presupuesto que el Estado destinaba a pagar su sueldo. Algunos años antes, Marta tenía fama de ser una persona estricta. Seguía teniéndola, pero sólo porque los baremos del ministerio eran muy bajos en comparación con los suyos. Manuel Soto entraba en el despacho. Nunca antes le había visto con corbata. Marta se preguntó qué imagen guardaría él de ella y cómo la estaría viendo ahora. Manuel la saludó con seguridad. Envuelto en su traje, le pareció más grande y más pequeño. Más ancho, más erguido, pero con menos relieve, como si hubiera perdido redondez, como si, por simpatía con su indumentaria, Manuel hubiera adoptado el aspecto de un hombre proyectado en una pantalla. Un hombre guapo, se dijo Marta, y cogió de la mesa los documentos que había pedido la tarde anterior. Mientras los fotocopiaban, ambos bajaron a la cafetería. Era el segundo café de Marta.

Santiago Álvarez había terminado el primero y ya conducía hacia la facultad. No había puesto la radio, no quería oír las noticias ni música clásica. Pensaba en Carlos. «Cuenta con ello», ¿pero por qué? Cuenta, prácticamente, con todo lo que tengo en el banco. ¿Y si fuera Sol quien le hubiera pedido esa cantidad? ¿Se la habría prestado? De algún modo los cuatro millones le hacían sentirse más unido a su amigo que a su novia. Santiago siempre había confiado en Carlos, pero esta vez su confianza tenía la apariencia de un apunte contable y le producía una especie de angustia. Le incomodaba ese préstamo que era un acto imborrable cuando en su vida ningún acto lo era. Vio en el retrovisor el Volvo negro que le iba a pasar. Imborrable, se dijo, hasta el día de la restitución.

Sobre la mesa de la cafetería del ministerio, alguien había vertido azúcar. Marta fue haciendo pequeños montones con el mango de la cuchara.

—¿Te acuerdas de la revista que hicimos en la universidad? —le preguntó a Manuel.

—La famosa *A trancas y barrancas.*

—Yo quería llamarla «A rajatabla».

—Siempre fuiste del sector jacobino. Por cierto, ¿sigues siéndolo?

—Ya ves que no. Aquí me tienes, traicionando al Estado por un compañero de económicas.

Rieron.

—¿Y cómo lo soportas? —preguntó Manuel.

—Con dignidad.

Los dos volvieron a reír, pero Marta empezaba a querer algo más que esa galante camaradería.

—¿Tú llegaste a conocer a Carlos Maceda, el que hacía la maquetación?

—Claro. Al principio yo iba a todas vuestras reuniones. Si tú eras del sector jacobino, él era por lo menos Vladímir Lenin.

—¿Y tú? —Los ojos de Marta pedían, casi exigían un cambio de registro. Manuel lo notó sin aprobarlo.

—Lo mío siempre ha sido el patio de butacas —contestó despacio.

Alguien pasó junto a la mesa y estuvo a punto de tropezar con el maletín de Manuel. Él se apresuró a quitarlo. Puesto sobre sus piernas, el maletín delataba la provisionalidad del momento. La conversación había embarrancado. Marta miró la hora.

—Las fotocopias ya deben de estar.

Se levantaron. Una vez en el despacho, él le dio las gracias por el favor.

—No te preocupes —contestó Marta—. Cualquier día te llamo yo para pedirte algo. —Y añadió—: Lo digo en serio.

Carlos ató la vespa a una farola que había junto a la casa donde estaba su empresa. Bloques uniformes, no demasiado altos, acompañados por casas de tres o cuatro pisos, componían un único paisaje en todas direcciones. Pensó que últimamente su vida se estaba pareciendo al título de una novela que de pequeño le había llamado la atención en la breve estantería de sus padres, aunque luego al leerla le había aburrido: *Historia de dos ciudades*. El barrio del centro donde vivía y el barrio de Jard estaban en dos ciudades distintas. El primero era, de verdad, un barrio de Madrid, pero el segundo era un pueblo absorbido por el efecto de la inmigración. Un pueblo tachado, cuadriculado, un espacio vulgar. Sin embargo, cada vez que enfilaba la única avenida de lo que ya sólo podía definirse como el cruce de un polígono industrial y un suburbio, a él se le ensanchaban los pulmones. Porque, no hacía mucho, el Ayuntamiento había plantado árboles, y aunque tuvieran todavía un aspecto raquítico, a Carlos le agradaba encontrarlos. Además, el trazado rectangular de las calles y la altura media de las casas le permitían ver el cielo como una extensión continua, mientras que en su barrio del centro el cielo era sólo una suma de recortes.

También le gustaba que siguiera habiendo bares en las esquinas, baruchos mejor dicho, cuchitriles con tres mesas de formica, luz escasa y una máquina tragaperras, pero bares al fin; bares, en fin, en vez de sucursales bancarias. Azules, verdes, color de electrodoméstico, brillantes, sucursales tan nuevas y, no obstante, tan tristes, tan sucias, tan parecidas a la pensión del centro donde una vez estuvo cuando estudiaba COU. Seguro que a Ainhoa la bolsa de lona marrón también le parecía sucia, triste; sólo que en su bolsa no había disimulo. En los bancos, sí. El disimulo, la conciencia de no ser como había elegido ser: esa conciencia le había llevado a meterse primero en un grupo cristiano, después en los restos de un partido radical y, por último, en un ateneo consejista donde había discutido, dado clases, asistido a conferencias y participado en asambleas durante seis años. Allí había conocido a Alberto Riaza, y Alberto le había regalado la bolsa de lona marrón. Pero el ateneo cerró hacía mucho tiempo. Carlos nunca le había preguntado a Ainhoa qué veía en la bolsa de lona marrón. De los bancos hablaron una vez, y ella le llamó puritano. «Te daría vergüenza —le dijo Carlos— prestarle cincuenta mil pesetas a un amigo y pedirle intereses. Pero eso es lo que hacemos al meter el dinero en el banco. Le encargamos que preste nuestros fajos de cincuenta mil pesetas y al mismo tiempo nos evitamos ver la cara de quien pide el dinero.» «¿Estás proponiendo que guardemos nuestro dinero en casa?», preguntó ella, y luego, sin darle tiempo a contestar, le llamó puritano. Entonces Carlos la abrazó rogándole que lo olvidara. Porque en la palabra «puritano» dicha por Ainhoa se condensaba todo un argumento que él ya conocía: «Para querer hay que mancharse. Los puritanos no se manchan. Luego tú no me quieres». Era lo que Carlos llamaba el silogismo del reproche.

Entró en uno de esos baruchos que no eran bancos. Pensaba que aquel día había abrazado a Ainhoa movido por el miedo al reproche, el miedo a que Ainhoa dejara de quererle, pero también movido por el temor a que el reproche fuera cierto y su fanatismo le impidiera quererla. Aunque sobre todo le había movido la emoción de oírle decir a Ainhoa la palabra nuestro, «nuestro dinero». Lo recordaba con claridad, pese a que hubieran pasado más de cinco años, porque después de esa conversación decidieron unir sus cuentas corrientes. Y ahora, en cambio, Ainhoa no sabía que, para los bancos, Jard no tenía valor, que le exigían una hipoteca sobre un inmueble propio, pero ellos no tenían la casa en propiedad sino alquilada. Hacía seis meses que Jard facturaba menos de la mitad de sus ingresos habituales. Dos grandes corporaciones habían empezado a fabricar una fuente de alimentación estándar, con multitud de aplicaciones, capaz de sustituir al aparato estrella de Jard, específico para algunos instrumentos de electromedicina. De los tres modelos de fuentes fabricados por Jard, aquél era el que mayores rendimientos les había proporcionado. Cuando los gigantes se mueven, sus pies pueden destrozar varias hormigas. Lo malo, se dijo, es que tanto los gigantes como las hormigas lo saben.

En dos bancos distintos le habían hecho un estudio personal y habían determinado que el préstamo no era viable ni siquiera contando con la nómina de Ainhoa. Su té con limón ya estaba en la barra. Fue a buscarlo y le llegó el olor a maquillaje de una señora que pedía cambio para la máquina tragaperras. Luego la melodía de la máquina se hizo agresiva. Carlos oía los botones, los timbres, el caer de las monedas. Aplastó el limón con la cuchara. Tenía el dinero, ¿para qué seguir amargándose? Sin embargo, aún venían a su cabeza Marta y Santiago y, con ellos, los días en que había dudado, cuando pensó liquidar la empresa. Volvió a preguntarse si no habría sido más prudente diversificar los créditos: haber pedido, por ejemplo, dos millones a cuenta de la nómina de Ainhoa, y otros dos a Santiago y a Marta, que sus padres le hubieran dejado uno, Lucas otro y seguir trampeando. Aunque bastante alarma tenía ya Ainhoa por los problemas con su contrato en el hospital. Y aún se le hacía más duro imaginar la desolación de sus padres, el temor con que verían el futuro de su único hijo. En cuanto a Lucas, nunca había ahorrado más de cien mil pesetas. No, nada de trampear. Además su empresa, como cualquier otra, como cualquier persona, necesitaba que se atrevieran a apostar por ella. Eso había hecho. Carlos rompió la etiqueta de cartón del té. ¿Por ejemplo dos millones a cuenta de la nómina de Ainhoa?, se burló. Si hubiera creído que Ainhoa iba a confiar en él, no le habría dado vergüenza contarle su idea de pedir un préstamo a Santiago y a Marta.

Una vez en Jard, vio la cazadora negra de Lucas en el perchero. Carlos se encogió de hombros: cualquier banco podía despreciar su empresa, un bajo interior de setenta metros cuadrados con un despacho, un baño, un pasillo y el gran cuarto del fondo. Ese cuarto no era una nave industrial, pero llegaba a parecerlo cuando estaban todos trabajando y se veían las fuentes de alimentación apiladas en una pared y, en la otra, varias fuentes en proceso de montaje, el osciloscopio, el voltímetro digital, mesas con los componentes preparados, a Rodrigo midiendo parásitos, a Esteban soldando, a Daniel en el ordenador y a Lucas con los diseños sobre el tablero. No era extraño que un día Lucas, en lugar de decir «Me voy al cuarto del fondo», hubiera dicho: «Me voy al transbordador». Desde entonces, todos llamaban buque al cuarto del fondo, o Zodiac, o acorazado según estuvieran los ánimos. Lucas llevaba dos meses trabajando a toda máquina. Carlos entró en el submarino contento de poder darle la noticia del préstamo. De las cuatro personas que trabajaban en Jard, sólo Lucas estaba al tanto de la «operación amigos».

Santiago terminó su primera clase a las once. En el pasillo encontró a tres profesores de su departamento. Iban al bar, pero él no les acompañó. Hizo en cambio lo que no solía hacer nunca, salir al campus, andar. Tenía puestos sus vaqueros de siempre, la camisa, algo vieja, comprada con Carlos y Marta en un viaje a Roma, y una chaqueta nueva de lana con bolsillos. Se sentía cómodo en esa ropa, y en un trabajo que le permitía vestir esa ropa y sentarse ahora en la hierba para fumar uno de sus diez cigarrillos diarios. La vida no le pesaba. Y se dijo que estaba consiguiéndolo. Aunque no supiera explicar bien cómo, ni tal vez repetirlo en parecidas circunstancias, sin duda lo estaba consiguiendo. La voz de su madre viuda, el silencio de su padre muerto de improviso, la angustia económica, el bar de la gasolinera y su hermana, y el marido de su hermana, no se habían evaporado. Seguían allí. Murcia seguía allí, pero estaba a cinco horas en tren, que era como él solía ir a su pueblo: cinco horas le parecía una distancia suficiente. La obligación de ir a Alguazas el día de Todos los Santos y también en Navidad ya no le pesaba. Podía permitirse el lujo de ser generoso, ponerse el pantalón de franela heredado de su padre, soportar la raya y la camisa de tergal y la corbata oscura. Ni siquiera le costaba mucho acudir al antiguo bar de su padre y dejar que su cuñado le abrazara golpeándole la espalda, ni tampoco oír contar a su hermana cómo iban los amoríos del pueblo o, a su madre, la última pelea familiar.

Ese mundo no era el suyo, él sólo lo visitaba. El pantalón de franela no era un horizonte sino un disfraz. Y aunque Santiago todavía recordaba con horror los meses que siguieron a la muerte de su padre, cuando el bar se había perfilado como el destino más probable no obstante todas sus becas, todas sus matrículas, sin embargo, al final, el dado le había favorecido, su hermana se había casado a tiempo con el hombre idóneo y ahora el bar era sólo un negocio de la familia. Ese mundo ya no le amenazaba, había quedado tan atrás como su adolescencia, y con el tiempo Santiago hasta le había cogido cariño al pueblo, y no le molestaba que estuvieran orgullosos de su puesto en la universidad, ni que le pidieran recomendaciones para asuntos ilógicos, que en nada tenían que ver con él. Ni siquiera en su época más rencorosa y romántica se había avergonzado de sus orígenes, se dijo, y evocó las arrugas de la risa en la cara de su abuela. Le avergonzaba el porvenir. Pero se había librado del porvenir.

Apagó el cigarrillo en la hierba, metió las manos en los bolsillos de la chaqueta. Estaba bien. De momento, su vida estaba bien: ser profesor de historia moderna y contemporánea, vivir en el barrio de Chueca, en un piso viejo, casi de estudiante, donde pagaba un alquiler bastante por debajo de sus posibilidades, ¿para qué necesitaba más? Al fin y al cabo, también su carrera estaba por debajo de sus posibilidades; aún no había podido marcharse del pelotón, pero se mantenía a la cabeza, guardando las distancias. De momento le gustaba esa impresión de provisionalidad, que su casa no fuera muy distinta de las casas que compartían sus amigos cuando él estaba en el colegio mayor, que su novia no viviera con él, ni él con su novia. En ese sentido, también le gustaba que Carlos le hubiera pedido el dinero. Porque significaba que él era un igual, que era, como Marta, alguien nacido de pie, alguien que aunque perdiera cuatro millones seguiría viviendo del mismo modo pues ya había consolidado su posición, había salido, como decía su madre, adelante. Al pedirle todo su dinero ahorrado, Carlos estaba sancionando su victoria. Pensó también que, en realidad, él no había ahorrado ese dinero para fortificarse o combatir. Ni siquiera el verbo ahorrar le parecía apropiado. El dinero se había ido acumulando porque no le hacía falta, porque no quería una casa mejor ni hacer viajes extravagantes. Estaban ahí los cuatro millones, pero del mismo modo podrían no haber estado. ¿Miedo? No era exactamente miedo a perder el dinero lo que sentía; era una especie de molestia anterior, como si alguien hubiera entrado en su casa cuando él aún no había terminado de vestirse, como si Carlos le hubiera pedido los cuatro millones antes de que él cayera en la cuenta de que los tenía. Un alumno venía hacia él. Se puso de pie sin apoyar las manos. Sus piernas largas y fuertes le dieron seguridad. El alumno le entregó unos folios grapados.

—El trabajo sobre la compañía de ferrocarriles andaluces —dijo—. Hoy no puedo quedarme.

Santiago cogió los folios. Intercambiaron frases cortas. Santiago notaba la indecisión del alumno. En otro momento habría echado a andar a su lado, pero esta vez siguió quieto. Luego miró el reloj. El alumno pareció entenderlo y se fue. Santiago volvió solo a la facultad.

Por la noche, Marta y Guillermo cenaban la carne guisada que les había dejado hecha la asistenta. Luego Guillermo fue a buscar yogures a la cocina y Marta puso un disco de música celta a un volumen muy bajo. Aunque al día siguiente era 12 de octubre, fiesta, no pensaban salir. La luz de una lámpara de tela blanca caía sobre el azul marino del mantel; al fondo, el sofá bajo y los sillones estaban a oscuras; más al fondo, procedente de un espacio que los altavoces sólo repetían, el viento y la madera. Marta buceaba en el mantel mientras Guillermo, removiendo el yogur, le hablaba de un artículo sobre la desconexión en un sistema mundial policéntrico.

El pelo corto de Marta brillaba. Guillermo dirigía allí sus palabras; pronto le pediría que levantara la cabeza. Estaba dispuesto a afrontar su cara de chico rota en dos labios que eran una gran uva oscura y no besarla, y guardar silencio. Pero ella alzó la vista del mantel.

—Ha pasado —dijo— una cosa.

Carlos salió de la empresa. Su vespa era un único faro entre los otros, la bolsa de lona no se distinguía en la noche.

Ainhoa pasaba deprisa las páginas del periódico. Carlos la había llamado al hospital para que fuera ella a recoger al niño. Ainhoa llegó a casa a las seis y media, con Diego de la mano. Estuvo media hora con él, luego lo llevó al segundo piso con los hijos de una pareja amiga, y siguió preparando la presentación de un caso clínico que debía hacer el viernes ante otros médicos. Había empezado a estudiar en el hospital, sin concentrarse demasiado. Desde que le anunciaron la posible supresión de la plaza que ella ocupaba en comisión de servicios y supo que no había nada previsto para solucionar su caso, le costaba estudiar allí dentro. Con los enfermos era distinto, los enfermos no sabían nada. Pero cuando estudiaba y oía detrás de la puerta las voces de otros médicos, le parecía que todos desconfiaban de su capacidad. A las nueve Carlos llamó de nuevo, salía ya para casa. Entonces ella había recogido sus papeles y se había puesto a hojear el periódico. Estaba alterada. Tenía ganas de hacer algo y, aunque no sabía qué, sí sabía que no era esperar a Carlos, acostar a Diego, oír hablar de la empresa con medias palabras y hacer ella lo mismo con el hospital, irse a la cama. Vio que ponían *El padrino* en la televisión.

A las diez y veinte Santiago bajó al andén. Reconoció a Sol por sus andares. Se acercó a cogerle la maleta. Ella le dijo que no hacía falta, que tenía ruedas y, soltando el asa, le besó. Santiago metió las manos dentro del abrigo de Sol para abrazarla.

Llevaban cinco días sin verse, pero era como si llevaran quince o más, porque a él le había sucedido algo, porque había tomado una decisión sin contársela a Sol y ni siquiera estaba seguro de querer hacerlo todavía. Ella no iba a entender su preocupación. Ella no tenía ese dinero, no llevaba camino de tenerlo nunca.

A las once menos cuarto, en un intermedio de *El padrino*, Ainhoa se enteró del préstamo. No dijo nada. Tampoco Carlos le dio demasiados detalles: «Marta y Santiago van a dejarme dinero para la empresa». Segundos antes había quitado el sonido de los anuncios. Ahora los dos oían el silencio. Cada uno el suyo. Carlos oía que no había dicho cuánto dinero ni en qué situación estaba Jard. Ainhoa se oía no contestar, se oía no moverse, no poner la mano sobre el brazo de Carlos, no decir: «Cuando acabe la película hablamos un rato». Un detergente verde. El 8,5 % de T.A.E. Un coche en el desierto. Carlos pensaba que el silencio entre los dos debía ser otra cosa, más fácil, más carnal. Pensaba que tenía que subsistir aún una diferencia entre morder la boca de Ainhoa y morderse los propios labios. Quiso contarlo todo, la cuantía, los bancos y sus dudas, y preguntarle a Ainhoa por esos cambios en el servicio de medicina interna que podían dejarla sin trabajo. Quiso, pero cómo empezar. Ainhoa no miraba la televisión ni tampoco a él. Debía de estar imaginando otra vida. Sólo hay una, deseó decir. Los espías sólo tienen una vida. Los adúlteros sólo tienen una vida, Ainhoa, te lo juro. Continuaba la película. Ainhoa subió el volumen y se echó hacia atrás.

Santiago no dejó que Sol deshiciera el equipaje. Dentro de la cama, desnudo y más impaciente que otros días, esperó a que saliera de la ducha. Ansiaba sujetar con las manos la tensa delgadez de Sol. Al verle, ella dejó caer la toalla y entró en la cama riendo. A menudo se reían mientras se tocaban. Sol buscaba la risa. Santiago decía que se había enamorado de ella la primera noche después de comprobar que, en el orgasmo, Sol no gemía, no gritaba, no lloraba sino que reía al principio en voz baja y después más fuerte. Ahora, pensando en cómo podía contarle con cierto humor lo del préstamo, se imaginó con Carlos y con Marta dentro de siete años, rejuvenecidos los tres por la pobreza; pues si los ocho millones se perdían acaso los tres volviesen a fumar negro, y decidieran juntarse a comer en ese sitio donde un arroz a la cubana costaba ciento cincuenta pesetas, y cogieran el búho por la noche, y de nuevo grabaran cintas y se compraran ropa en el Rastro. Entretanto, había empezado a besar a Sol. La acarició imaginando cómo sería hacer un viaje en InterRail a los cuarenta. Notaba sus piernas sobre las piernas de Sol, notaba la piel y la carne, las manos de Sol; entonces Santiago dejó de imaginar, volvió a querer la tensa desnudez de Sol, apretarla, coger a Sol por las caderas, entrar en Sol como quien pasa un dedo por el envés de la tela del tambor sin haber roto el tambor. Y supo que esa noche necesitaba el envés de la piel del tambor, algo tirante y clandestino, un lugar casi violento donde no entraba la risa.

Guillermo y Marta recogieron los platos. Luego se sirvieron una copa, y Marta se sentó de nuevo a la mesa. Fumaba excitada, hablando mucho. Guillermo la oía, la miraba, y sólo cuando la miraba se daba cuenta de que ese momento estaba siendo importante para ella. En cambio, cuando apartaba la vista de la cara de Marta para dejarse llevar por el significado de sus palabras, sentía un ligero temor, ligero pero punzante porque era, sin duda, temor, era la conciencia de un peligro cercano. Guillermo sabía que Marta ya había tomado una decisión. No le estaba consultando si podía prestar cuatro millones a Carlos: sólo estaba teniendo la gentileza de contárselo en forma interrogativa.

Tal vez porque presuponía su consentimiento, y hacía bien, se dijo. Él no era una persona apegada al dinero; además, Carlos le gustaba, había llegado a quererle. O tal vez porque, aunque el dinero fuera de los dos, una gran parte había venido de Marta o de sus padres. Entonces, para acallar el temor, Guillermo pensó que en la mente de Marta podía estar la idea de pedir ese dinero a sus padres si por alguna causa, no rotundamente improbable, la empresa de Carlos quebraba. Lo pensó sin hacerse ilusiones. Sabía bien que Marta era capaz de pedir dinero a sus padres, pero incapaz de reconocerlo ni siquiera ante sí misma, y menos ahora que estaban jubilados. Si Marta había decidido prestarle los millones a Carlos, eso significaba que antes había aceptado, o mejor, que estaba convencida de haber aceptado la posibilidad de perderlos.

Una vez cruzado ese límite, Guillermo casi podía tocar la lengua áspera, los suaves colmillos amarillentos, la caliente respiración del temor: Marta hablaba, pero en sus palabras no había la menor alusión al futuro común, a las posibles repercusiones del préstamo en el futuro común. Y un jabalí latía en la oscuridad. Alerta, con la espalda apoyada en el respaldo de la silla, las manos anchas sobre los vaqueros, Guillermo buscaba un disparo en las palabras de Marta: espantar al jabalí, matar el espejismo. Encontraba sólo delicadeza, esa capacidad de Marta para ponerse en el lugar del otro y hablarle con respeto y hacerle sentir partícipe de su decisión. Guillermo no quería que Marta se pusiera en su lugar, el jabalí se ríe de la delicadeza. Guillermo quería que Marta se pusiera en el lugar de los dos. Alguna vez habían hablado de tener un hijo. Guillermo quería oír cómo Marta relacionaba el dinero con el hijo.

Y no lo oía. Y el jabalí latía en la oscuridad. Porque si Carlos no les devolvía el dinero en el plazo previsto, a él le iba a importar menos, él sabía cómo vivir sin un remanente en el banco, sin una garantía por delante. Marta no. Marta cumpliría en diciembre treinta y dos años y aún no estaba segura de querer tener un hijo. Una mala situación económica podía afectarla lo bastante como para inclinar hacia un lado la balanza, hacia el lado de las dudas y las dificultades. Guillermo quería oír que Marta había valorado eso, pero no lo oía.

Quizá, se dijo, no fuera el momento. Y se propuso olvidar al jabalí. Eligió ver la cara de golfillo con gorra de visera de Marta y admitir que ese día estaba siendo importante para ella porque la vida le había permitido hacer un acto de amistad. No era tan sencillo. Marta fumaba, a Marta le brillaban los ojos, Marta sonreía, y de sus dientes brotaba el humo del cigarrillo, un humo caliente, como vapor condensado en lo oscuro. Marta estaba contenta porque había vuelto a encontrar una pandilla. A Guillermo le preocupó haber acudido a esa palabra, pandilla, tan llena de connotaciones adolescentes. Cuatro millones no eran un juego de adolescentes. Sin embargo, Marta se había colocado ahí, en la pandilla, en el grupo de amigos que opone sus propias reglas a las reglas de un mundo exterior y hostil. Después hubo un carraspeo, una nube de tierra en la voz de Marta a la vez que sus dedos empezaban a jugar con la colilla. Eran señales de agobio, Guillermo lo sabía y la cogió por los hombros.

—¿Pasamos al salón?

Marta se quitaba los zapatos y Guillermo encendía una pequeña lámpara japonesa junto al sofá. Las decisiones de la vida, lo había comprobado, no se resolvían haciendo cálculos, sino viviendo, porque la propia vida era el factor clave para calcular. Ahora a él le tocaba vivir con Marta la decisión de prestarle cuatro millones a Carlos Maceda. Se dijo que Marta no estaba tan segura de querer prestar ese dinero, de ahí su agobio; y aunque en la inquietud de Marta no entrase la idea del hijo, pensó que en la voluntad de vencer esa inquietud sí entraría la certeza de no estar sola. Marta se tumbó, usaba la cadera de Guillermo como almohada.

Se quedaron callados. La música celta había cesado hacía rato. La mano grande y morena de Guillermo pasaba por la cabeza de Marta, firme. Ella procuró serenarse. Volvió la cara hacia un lado y después todo el cuerpo. Respiraba con gusto el olor del jersey verde claro de Guillermo. Miraba la textura de la lana iluminada por la lámpara y distinguía, en el verde, motas de color teja y amarillas. Marta cerró los ojos. Al fondo de la habitación quedaban las copas de vino. Sobre el mantel azul, los fragmentos de corteza de pan flotarían como placas tectónicas en miniatura. Por una vez no sintió necesidad de llevarse las copas y sacudir el mantel. Pensó que las placas tectónicas estaban bien allí, a la deriva en aquel océano.

A las doce de la noche del martes 11 de octubre de 1994, la operación amigos se había resuelto con un saldo de ocho millones a favor de Carlos. Guillermo había dado su consentimiento y Santiago había decidido firmar el cheque sin contárselo a Sol. A las doce Guillermo se quitaba el jersey verde con motas de color teja, Sol dormía, el padrino moría jugando con su nieto y Ainhoa, en paralelo a la película, veía sucederse un tiempo sin escollos, sin deudas, sin mentiras: terminar de formarse, ser una buena médica; dentro de bastantes años, dejar el hospital por una plaza de médico de familia en un pueblo de Bizkaia y allí, prados al final de cada calle; por la tarde, creciendo, el ruido de los grillos; salir con Carlos a oírlo; entrar en casa y leer, y dormir resguardados por la calma nocturna.

Carlos casi no salía de la empresa. Llegaba temprano y se quedaba con Lucas hasta el final. Lucas en el acorazado, y él, entre el acorazado y el despacho. En realidad, al despacho iba sólo a llamar por teléfono; una vez conseguido el dinero, se había pasado con bártulos y papeles al tablero de Lucas. Había sitio de sobra para dos taburetes. Allí combinaba su función de administrador con otra más a su gusto. Porque las dificultades al menos le habían devuelto al trabajo material. Lucas conducía la investigación y él iba en la cabina como un capitán que a ratos fuera mecánico. Cuando había que poner a prueba un diseño, contrastar cálculos, encontrar un filtro adecuado, Carlos se encargaba de hacerlo. Durante horas quedaba libre de la tarea de tomar decisiones sin red, sin el contraste fácil de la materia. Luego, cumplida la misión, retornaba al orden de lo incierto, allí donde cada movimiento proponía su trayectoria y no había voluntad compartida, y eran sólo supuestas las necesidades. Iniciar un plan y culminarlo con la conciencia de que, antes del inicio, no hubo otra autoridad que su ingenio solitario. Preparar estrategias, alianzas; decidir con qué talleres y en qué condiciones trabajaría Jard, a qué ferias intentaría ir y a cuáles no; buscar en los catálogos los componentes mejores; redactar textos para anunciarse en publicaciones electrónicas; hacer balances de urgencia y listados de futuros clientes sabiendo que el mercado era apenas un paisaje de resultados, renovado cada día igual que se renueva en el cubo de la basura la estratificación de los despojos.

El tablero, blanco, estaba inclinado, aunque no mucho. Fuera, un otoño seco cerraba la ciudad, un otoño cálido de clima invertido. Octubre avanzaba y, sobre el tablero, Carlos se sentía como un hombre en una planicie, un blanco fácil sin la protección de un arbusto. Sólo a primera hora, durante el viaje en la moto, las manos endurecidas por el frío, hallaba calma. Pero mientras aparcaba, el escozor del sol le afilaba los dedos provocándole una pequeña molestia, una especie de vergüenza de baja intensidad.

Había llegado el viernes 21 sin que se hubiera producido ningún progreso significativo en el diseño de la nueva fuente de alimentación. Era lo normal, se repetía Carlos. Estaban metidos en el famoso 1,4 por segunda vez. El 1,4 del desaliento, pensaba ahora, la gota que es todo un vaso, el último tramo de ascensión en la montaña que es toda la montaña. Durante la primera crisis de Jard, Lucas se lo había contado de mil maneras: «La resistencia a vencer nunca es uno, siempre es uno coma cuatro. Hemos resuelto el noventa por ciento de las dificultades, pero el diez por ciento que falta equivale a un cincuenta. Aunque parezca que son simplezas y tonterías, son justo las simplezas y las tonterías que no hemos sido capaces de resolver en todo este tiempo. Por algo se han quedado para el final». Carlos conocía ese modelo matemático, se trataba de un problema típico de estimación de riesgos, y si aquella primera vez se lo saltó no fue por exceso de confianza, sino por falta de capital. A un ritmo agotador, ayudados por la buena suerte, consiguieron reducir la cifra al 1,25. Entretanto trabajaron sin cobrar durante cinco meses, ellos no cobraban y pagaban menos de medio sueldo a Rodrigo, el único técnico contratado. También pidieron un segundo crédito blando al Instituto de Crédito Industrial. En el último momento, Carlos llegó a ofrecer como garantía el ordenador y el resto de los materiales al taller que iba a producir gran parte de las piezas. Hasta que por fin obtuvieron una remesa de fuentes de gran calidad, especialmente diseñadas para algunos instrumentos de electromedicina. Lograron remontar la crisis pero, advertidos, decidieron no dar tregua a la línea de investigación y contratar a un chico para que ayudara a Rodrigo relevándoles a ellos, casi por completo, del trabajo manual. Esteban, con sus dieciocho años, su flamante título de formación profesional y su lenguaje de barrio, se convirtió en el protegido de los tres, en el futuro: ya tenían alguien a quien enseñar. Hacía sólo año y medio de aquello, desde entonces aún habían ampliado la plantilla otra vez: para cumplir un encargo de veinticinco unidades de control, tuvieron que contratar a Daniel, un estudiante de cuarto de ingeniería. En enero, las veinticinco unidades estuvieron terminadas y Carlos recordó con qué seguridad tanto él como Lucas habían decidido renovar el contrato de aprendizaje de Daniel. Así lo hicieron porque se suponía que iban a entrar en la segunda etapa, que dejarían de ser recolectores nómadas sin casa y empezarían a trabajar la tierra, y luego esperarían la cosecha y levantarían una aldea. Habían abierto el primer surco. No les había dado tiempo a más.

Carlos encontró la dirección del suministrador que necesitaba. Ahora deseaba apoyar la cabeza en el tablero, cerrar los ojos, pero la presencia de Lucas se lo impedía. Pensó en decirle que fueran a tomar una copa. Últimamente lo hacían a menudo: él se tomaba un gin-tonic; Lucas, dos cervezas. Aunque esta vez no serviría. Él necesitaba hablar con alguien que no estuviese implicado en Jard. Alguien a quien poder contarle su cansancio, aunque no su cansancio lógico, su preocupación por la quiebra y los futuros problemas de todos, sino su cansancio absurdo, el temor a que sus padres se enteraran, su inclinación a atribuirse responsabilidades que no eran suyas, su vanidad de elegido, de héroe, la aceleración de su pensamiento.

En otras circunstancias habría llamado a Santiago o se habría pasado por casa de Marta y Guillermo sin avisar. Pero ahora ellos, igual que Lucas, igual que Ainhoa, formaban parte de su cansancio. Tampoco quería acudir a un conocido cualquiera. No anhelaba exponer sus razones, sino ser visto, decir «mis padres» y que alguien pudiera ver, o pudiera al menos imaginar, su casa modesta y, en ella, su cuarto perfectamente equipado de hijo único: la enciclopedia, la caja de compases, el bigote de morsa tranquila de su padre cuando se inclinaba para ayudarle a montar el circuito de un timbre. Necesitaba un amigo que hubiera conocido a sus padres y supiese que eran de baja estatura, los dos, y se pudiera imaginar a Carlos, un chico bajo en su clase, el día que ya no quiso que le midieran porque se había medido él y sabía que iba a sacarle dos centímetros a su padre. Gilipolleces, pensó. Y se acordó de Alberto, de la bolsa de lona. Alberto estaba en Edimburgo, pero solía ir a Madrid dos veces al año. Si ésta hubiera sido una de las veces, le habría pedido, seguro, que tuviera cuidado. Cuidado. Atención. Pon atención en lo que estás haciendo. ¿Qué estaba haciendo ahora con su cansancio, con las presiones materiales, con la cara callada de Ainhoa? Darles la razón. Carlos recolocó los codos en el tablero.

—¿Cómo vamos? —le dijo a Lucas.

Lucas se quitó las gafas de cerca.

—En la zona hay tres submarinos alemanes. Esto es malo. Pero les hemos descubierto y ellos a nosotros no. Esto es bueno. —Se puso de pie. Guardó las gafas en la funda—. Tengo que irme. Mañana vendré por la tarde.

Carlos asintió. «Mañana» era sábado, y ni siquiera intentó decirle a Lucas que lo dejara, que podían perder un día. La verdad era que no podían. Salieron juntos.

En cuanto abrió la puerta de casa, el niño se acercó para contarle que había llamado Santiago. Aunque sin ganas, Carlos devolvió enseguida la llamada. Hacerlo le permitía postergar unos minutos más lo previsible: la esforzada jovialidad de Ainhoa, su presencia sosegada, su voz amable y sin embargo en su cuerpo un silencio vengativo, doloroso, tal vez ni siquiera premeditado. No encontró a Santiago sino el contestador. De nuevo le alegraba la prórroga. Dejó un mensaje rápido y trató de calmarse. Él no era un fugitivo, Santiago no le perseguía. Tampoco era un hombre solo. Era Carlos Maceda, estaba en casa, con su mujer. Podía ponerse las zapatillas, dar un beso a su hijo y entrar despacio en la noche. Su hijo, sus amigos, su mujer. Pero la idea de que fueran suyos no le daba tranquilidad. Siempre había tenido cosas, muchas más de las que habría sido lógico que tuviera el hijo de una celadora y un maestro industrial que había perdido dos veces su trabajo. Sus padres habían pasado por épocas duras, sin embargo él siempre había tenido cosas. A cambio de algo. Porque vivían en una casa pequeña y a través de los tabiques no le había quedado más remedio que oír cómo la enciclopedia del hijo significaba letras, la intranquilidad de su madre, el no abrigo nuevo de su padre. Carlos había entendido el mecanismo. Y se había sentido fascinado cuando, a los trece años, conoció la biblioteca popular del barrio. Allí sí era posible tener un libro a cambio de nada. Tenerlo en casa prestado, usarlo y devolverlo a cambio de nada, a cambio de ningún no deseo de sus padres. Eso quería Carlos, una biblioteca pública, tener algo que no fuera suyo y no le faltara a otro. Ahora tenía un dinero prestado, como los libros, pero ese dinero les faltaba a Santiago y a Marta. Los bancos tampoco eran una biblioteca: vendían sus préstamos.

—No voy a cenar —le dijo a Ainhoa—. Voy a calentar un vaso de leche y me lo llevo a la cama. Creo que estoy incubando una gripe.

Ainhoa le puso una mano en la frente.

—Yo te lo preparo —dijo.

Pero hacía días que no se tocaban; Carlos se preguntó qué estaba perdiendo al ganar esa mano en su frente, y sólo dijo gracias, y esperó en el salón a que Ainhoa se lo trajera porque no quería esperar en la cama.

Esa madrugada Santiago llegó a casa solo, con varias copas encima. Había estado celebrando la cátedra de un compañero en un chalet de las afueras. Sol no podía ir porque ensayaba con el coro hasta tarde y no tenía coche. Él apenas había insistido, ni tampoco se había ofrecido a salir a buscarla, recordó. Estaba tumbado sobre las sábanas con la ropa puesta. Se desnudó por fases, pero no se levantó para bajar la persiana. Le dolía la cabeza. Al apoyar la frente en la almohada vio las escaleras de granito del chalet, y era como volar hacia el suelo de hierba, como hundirse dentro de la hierba, entre las briznas los vasos abandonados.

Por la mañana, pasadas las doce, oyó el mensaje de Carlos. Notó la tensión acumulada en la voz. «Soy un bruto —dijo en alto—, un impaciente.» Había llamado a Carlos sólo porque se sentía inquieto. Quería enterarse de cómo estaban las cosas en la empresa, saber qué iba a ocurrir con su dinero. No había pasado ni una semana desde que le dio el cheque y, de pronto, no estaba seguro de haber querido prestárselo. Ni siquiera el «de pronto» era apropiado sino que cada día, y cada hora que pasaba, se iba impacientando más. Sobre todo, se dijo, cada día le molestaba más la coincidencia: ¿por qué cuatro millones cuando era justo eso lo que tenía en el banco? Tenía cuatro millones ciento sesenta mil. Si hubiera sido un millón. O si él hubiera tenido diez. Ahora se había quedado con lo mínimo, un margen de ciento sesenta mil pesetas para imprevistos.

Santiago se tomó el café en la cocina. Los sábados por la mañana le gustaba bajar por el periódico antes de desayunar y leerlo después en el salón, junto a la cafetera llena y las tostadas. Pero ese sábado estaba algo nublado, entraba muy poca luz por los cristales. Se quitó el albornoz para ducharse y lo dejó con rencor sobre el sofá. Él, enemigo de sí mismo; él, motor y promotor del desorden que lo deprimía: el baño en el salón, la ropa en la cocina, por cada rincón periódicos usados, ceniceros usados, desayunar de pie. Él no había querido prestarle dinero a Carlos, se había sentido obligado a hacerlo. Eso era lo que le molestaba, haber actuado por quedar bien. Abrió desde la ducha el ventanuco. Vio los tejados dentro del cielo gris. Y le parecía estar duchándose ahí, en el límite entre una película de la Segunda Guerra Mundial vista con Sol ese sábado y otro barrio, otras ocupaciones, tal vez una familia y decidir, un poco igual que Carlos, asuntos que no le concernieran exclusivamente a él. Más alto que el agua, Santiago detuvo la mirada en la alcachofa de la ducha y recordó que no le había regalado los millones a Carlos: sólo se los había prestado. Soy un bruto, volvió a decirse esta vez para dentro. ¿Si no quiero prestar dinero a mi mejor amigo, si no quiero apoyarle ahora que tengo la oportunidad, entonces qué clase de vida quiero?

Después de afeitarse llamó a Sol. Ella fue por la tarde y vieron en la televisión una película en blanco y negro. Echaron la siesta. Santiago se levantó cuando Sol terminaba de hacer un bizcocho. En la cocina a oscuras, el horno, iluminado en el interior, era como esas fábricas vistas de noche desde la autovía. Santiago pensó que a su abuela le habría gustado tener un horno así. Salieron a cenar a una pequeña taberna con manteles azules y candiles en las mesas. El domingo desayunaron el bizcocho, zumo de naranja y café. Leyeron despacio el periódico y después Sol dijo que tenía una comida familiar. Santiago se disculpó.

—Pensaba quedarme trabajando. Aún no he terminado el artículo para los ingleses y además quiero preparar el seminario.

—Lo de la familia ya lo hemos hablado —contestó Sol—. No necesitas inventar excusas —dijo pasándole la mano por la oreja y el pelo, sin enfadarse.

Él la besó ofendido y la acompañó a la puerta. Se ofendía

porque era y no era verdad. Era verdad, Sol tenía razón, había querido zafarse de la comida cobardemente. Para entregar su artículo tenía de plazo hasta Navidades; el seminario podía prepararlo en media hora. Y, sin embargo, por qué Sol era igual que todos, por qué era igual que su padre riéndose de sus notas, por qué era igual que haber tenido que trabajar en el colegio mayor mientras los demás podían permitirse estudiar más horas cuando llegaban los exámenes. Trabajos contra futuro, comidas familiares contra futuro, plazos de una revista inglesa contra futuro. Pero las condiciones habían cambiado. Ahora podía pagarse su alojamiento y demostrar que era mejor que muchos otros. No toleraría que ningún redactor jefe de ninguna revista se convirtiera en legislador de su destino. Por eso había instaurado su propia constitución con normas mucho más exigentes que las normas impuestas por cualquier redactor jefe, cualquier trabajo o familia. Él mismo fijaba la fecha de entrega, y por qué Sol no entendía que sus plazos, aunque adelantados, tenían tanta validez como los plazos externos. Aceptaba, se dijo, la acusación de haberlos utilizado como excusa, pero cómo podía ella creer que sus plazos eran una invención. Se preparó una ensalada con jamón y queso. Avanzó seis folios en su artículo.

A las nueve, mientras cenaba, decidió llamar a Sol y contarle lo del préstamo. Lo hizo muy deprisa, sin darle importancia. Sol, como él había previsto, tampoco se la dio. Incluso le propuso quedar con ellos, con Carlos y Ainhoa, con Marta y Guillermo, el próximo fin de semana. Verse todos, como otras veces; como si no hubiera, pensaba Santiago, pasado nada. Al colgar ya no quiso seguir trabajando. Se subió a un taburete y se puso a buscar en los estantes su viejo ejemplar de *Las tribulaciones del estudiante Törless*. Carlos y Marta habían leído la novela en ese ejemplar. Carlos se lo había regalado a Santiago, y él había querido que Marta también lo leyese para discutir el libro entre los tres. Encendió un flexo negro que había junto al sofá y apagó el globo de papel del techo. Borrada así la habitación, en el entorno limitado del flexo, pasó los dedos por el lomo agrietado del libro. Empezó a pensar en Carlos y en Marta, y en la revista, y en los dos años que estuvo con ellos en el ateneo de Magallanes. No era un estúpido, no tenía, se dijo, ninguna intención de contarse batallitas, ni mucho menos de sentir lástima por ellos mismos, por la virginidad gastada, por la fe. Sólo estaba necesitando orientarse, averiguar cuál era su posición: cuánta distancia había entre ese libro venido del pasado y él. Porque ese libro, ese idéntico pedazo de materia, lo leyó un Santiago Álvarez con barba de tres o cuatro días, un Santiago que vestía vaqueros de escasa calidad y pañuelos palestinos, a veces taciturno pero otras muchas veces entusiasta, casi panteísta, entregado a una fe según la cual las ideas estaban animadas, eran llamas o chispas insuflando vitalidad a una multitud compuesta por personas como él. Entonces lo irracional, el envilecimiento, el bárbaro latido de las cosas, podía ser sólo un tema guardado dentro de un libro. No había peligro de que saltara fuera y si lo hacía allí estaba, dispuesta a contenerlo y alejarlo, la multitud.

Santiago había formado parte de aquella multitud, y había tenido la impresión de que existía un relevo permanente: aun cuando tú dejaras de hacer algo, otro lo haría, igual que tú harías lo que otro hubiera dejado de hacer. Entonces era posible abandonar a ratos, aunque nadie quería abandonar; había una guerra contra el sistema, pero era una guerra de charangas, fiestas, reuniones hablando de mezclas disparatadas, guerrillas y no-violencia, revolución y locura, y viajes al mar, y películas, y acampadas junto al monte del Ocejón. Una guerra sin bajas. Una guerra sin pérdidas. Una guerra casi feliz: la vida no estaba en juego.

En cambio ahora sí lo estaba. Por eso se había dispersado

la multitud. Ahora las cosas latían, bárbaras, envilecedoras, exultantes también. Cada decisión implicaba un sueldo posible o uno imposible, una plaza fija o un contrato o nada, una casa o un apartamento, alquilar o comprar, compartir la vida con la persona adecuada o equivocarse, abrir la trayectoria o cerrarla, vencer o quedarse fuera, quedarse atrás. La multitud se había dispersado. Si Santiago no le dejaba esos cuatro millones a Carlos, nadie iba a dejárselos por él. A modo de prueba, en diversos momentos del fin de semana, mientras veía la película con Sol, y antes de dormirse, y a ratos cuando trabajaba, Santiago estuvo considerando argumentos que alegar ante Carlos y ante Marta. Concluyó que, de haber tenido un argumento irrebatible, un motivo válido para no prestar el dinero, de haber estado envuelto, por ejemplo, en un problema familiar serio, lo habría alegado con alivio. Sin embargo, ahora, bajo el cono de luz, la frase «Soy un cerdo y sólo he actuado por quedar bien» le parecía demasiado simple. De acuerdo, él no creía en Carlos ni en su empresa, ni tal vez en el hecho ideológico que el préstamo significaba. Pero sí creía en la multitud. En la necesidad de la multitud. Disponer de un argumento para no prestarle los millones quizá le hubiese causado alivio, pero lo cierto era que también le habría dejado con la angustia de saber que nadie iba a prestárselos en su lugar. Era demasiado fácil ser un cerdo, era muy cómodo. Tanto como ser un idealista. El idealista, el ingenuo, se refugiaría en una multitud sana, robusta e irreal. Santiago miraba a la multitud, sabía que estaba herida; sin embargo, había prestado todo su capital movido por un último coletazo de esa multitud animada, y se había quemado las manos con un rescoldo de su leña roja. Porque durante un tiempo la multitud, en contra de lo que ahora se sostenía, no estuvo hecha de llamitas aisladas, cerillas y mecheros en un recital, sino de leña roja, varios trozos gruesos, densos, rojos, de calor vivo.

Santiago leyó la primera página del libro y no continuó. La multitud había desaparecido. Ya no quedaban chispas ni troncos ardiendo. Sólo la bombilla del flexo negro en el desordenado piso de Vázquez de Mella. Recogió el periódico que había dejado en el suelo, tiró a la papelera cartas abiertas desde hacía varios días. Se llevó al dormitorio aquel animal triste, aquel jersey arrugado, tendido sobre un sillón. Vio junto al teléfono un rotulador destapado. A pesar de todo, el barullo le sentaba bien a la casa, de alguna manera hacía juego con las huellas de clavos ajenos en las paredes, con las ventanas altas y los cuartos pequeños de ese piso de estudiante. Un piso de hombre no instalado, se dijo. El piso de alguien que estira su juventud, que vive por debajo de sus posibilidades como esperando un suceso. Ahora, por fin, el suceso se había producido pero a la inversa. Quizá él había esperado el reconocimiento, comerse una ficha en el parchís y contar veinte, deslumbrar con sus trabajos y ser reclamado por el mundo exterior. Sin duda, admitió, él seguía esperando ese salto de veinte casillas pero, por el momento, el suceso había consistido en que Carlos se comiera su ficha, se comiera todo su capital, cuatro millones, devolviéndole al círculo de su esquina en el tablero, a casa, al desorden del rotulador impúdico. Y si aún pudiera creer que el encierro iba a terminar el 10 de febrero, tal como había prometido Carlos el día que le dieron los cheques.

Se llevó la bandeja con los restos de la cena. Dejó los platos a remojo en el fregadero. Luego, al tirar las sobras a la basura, la tapadera de papel llena de yogur se le quedó pegada en la manga. «Mierda», dijo en voz alta. Para enjuagarla metió la manga debajo del grifo abierto de tal modo que el agua se escurrió por la lana y le mojó el puño de la camisa. Salió de la cocina sintiendo en la muñeca la hebilla de la humedad. Tuvo que remangarse. En un estante del pasillo estaba la tapa perdida del rotulador. La cogió sin convicción. En efecto, el rotulador ya no pintaba. Qué mierda de vida, pensó, si la amistad es esto, si la amistad consiste, se tiró sobre el sofá, en mover el dinero de una cuenta a otra. Y se puso a fumar tumbado boca arriba, los ojos en el humo y en el techo, diciéndose que al día siguiente iba a llamar a Carlos, no por impaciencia, no por desconfianza, sino para que le hiciera compañía en su encierro de hombre con varias fichas comidas, cansado de esperar.

El lunes 24 de octubre por la tarde, en cuanto llegó a casa, Marta buscó en la agenda el número de teléfono de Manuel Soto y le llamó. Quedaron en cenar juntos el jueves. Marta había dejado pasar algunos días a propósito pero, en realidad, había decidido llamarle cuando le contaba a Guillermo lo del préstamo. Y no porque Guillermo no la hubiese entendido sino por lo contrario, porque la había entendido demasiado bien, y había colocado su actuación en el lugar exacto: en cierta emoción juvenil, en las pandillas, en una clase de romanticismo. Aunque él no había pronunciado esas palabras, Marta se había dado cuenta de que las pensaba por su forma de atender, por los momentos en que se callaba y esos otros en que la interrumpía descuidado, como poniendo de manifiesto la debilidad de ciertas explicaciones. No le faltaba razón. En los tres años y medio que llevaban casados, a Guillermo del Castillo casi nunca le había faltado la razón. Tenía eso en común con Carlos. Los dos iban por la vida de forma razonable, y era casi siempre tan razonable lo que querían, tan razonable la posición donde se colocaban, que nunca necesitaban insistir. No obstante, a veces, Carlos se consentía algún exceso, o se marchaba o, como ahora, pedía dinero, dejando de este modo un sitio para que los demás pusieran los millones que faltaban, la calma o las ideas que el exceso, siempre partidario, había dejado fuera.

Guillermo no dejaba ese sitio. La razón en Guillermo iba unida a la vida, a esta vida; para Guillermo no había solución de continuidad entre el presente y el futuro, no había saltos, no había caballos imaginarios. Confiar en la vida significaba, por tanto, confiar en el presente, ser justo, equilibrado, sobre todo en el presente. Equilibrado no quería decir frío. Guillermo no era frío; solía, por ejemplo, llorar en las películas, pero siempre sabía por qué lloraba y sabía dónde colocar ese porqué. También ella, si se empeñaba, podía averiguar los distintos motivos por los cuales había llamado a Manuel Soto. Sin embargo, le bastaba con averiguar uno. Le bastaba decirse que en Manuel Soto veía una tensión amarga y que esa tensión, como los excesos de Carlos, dejaba un sitio para el otro. Manuel se burlaría de su épica juvenil, la atacaría, pero eso sería una forma de admitirla: no se discute con un fantasma. La burla obligaría a Marta a fundamentar su defensa y ella necesitaba fundamentos, legitimidades; o tal vez ser mirada por alguien que conociera su pasado sólo de puntillas, y es que existen, se dijo, caballos imaginarios y el deseo de no saberlo todo.

Eran las siete. Guillermo estaría a punto de llegar. Marta colgó su abrigo en el armario y se fue al cuarto de invitados. Habían puesto allí el secreter que ella tenía en casa de sus padres. Aunque el antiguo comedor de la casa, con una mesa enorme, les servía de lugar de trabajo o estudio y era más cómodo, de vez en cuando Marta buscaba ese cuarto quizá por su aspecto de celda monástica, conseguido mediante una cama estrecha, la ausencia de cuadros en las paredes y la madera oscura, casi negra, del viejo secreter. Oyó abrirse la puerta de la entrada. Mientras Guillermo la buscaba en el salón, ella abrió el secreter y puso una carpeta encima. Luego salió al encuentro de Guillermo, le dio un beso. Tenía, le dijo, trabajo del ministerio. Mentía para no oírse decir que necesitaba el aislamiento de las cuatro paredes y la puerta, permanecer dentro del cuarto y fuera del recuerdo de los demás.

Echó a andar por el pasillo, pero volvió sobre sus pasos:

—Se me olvidaba —dijo en el umbral de salón—. El jueves tengo una cena.

—Bueno —dijo Guillermo.

Marta se fue a su refugio. Hacía una semana que le habían dado los cheques a Carlos, pensaba frente al secreter. No era grave; Guillermo y ella seguían teniendo más de un millón en el banco y, de momento, no lo iban a utilizar. Sin embargo, ojalá hubiera sido grave. Vio a Santiago el día de la entrega, sacando el sobre del bolsillo con el ademán resuelto de quien ha tomado una determinación. Santiago se había jugado algo con el préstamo, podía sentirse orgulloso. Ella, en cambio, siempre se jugaba menos. Ella tenía unos padres dispuestos a socorrerla y con dinero para hacerlo si se daba el caso; tenía un marido tranquilo; tenía, y Santiago se lo había recordado más de una vez, una excelente educación, con idiomas y másters y *savoir faire*, que fijaba, lo quisiera o no, un límite mínimo por debajo del cual nunca descendería su capital. Aunque Santiago tuviera la seguridad de su plaza de titular y en cambio a ella el contrato de asistencia técnica se le acababa en julio, lo cierto era que mientras Santiago podía considerarse con derecho a sentir preocupación y agobio por el préstamo, ella no.

Pero los sentía, y sólo lograba calificarlos con palabras duras, envidia, codicia, dejando aflorar así su veta de moral cristiana, como le habría dicho Guillermo. Alzó la cara de entre las manos. El cielo tomaba a esa hora un color infantil, un color de jarabe y fiebre y tablero de damas. Marta se tumbó en la cama para mirarlo. Envidia, la palabra cristiana, la palabra más triste, pesar por el bien ajeno, como cuando en el colegio alguien le pedía su caja de lápices o sus patines y entonces ella no tenía miedo de que el chico o la chica se los rompiera, sino tristeza al imaginar a ese chico o a esa chica despertando admiración gracias a sus patines. Pertenecer al grupo de los que tienen, de los que más tienen. Ganar, por el hecho de pertenecer a ese grupo, ventajas y favores; ganar, bien lo sabía, poder. Pero en cambio haber perdido la simple y buena voluntad: no saber qué significaría preocuparse sólo por los patines, si a ella siempre podían comprarle otros; no entender, o entender apenas con el pensamiento, que antes de la envidia estaba el cuidado, que cada tiempo tenía su afán. Cómo sería, soñaba, vivir con el cuidado de que el día se cumpliera y no con las pasiones, los deseos, de quien ya lo tiene cumplido.

Oyó acercarse a Guillermo, luego sonó el grifo de la cocina. En menos de diez minutos la habitación había quedado a oscuras. Marta encendió la lámpara de la mesilla de noche, pero el blanco de la colcha resaltaba demasiado bajo sus medias negras; prefirió la oscuridad. Ahora los pasos de Guillermo se oían en el pasillo otra vez. Por un momento deseó que entrara a verla y se acercara a la cama como quien se acerca a una convaleciente. Que en voz baja le dijera no eres mala del todo, tus peleas con tus sentimientos sirven para algo, no importa si te da miedo prestar dinero o tu caja de lápices, lo importante es que los prestas. Pero Guillermo no entró, intimidado por ella, se dijo Marta, no queriendo resultar inoportuno.

Tres postes de madera cercaban ahora cada árbol de la calle Lebrel para protegerlo del golpear de coches y camiones. Al atardecer las sombras de aquellas espadas de palo tajaban el suelo con dignidad marcial. Atada a una farola, frente al portal cerrado, estaba la vespa de Carlos.

Eran las siete del miércoles 26 de octubre. En el bajo interior, al pie del tablero, Carlos recorría las páginas de los catálogos de convertidores mientras daba vueltas a la cita que tenía con Santiago a las ocho y media. El lunes le había cogido por sorpresa recibir una llamada de Santiago en Jard, porque Santiago nunca le llamaba ahí. Carlos no tenía ganas de quedar con él, la idea más bien le producía inquietud, pero había aceptado la fecha, la hora y el sitio, considerando que era su deber presentarse para oír lo que Santiago fuese a contarle. Sin embargo, ya faltaba poco para el encuentro y Carlos empezaba a representárselo con más gusto. Sobre todo le complacía pensar en el local donde se habían citado, un bar nocturno, mitad café y mitad pub, del barrio donde vivía Santiago. Quería un poco de oscuridad. Había demasiada luz en Jard y, en su casa, Diego y Ainhoa eran, aun sin ellos quererlo, dos focos de comisaría.

En busca de oscuridad, o de penumbra cuando menos, justo la tarde anterior había salido con Lucas al bar de la esquina. Pero habían discutido, y mal, pensó Carlos, habían discutido mal. Tirando a dar al otro, apenas por el afán de comprobar que el otro tampoco aguanta y ver cómo ceden sus soldaduras, cómo se van rompiendo; apenas por el hambre de masticar la propia debilidad en el otro. Los ocho millones que hubieran debido darles un respiro, un balón de tranquilidad para los próximos meses, se habían convertido en un nuevo instrumento del miedo: «No sólo los sueldos y Jard, no sólo la posibilidad de una empresa razonable, no sólo tres años de intentos, no sólo todo eso podría venirse abajo, sino también la amistad». Algo así le había casi gritado ayer a Lucas después de que volviera a fallar el circuito regulador. Lucas, se dijo, tenía la respuesta perfecta: la idea, la posibilidad de una empresa razonable se está yendo al carajo en este momento, eres tú quien está haciendo que se vaya. Pero Lucas estaba tanto o más trastornado que él, el circuito regulador errado era obra suya, y Lucas respondió al daño con el daño, así el animal herido que, pudiendo huir, sólo ataca y se revuelve. «A eso

—dijo— le llamas amistad. Si tus amigos van a tenerte tan presionado como un banco, mejor que no te hubieran prestado nada.» Carlos había respondido: «Por lo menos me prestan, no como los tuyos. Además, no son ellos los que me presionan. Soy yo quien se preocupa». Entonces Lucas rió sin ganas. «Mis amigos no me prestan porque no tienen, porque llevan otra vida. Y eso de que no te presionan no me lo creo, Carlos. Algo te habrán dicho o se habrán callado. Antes no estabas así.» Luego se acabó su segunda cerveza, y pidió otra, y otro gin-tonic para Carlos; él le dio las gracias como si ambos se hubieran recuperado, pero sabía que no era verdad. Lucas se volvería más inseguro en su trabajo y él dudaría de haber sido capaz de construir una relación limpia con Santiago y con Marta.

Carlos se fijó en una gama de tiristores coreanos. Encontró uno que podía servirles, se lo enseñó a Lucas y Lucas lo aprobó. En la mesa de Esteban había un bote de resina abierto. La luz halógena del techo lo envolvía haciendo brillar las gotas prendidas en el borde. Carlos pensó que le vendría bien hacer algo con las manos. Puso a calentar la resina y empezó a preparar los moldes para embeber materiales. Lucas tenía razón, pensaba, antes del préstamo nunca había caído tan bajo. El préstamo había sido idea suya, nadie le había obligado a pedirlo y él no podía obligar a nadie a cargar con su incomodidad. En el camino de vuelta, había prometido a Lucas que se calmaría. Ahora, mientras ataba con hilos los circuitos impresos, se dio de plazo hasta el domingo para resolver su situación. Si no podía hacer frente a la desconfianza de Ainhoa o si, como decía Lucas, la deuda contraída con Santiago y con Marta le pesaba más de lo que era capaz de asumir, entonces tendría que hacer algún movimiento: debería situarse en un lugar distinto que le permitiera no quebrarse, no empujar a los otros. Luego, cuando pasara todo, habría tiempo para juzgar.

Antes no. A Lucas no iban a servirle sus juicios ni que le pidiera perdón. Tampoco a su hijo le serviría si una tarde descargaba su tensión contra él. Hasta el domingo, se repitió. Y volvió a representarse el café-pub de Chueca pero ya no veía la oscuridad, sino a Santiago en la oscuridad. Estaba volcando la resina en los moldes cuando Lucas, sin levantar la mirada del tablero, dijo:

—Carlos, ¿te importaría recordarme que hoy he quedado para ver el partido y que siempre me han parecido repugnantes los tipos que llegan tarde porque están «desbordados» de trabajo?

—Oído cocina —dijo Carlos—. Vámonos.

Atravesaba la noche con la visera del casco levantada y, al llorarle los ojos, se le despertaba todo el cuerpo. Cuando entró en el café vio a Santiago buscándole. Eligieron una mesa no muy distante de la barra. Carlos pensó que, años atrás, los dos habrían preferido sentarse en un rincón, pero ahora coincidían en el deseo de mezclarse con las demás chaquetas, las demás caras, las otras voces. Los dos pidieron gin-tonic. La luz ultravioleta aparcó en el hielo blanco. Aún no se habían mirado.

Con ojos evasivos hablaron del puente de Todos los Santos, de la sequía, de Ainhoa y de Sol. Hacían comentarios convencionales, se contaban cosas que ya sabían aunque, pensó Carlos, al menos entre tema y tema ninguno necesitaba beber más deprisa, buscar un conocido entre las mesas o decir cualquier estupidez. Y cuando notaba que la conversación no respiraba bien, Carlos se acordaba de Lucas; cómo aceptar, se dijo, el poder que Santiago tenía para aludir o no al dinero prestado.

Miró la hora a las diez menos cuarto. Años atrás esa cita le habría parecido una derrota. Una victoria de la muerte pequeña, de la muerte que toma una relación entre dos personas y la cubre de asuntos espinosos, de zonas no visitables y, poco a poco, la arruina. Años atrás, pero ahora quizá se estaba haciendo adulto y eso se traducía en el tamaño de los enemigos, en que ya no luchaba, o no siempre, contra la escasez de conversaciones interesantes, serenas, claras, sino contra la posibilidad de que se hundiera una empresa razonable. Y bien, estaba dispuesto a admitir que ese pensamiento era ya, en sí mismo, una derrota. El enemigo le había obligado a replegarse, le había hecho renunciar al objetivo de una conversación limpia. Sin embargo, pensó, en su renuncia, a diferencia de lo ocurrido durante la discusión con Lucas, no había contradicción entre medios y fines. Esta vez Carlos no había traicionado ningún medio; había sido vencido, simplemente. Le había humillado que Santiago callase sobre el dinero y no había conseguido restar importancia al hecho. Pero, se dijo, tal vez hacerse adulto significara entender que a pesar de las películas, a pesar de las canciones, lo importante no era perder una batalla sino ganar la guerra.

Al salir, Carlos señaló la moto y dijo:

—Te acerco.

Aunque la casa de Santiago estaba sólo a cinco minutos andando, los dos convinieron en el hecho físico de la vespa. Santiago iba detrás recordando el año que vivieron juntos y cómo entonces había valorado su propia fuerza física y su altura cada vez que había que arreglar algo, o cuando Carlos enfermó, o cuando, en la moto, su cabeza sobresalía por encima del casco de Carlos aunque Carlos fuera nueve meses mayor. No hablaron.

Una vez hubo dejado a Santiago, Carlos intentó reconciliarse con la tarde y la noche. A la vespa asociaba sus momentos de mayor soledad, las quince o veinte ocasiones en que todo se había apagado a lo lejos, todo, la cara de animal perseguido de Ainhoa, ojos grandes y detrás la melena, la obligación de llevar dinero a casa, la risa de Diego, su voluntad política, su orgullo, todo se había apagado y él se había quedado delante de un semáforo, quieto y como sabiendo que respirar no era un acto reflejo sino el efecto de una resolución, que la vespa no iba a ponerse en marcha si él no hacía dos movimientos de muñeca. Y había sentido que esos movimientos le exigían una potencia imposible, el impacto de un choque múltiple, la demolición de una montaña. Luego, cuando el semáforo se había puesto en verde, la vespa había arrancado; sí, al final arrancaba, pero esa noche, frente al semáforo, había visto las rodillas de tela vaquera de Santiago y sus dos manos suplentes.

El jueves Marta cenaba con Manuel Soto. El sitio lo había elegido él, sorprendiéndola con un restaurante nuevo y alejado del centro. A Marta le agradaba, en especial por la disposición de las mesas y por la iluminación. Suspendidas del techo, lámparas niqueladas con forma de sombreros chinos unían sus resplandores en un mosquitero de luz que parecía flotar sobre los comensales. También la estaban divirtiendo las observaciones de Manuel acerca del ambiente en su empresa, sobre todo debido al escepticismo que su relativa falta de ambición profesional le permitía poner en práctica. Ahora Manuel hablaba de las retribuciones encubiertas a través de cursillos de liderazgo para mandos intermedios que halagaban el ego y camuflaban las escasas posibilidades de promoción. Marta se llevó el vino a los labios. Al final del solomillo a la pimienta, mediada la tercera copa, había alcanzado un estado de suave exaltación, como si algo o alguien estuviera tocando música dentro de su cuerpo. Sabía que ese estado pasaría en cuanto dejara de beber, pero también en cuanto bebiera un poco más. No tomaron postre. Café solo y Marta hablándole a Manuel de sus peleas en el ministerio. Muy pocos apoyaban el método de asignación de costes globales al transporte automovilístico en el que trabajaban su jefe y ella a partir de un informe independiente.

Pidieron la copa allí mismo. Marta mecía el coñac como quien se hipnotiza un poco. Trató de contar su reciente aventura monetaria en el tono desprendido que había utilizado Manuel, pero lo consiguió sólo a medias.

—Qué suerte tiene la gente de izquierdas —fue el comentario de Manuel cuando ella terminó.

—¿Lo dices por mí?

—Lo decía por Carlos, pero también por ti. Es una suerte sentirse obligado a hacer buenas obras. Los demás tenemos obligaciones mucho más prosaicas, como aceptar un empleo en una televisión privada y convertirnos en ejecutivos horteras. Queda bastante peor.

—Te agradezco lo de gente de izquierdas. Creía que ya todos los que vivíamos bien éramos conservadores. —La cara cómicamente atenta de Manuel exigía una continuación—. Quiero decir que ahora es como si sólo pudieran ser de izquierdas los que llevan años en paro o trabajando con contratos inmundos. Los demás, como mucho, formulamos a veces una crítica elegante, pero sin pasarse. Y si te pasas, a nadie se le ocurre colocarte en un gran movimiento de izquierdas inexistente. Se limitan a decir que eres un bicho raro.

—¿Puedo preguntarte si Guillermo también es de izquierdas?

—Al principio era una especie de apátrida que vivía cada año en un país diferente; ahora está cerca de ser un hombre tranquilo.

Manuel se quedó callado, dudando, pensó Marta, entre solidarizarse con la conciencia de bicho raro que, a su modo, él también debía padecer, o seguir preguntando. Hizo lo segundo y acertó en el tema que Marta llevaba menos preparado.

—Pero Carlos sí seguirá siendo de izquierdas, supongo. Desde luego, déjame ser cruel, se ha ganado el derecho a no vivir bien. Por lo menos, a tenor de su cuenta de resultados. ¿En qué falla su empresa?

Marta no lo sabía. Sólo sabía, dijo, que no le importaba. Conocía a Carlos hacía dieciséis años y todo ese tiempo servía para que Carlos le mereciera, le hizo gracia su propia expresión, crédito.

Manuel no dejó pasar el juego de palabras.

—Eso ya lo veo —dijo—. Tiene por lo menos un crédito gratuito de cuatro millones. La duda que habrás tenido, imagino, es hasta dónde estarías dispuesta a llegar sin preguntarle nada, a cuánto asciende su crédito en total.

—No lo he calculado —dijo Marta—. Digamos que la amistad es lo contrario de un dogma. Yo creo en Carlos precisamente porque sé que puedo hacerle todas las preguntas.

Luego confirmó los recuerdos de Manuel. Sí, Carlos había estudiado física y al acabar se había quedado con una beca en la facultad, pero después surgió un problema de plazas y terminó marchándose a una multinacional de la industria electrónica.

—Hasta que, un buen día —ironizó Manuel—, decidió convertirse en el empresario rojo.

Marta asintió sonriendo. Recordaba la fiesta de inauguración de Jard. Habían roto una botella de cerveza contra la puerta. Habían bebido vodka en vasos grandes y oído las historias que contaba Alberto, venido de Edimburgo en esos días para poder ir a la inauguración. Habían evocado tiempos pasados, mejores y peores. Lucas, el socio de Carlos, entonó espirituales negros con la voz ronca. Ainhoa tocó en la guitarra canciones melancólicas de campamento y todos la acompañaron. Habían bailado, reído y, a lo largo de la noche, le habían hecho infinitas bromas a un Carlos silencioso, sonriente, que llevaba puesta en el jersey una estrella de cinco puntas roja y negra; un Carlos que miraba hacia todos lados y parecía feliz.

Pero a Manuel no le contó nada de eso; no le contó la práctica, sólo la teoría. Le dijo que para Carlos la industria era una militancia: no una afición, ni una inversión, ni una necesidad. Era el fruto de un convencimiento partidario: la lucha por lo que debe ser se decide en relación a lo que es y, por tanto, producir lo que es forma parte de la lucha. Al decirlo, Marta no pudo evitar cierta dureza en su voz, como si para defender a Carlos, pero también, se dijo, para defenderse a sí misma y defender su confusa posición en el ministerio, necesitara poner en evidencia la imposible neutralidad profesional de Manuel Soto. Quiso luego suavizar esa dureza y le contó que Carlos tenía su propia cosmología, según la cual las dimensiones en donde transcurría la existencia no eran espacio y tiempo sino materia y tiempo. En vez de cruzar el espacio y el tiempo y poner al hombre encima, Carlos cruzaba sus huesos y sus músculos, el suelo de la calle, las paredes de Jard y los objetos producidos con el tiempo.

—Bonito —dijo Manuel—. Pero a mí me recuerda a los libreros que, muerto Franco, se dedicaron a montar librerías con el dinero de sus amigos o de sus padres, creyéndose que, como a ellos les gustaba la literatura, su librería iba a funcionar. Casi todos cerraron.

Marta se dio cuenta de que las demás mesas, excepto una, se habían quedado vacías.

—¿Qué es lo que vende, perdón, lo que fabrica Carlos? —preguntó Manuel.

—Fuentes de alimentación, equipos para que la energía eléctrica llegue a algunos aparatos a los voltajes adecuados.

—Muy sexual —dijo Manuel.

—O muy leninista.

—¿Ah, sí?, no lo había pensado. —Manuel cogió una de las tejas de almendra que les habían traído con el café.

Marta llegó a casa a las dos de la mañana. Al principio pensó que Guillermo se hacía el dormido. Pasado un rato su respiración irregular y sus ronquidos la convencieron. No le despertó. «Tú siempre fuiste del sector jacobino», le había dicho Manuel Soto la otra vez. Y ahora ¿en qué consistía pertenecer a ese sector? Marta se tapó la cabeza con la almohada. ¿En no votar? ¿O en votar a un partido que no se avergonzara de su origen marxista? ¿En que sus padres le hubieran regalado un Lada en lugar de un Honda Civic? ¿En comprar ropa en otras tiendas, o a veces en las mismas que la gente de derechas pero eligiendo modelos más discretos? ¿En conservar un rastro de mala conciencia cuando, pudiendo ir en metro, decidía coger un taxi? Ser de izquierdas, entre su gente, se había convertido en un ritual estético. Tanto ella como sus amigos mantenían buenas relaciones con la propiedad, con los pisos de sus padres que un día heredarían, con la casa que tarde o temprano iban a comprar; todos vendían a los mismos postores, a empresarios públicos o privados, su refinada fuerza de trabajo; todos se veían bien en el lugar que ocupaban. Aunque había algo aún más significativo: todos se habían situado en el presente de manera tal que no les fuese difícil imaginarse dentro de cinco años con más sueldo o más bienes, con más reconocimiento por parte de la sociedad que criticaban. Y, no obstante, todos eran de izquierdas, porque leían a ciertos autores, porque se vestían de cierta manera y porque no les sobraba el dinero, si bien sobrar era un verbo muy relativo. Y a lo mejor eran de izquierdas porque, pudiendo elegir, preferían al empresario público que al privado; pudiendo, claro, elegir. Y porque concedían a algún partido de izquierdas su voto testimonial.

Estaba siendo injusta, se dijo. Los matices también contaban; contaba ser capaz de mantener un sistema de valores diferente y procurar aplicarlo sobre todo en los lugares de trabajo. Sin embargo, aun sin quererlo, le salía el verbo «procurar», como si ser de izquierdas consistiera en saber de antemano que sólo había que «procurar», que no había que conseguirlo. Habían renunciado a la acción, habían renunciado al partido y sólo les quedaban las prioridades: a la hora de las decisiones, considerar unas prioridades en vez de otras. ¿Pero eso de qué podía valerles si al mismo tiempo no se hacía un trabajo paralelo, destinado a influir en que algo pudiera o no ser objeto de una decisión? ¿Cómo entender una militancia sin partido? ¿Y cómo militar en los partidos que anteponían a su acción la escala de prioridades del poder? También era posible meterse en algún grupo voluntario, coordinarse con otros. Aunque coordinarse hacia dónde.

Marta sacó la cabeza de debajo de la almohada, puso la almohada en su sitio y se tumbó boca arriba con los ojos abiertos. Ya se le había pasado la edad del falansterio, la edad de ilusionarse con falsas creencias, con la creencia en las voluntades contrarias, como si un ateneo o un grupo ecologista fuesen a escapar al orden vigente habida cuenta de que a sus miembros ese orden no les gustaba. «Nos ha tocado vivir un tiempo de incubación», «La tarea consiste en mantener focos de pensamiento crítico, otros vendrán con capacidad real para organizarse y combatir». Frases de ese tipo solían decir los tres, Carlos, Santiago y ella, al principio, cuando hablaban de política. Y para mantener esos focos tenían las ideas. Sin embargo, en la cena ella había malbaratado las ideas arrojándolas contra Manuel Soto, así se echan piñas a la chimenea cuando ya está encendida y no son necesarias, sólo por verlas arder. Peor aún; era ella, además, quien había buscado la cena, la situación tensa, la espada y la pared. Tiró la almohada al suelo y se tumbó boca abajo. No quería pensar más en Carlos, ni en Santiago. Ni siquiera quería abrazarse a Guillermo. Quería irse a Alemania. Seducir a Manuel Soto y luego dejarlo. Quedar con Carlos y hacerle todas las preguntas. Pero no, no quería. Nieve. Eso era lo que quería. Una ventana en la residencia de una universidad en Alemania y ver la nieve cayendo cuando es de noche.

El viernes 28 de octubre, Santiago, por primera vez en varios años, decidió no ir a su pueblo el puente del 1 de noviembre, día de Todos los Santos. Estaba quieto en el vagón de metro, diciéndose que se le habían juntado demasiadas cosas, sabiendo que era sólo una la que le enfurecía y le indignaba: le habían ofrecido dar un curso en un máster privado para economistas y debía responder el lunes; tenía problemas con Sol; se le acababa de estropear el coche. Arriba quedaba el taller y su operario impasible. Abajo él, desarbolado, sintiéndose ridículo con su elevada estatura, agarrado a la barra: ridículo y furioso. Nunca había tenido ningún problema grave con el coche, pero por la mañana, cuando volvía de la facultad, un Seat Panda blanco, un coche más pequeño aún y más lento que su viejo Fiesta, entró en la autovía obligándole a él a dar un volantazo. Había ido a parar a una especie de cuneta y se había cargado la dirección. También estaba roto el chasis. Una avería gorda. Del orden de las doscientas cincuenta mil pesetas, precisamente el año en que se había dado de baja del seguro a todo riesgo, se repitió. Su coche tenía ya ocho años, pensaba cambiarlo pronto, por eso se había dado de baja del seguro. Pero ese «pensaba» remitía a un período anterior, cuando aún no se había producido la revolución financiera, cuando aún no había aparecido la petición de Carlos. Ahora las doscientas cincuenta mil pesetas se le hacían un mundo. Para salir del vagón,

Santiago se abrió paso sin miramientos. También había sido brusco en el taller.

Subió las escaleras mecánicas apartando con reprobación a quienes ocupaban el lado izquierdo de los peldaños. Y una vez en la calle no paró de insultar al estúpido conductor del Panda. Hubiera preferido mil veces haber tenido él la culpa. Desde que era pequeño, cuando hacía algo mal en el colegio, cuando no sacaba un nueve sino un ocho, o incluso un ocho y medio, se iba a un descampado próximo a la estación de tren, se sentaba donde nadie pudiese verlo, los codos en las rodillas, las manos en los oídos y, con la entonación que la abuela Joaquina ponía al decirlo, repetía sin parar: «A lo hecho, pecho». A lo hecho, pecho, y se veía más ancho de hombros, y aprendía a contener las lágrimas diciéndose que el mundo estaba en orden, que la equivocación había sido culpa suya y que sólo necesitaba corregirse para que todo volviera a funcionar. No le importaba mentir cuando la culpa era de otra persona o pura mala suerte. Prefería hacerlo, se mentía tratando de adecuar a su mentira decenas de argumentos, sintiéndose incapaz de concebir ningún otro método para tolerar las injerencias del entorno. Luego, al llegar a la facultad, había reconocido en su actitud el germen de una visión social ya descubierta, descrita y bautizada por otros: voluntarismo pequeñoburgués o la creencia en el mérito propio, en el esfuerzo individual como instrumento para corregir las injusticias de la lucha de clases. Él mismo escribió artículos analizando las manifestaciones de esa visión en varios políticos de la Segunda República española. Y leyó mucho a fin de hacerse con los elementos necesarios para construir una distancia irónica, una perspectiva intelectual que le ayudara a ser consciente de sus tensiones sociales.

Pero ahora, mientras esperaba el semáforo para cruzar, cómo deseaba echarse la culpa, encontrar un fallo en su conducción, olvidar la torpeza de aquel Panda desconocido e incontrolable. Más fuerte que las lecturas sociológicas era, se dijo, el lugar de los aprendizajes primarios, allí donde se empiezan a conjurar las arbitrariedades de un padre amigo del vino. Tanto si su padre le reñía como si se mofaba como si ni siquiera le preguntaba por las notas, Santiago sabía lo que debía hacer: marcharse, poner el pecho para que recayera sobre él toda la culpa y, la próxima vez, estudiar más aún. Recorrió el último tramo hasta su casa furioso, pero ya la furia no iba dirigida contra el loco del Panda, sino contra sí mismo, pues empezaba a decirse que sí, que la culpa era suya por haber prestado el dinero a Carlos: si no lo hubiera hecho, el golpe habría sido la ocasión adecuada para cambiar de coche y, en cualquier caso, las doscientas cincuenta mil pesetas no le habrían supuesto un trastorno. Santiago abrió el portal dispuesto a cortar por lo sano ese razonamiento. No podía ser tan ruin. Debía olvidarlo todo y concentrarse en las palabras que le diría a su madre. Resolvió poner el máster como excusa, para que su madre pudiera presumir; no debía estropear más cosas. Después de hablar con su madre llamó a Sol, pero evitó contarle lo del coche y habló como si fuera a marcharse, pues el coro de Sol actuaba en una iglesia de Segovia y Santiago tampoco quería ir allí. Tenía ganas de estar solo, aunque no encerrado en casa, se dijo. Necesitaba, tal vez, una soledad literaria; pasear solo por el Retiro, lejos del estanque; ir a la filmoteca solo; quedar con Marta y Guillermo, con Carlos y Ainhoa y aparecer solo, desparejado, único.

El sábado mantuvo su propósito y a eso de las doce se fue al Retiro solo, se subió el cuello del abrigo, dejó atrás el estanque y caminó. Pensaba en si debería aceptar o no las clases del máster privado. Siempre había criticado a los profesores que, como los médicos, repartían su clientela. Combatían por la mañana en el bando de la enseñanza pública y por la tarde comían de la mano de su oponente, servían a dos señores. Eran mercenarios de la educación condenados, en caso de conflicto, a traicionar al más débil. En su facultad las tentaciones no se producían tan a menudo como en derecho o en económicas, pero se producían. Hasta ahora él siempre había resistido. Si Marta estuviera en su lugar, no aceptaría, aunque quizá sí lo hiciera, pensó, pues últimamente, desde su entrada en el ministerio, Marta se movía con soltura en la contradicción: para poder volcarse en un proyecto digno y progresista, apoyaba otros proyectos como mínimo superfluos. «Entre el sabotaje y el colaboracionismo», decía ella. Santiago aminoró el paso. Su caso era más prosaico, más simple. Iba a aceptar el curso por dinero. Ser pobre siempre había sido una magnífica justificación. Aunque él no era pobre: estaba pobre. Cobraría quinientas mil netas por veinticuatro horas de clase. Con eso pagaría el coche y dejaría de pensar en Carlos hasta después de Navidad.

Apenas había levantado la cabeza mientras andaba. Ahora lo hizo y vio enfrente el quiosco de música. Se sentó en un banco, estiró las piernas, metió las manos en los bolsillos. Movía los zapatos de izquierda a derecha. Luego encendió un cigarrillo y se puso a calcular cuántos músicos cabrían entre cada columna del quiosco. Los domingos que había ido con Sol a oír a la banda municipal, el quiosco le había parecido mucho más grande. Se preguntó si no estaría echando de menos a Sol, aunque ya la propia pregunta le decepcionaba. Él no había dejado de querer a Sol, la imaginaba ahí, sentada a su lado en el banco, y experimentaba aún una especie de ternura al evocar sus pies con zapatos de cordones, su cuello largo, cómo la cogería por la cadera. Ternura y un apunte de deseo. Pero ninguno de esos impulsos lograba imponerse a su desilusión. Se dijo que Sol le había decepcionado en la que tal vez fuese la única obligación de los amantes: hacer que el otro se sienta mejor persona. Y levantó la mirada como alertado por una visión, un ruido: de pronto había temido estar en una estación de tren, oír el silbato, ver, en lugar de arena y hojas caídas, matorrales secos junto a los travesaños de madera. Había temido ser para siempre el chico de catorce años, y verse en la obligación de controlarlo todo, en la obligación de echarse la culpa para siempre.

Eran casi las tres, el Retiro se estaba quedando vacío. Fuera, en la calle, también se percibía el abandono, la retirada mayoritaria de las gentes a comer a sus casas. Santiago comenzó a andar más rápido, con zancadas más largas. A la hora de comer, pensaba, la soledad deja de ser una insignia para convertirse en una humillación. Su nevera estaba casi vacía. No había hecho compra para el puente. Acordándose del coche, preparó una sopa de sobre y unos espaguetis solos.

A las cinco, Carlos estaba en el cuarto de Diego y le hablaba de los planetas, de las galaxias, del extraordinario tamaño del universo.

—¿Cuántas estrellas caben aquí? —le preguntó Diego.

—Las estrellas son muy grandes. Parecen pequeñas porque están lejos. La estrella que veíamos este verano, Antares, la más brillante, la roja, es mucho más grande que esta casa.

—¿Cuánto de grande?

—Mucho, muchísimo. Si esa estrella fuera tan grande como las montañas que se ven desde casa de los abuelos, entonces la Tierra sería tan pequeña como una naranja.

—¡La tierra! —gritó Diego arrojando puñados imaginarios con las manos.

En ese momento entró Ainhoa para llevarse al niño a una fiesta de cumpleaños. Él no podía acompañarla, debía volver a la empresa. Pero tampoco salió enseguida. Nadie le había explicado a Diego lo que era el planeta Tierra, y Carlos se reprochaba su distracción. Luego empezó a preguntarse en qué momento habría descubierto él que no vivíamos en una inmensa superficie segura, que la impresión de firmeza obtenida al apoyar los pies en el suelo tenía como único punto de referencia un juego de fuerzas gravitacionales sustentado en el vacío. No lo recordaba.

Salió del cuarto de Diego a buscar su bolsa de lona. En el dormitorio no estaba. Entró en el salón y se dijo que había perdido la bolsa dentro de un fragmento infinitesimal de la superficie de una naranja. La astronomía era su lado oscuro, su lado existencialista. No debía contagiárselo a Diego. Una naranja resultaba demasiado pequeña. ¿Qué sentido tenía esforzarse, soñar, en un fragmento infinitesimal de una superficie de naranja? Pero aun, vaciló, una naranja era demasiado grande: estaban todos tan lejos. Él estaba alejándose de Ainhoa, o viceversa. Lucas no iba a ir a Jard, se lo había dicho. Supuso que Santiago estaría en Murcia. Recordó que a Marta le gustaba el mal tiempo y deseó invitar esa noche a Guillermo y a Marta a una cena improvisada. No podía ser; se había hecho tarde para llamarles, tarde para avisar a Ainhoa, tarde, muy tarde, para darle esquinazo a ese sábado de silencio gris oscuro. En la calle la lluvia, después de la sequía, caía con fuerza inusual. Parecía menos hospitalario que nunca salir en la vespa. Podía esperar a que volviese Ainhoa con el coche. Sin embargo, prefería no estar cuando llegara ella, no estar los dos a solas en casa, esa tarde no. Recordaba su promesa: hacer un movimiento. Y ya habían pasado cinco días desde la discusión con Lucas. Tenía que hablar con Ainhoa, pero esa tarde no. A la vuelta, se dijo mientras se colgaba la bolsa y fue a coger su chubasquero.

El suburbio se le antojó más triste, más barato y provinciano y pobre con el mal tiempo. El portal y, después, el pasillo de Jard estaban helados. Sin embargo, en la nave hacía un calor agradable. Así que Lucas ha venido, se dijo. En efecto, acababa de irse; encontró una nota en el tablero: «18.15. Esta lluvia me mata de melancolía. Me voy a ver el fútbol. Léase el resto». El resto eran tres o cuatro hojas con gráficos y figuras y cálculos donde todo encajaba. Había avanzado mucho. «Camarada —concluía—, sólo nos queda un paso.» Así era, un paso y entrarían en la fase de producción, si es que no surgían nuevos problemas. Carlos le llamó por teléfono, pero notó que no sabía felicitarle. ¿Cómo iba a creer Lucas en sus palabras después de la discusión del otro día?

Trabajó apenas una hora. Abandonó Jard convencido de que para disfrutar de la buena noticia y colocarse a falta de un solo paso en el proceso, él aún debía dar un paso anterior. Dar un paso, sí, hacer un movimiento.

En la cocina, mientras preparaban la cena, preguntó a Ainhoa por su contrato.

—Sólo hay rumores —dijo ella. Cortaba unas judías verdes sin mirarle.

Durante la cena dejaron que Diego les contara su fiesta. A las diez y media, el niño dormía delante de la televisión. Le acostaron. Ainhoa abrió una revista médica, buscaba en el índice el artículo que iba a leer cuando Carlos insistió en hablar de su contrato.

—Déjalo —dijo Ainhoa. Pero Carlos acercó una silla al sillón grande donde se había sentado ella. Ainhoa cerró la revista—. Creo que va a arreglarse —dijo—. Tú también crees que lo de la empresa va a arreglarse, ¿no?

Carlos la besó en las manos.

—No estemos así. No hemos hecho nada malo.

Y de repente Ainhoa replicaba:

—Yo no estoy segura. Si pierdo la plaza también va a ser responsabilidad mía, por lo menos en parte.

Aunque Ainhoa no le había incluido, Carlos pensó que

había acentuado la palabra responsabilidad contra él. Y pensó también que las buenas noticias de Lucas no la calmarían. La acusación de Ainhoa no iba dirigida a Jard, S. L., sino a Carlos Maceda. Eludió su rostro mirando el grabado con una ventana abierta que había detrás del sillón. La noche aguardaba al fondo de esa ventana, la noche negra, la Tierra dentro de la noche negra, el universo estallado hacía millones de años que acaso ya empezaba a contraerse. Apretó la mano de Ainhoa como en una rendición. Luego la soltó y se fue del borde de la silla, ese borde donde se había colocado para poder tocar a Ainhoa. Ahora estaban más lejos.

—¿Me lo contarás? —dijo con voz cansada—. Lo que crees que hemos hecho mal. Todo lo que te preocupa.

Carlos trató de cubrir con su pierna el medio metro que les separaba. Su zapatilla alcanzó la de Ainhoa.

Ella llevó la mirada hacia el lugar del contacto, la zapatilla de Carlos, el tobillo desnudo, y siguió imaginando el cuerpo desnudo que había bajo la ropa de Carlos. Se detuvo al llegar a los hombros, que eran redondos, como si le nacieran dos músculos redondos, densos, duros, a cada lado de la clavícula. Otra vez no, se dijo queriendo pararlo, pero enseguida empezó a acordarse de cómo era su vida antes de que aparecieran los secretos de Carlos y Jard. Se acordó del día en que esos dos hombros habían salido disparados, dos bolas de billar que al ser golpeadas chocan contra las bandas opuestas de la mesa. No había mesa, sin embargo, ni bandas que frenaran la trayectoria opuesta de las bolas. Ainhoa estaba embarazada de Diego y Carlos le había dicho que tenía una historia con alguien llamado Laura, pero que iba a dejarla; también dejaría su trabajo en la multinacional para montar una pequeña empresa autónoma, para cambiar de vida. Los hombros dislocados, despedidos en dirección contraria, sin bandas, sin freno. Cada hombro en una esquina del mundo.

Ainhoa le había preguntado si llevaba así mucho tiempo. Carlos lo negó con la cabeza murmurando «Un mes», y los hombros volvieron a juntarse un poco. Casi después de un año, Ainhoa se lo había contado a su hermana. «¡Y estando embarazada!», se había escandalizado ella al principio. Pero Ainhoa sabía que su fuerza, su capacidad para atraer aquellas bolas de billar enloquecidas le había venido de estar embarazada. Porque estarlo era como tener dos cuerpos: el de siempre y otro más firme, más atado a la existencia. Algunas veces, en primavera, o al salir del hospital, o jugando con Diego, o follando con Carlos, ese segundo cuerpo volvía a aparecer. Otras, sin embargo, le oprimía su debilidad, notaba por dentro un río que desembocaba, pero no en el mar que se evapora y se hace lluvia y vuelve, sino más lejos, fuera; era cuando se diagnosticaba una pérdida leve pero continua de caudal y salía de casa como si sólo pudiera vivir a contrarreloj, trasnochar o cansarse en el trabajo, o mover el volante del coche sintiendo que sus reservas disminuían.

Como ahora, pensó, pues estaba notando que el río desembocaba en otra parte, en su falta de sueño, en el frío que le cubría las manos, en la cara del Carlos de hacía cuatro años. Entonces él le había hablado de cambiar de vida, de cambiar, entre otras cosas, una vida que Ainhoa ni siquiera sabía que estuviera viviendo. Y algo se vaciaba dentro de Ainhoa y se perdía, desembocaba fuera, y ella no lograba reunir el coraje para salir del silencio donde estaba tendida. Si consiguiera confiar en sus propias fuerzas y levantarse del sillón. Coger las manos de Carlos, atreverse a decirle que a lo mejor era injusto que le hubieran hecho un contrato en comisión de servicios precisamente a ella pero que, en todo caso, ella podía haber trabajado más, y haber aprendido más. Si se atreviera a reconocer que estaba asustada, que tenía la sensación de haber jugado con la oportunidad de ser una médica buena. No le remordía la conciencia, si así fuera ella habría intentado aplacarla, pero ¿cómo aplacar el estado de sus conocimientos, su aptitud improbable, los años de aprendizaje desaparecidos porque, si la echaban, dónde iba a terminar su formación?

—¿Y tú? —dijo por fin—. ¿Me contarás cómo va Jard?

Las dos bolas de billar se movieron; Carlos se había puesto de pie.

Ahora él tenía tan cerca la cara de animal perseguido de Ainhoa. Los ojos grandes, la melena, palpitaban. A las once y media Carlos se asomó por esa cara, vio un paladar, un cielo que se expandía. Cuando Ainhoa se puso de pie sin dejar de besarle, Carlos casi rezó: que esta noche no se olvide, que el deseo cuente, Dios, que no se anule como llama de cerilla en el fuego.

A las once y media Guillermo y Marta estaban en el cine. Aunque preferían no ir los sábados, por evitar las colas, ese sábado habían quedado con unos amigos a quienes resultaba difícil salir entre semana. A Marta la película no le estaba gustando. Había sufrimiento en la pantalla, una pirámide de sufrimiento, pero Marta desconfiaba de él. ¿Por qué se lo mostraban? La película estaba basada en un hecho real: en Inglaterra, una mujer de baja extracción había sido despojada uno a uno de todos sus hijos porque el Estado la consideraba incapaz de asumir la responsabilidad de velar por ellos. Era inmenso el sufrimiento de esa mujer, pero ¿por qué lo había elegido el director? Se trataba de un director progresista, capaz, en principio, de hacerse cargo de los significados de la película, de haberlos trabajado hasta obtener un sentido mejor que esa mezcla de morbo y lástima social, se decía Marta. Sin embargo, las imágenes se sucedían y ella iba viendo cómo los personajes elegidos, los actores, los gestos sólo reforzaban el sentido más obvio y, al cabo, más conservador. Pensó en hablarlo a la salida, aunque a su lado Concha y Jorge parecían estar entregados a la historia. Luego se fijó en Guillermo. A él tampoco debía de estarle gustando, se había hundido en el asiento de tal modo que el asiento de delante tenía que taparle algo de pantalla. Quizá se estaba durmiendo, aunque más bien parecía pensativo.

Marta se concentró en la escena de una reconciliación. Era una escena melodramática, cursi, pero no obstante se emocionó. Se le humedecieron los ojos, sin llegar a desbordarse, y un ligero estremecimiento le subió por los brazos. Recuperó pronto el control. Y bien, había una tecla que los directores y los guionistas conocían. Un mecanismo un poco más complejo que el de la cebolla, aunque no mucho más. Eso decía Guillermo. Sin embargo, a ella le preocupaba ser tan vulnerable a las despedidas o a las reconciliaciones cinematográficas. Guillermo cambió de postura y puso una mano en su brazo. La mujer protagonista empezó a cantar. Marta entornó los ojos, luego los apartó de la pantalla. Lo único que le agradaba de la película era la música. Seguía notando la mano de Guillermo, escuchaba la canción y, como a veces le ocurría, no anhelaba carreras veloces, un galope sin fin, un espacio para la imparcialidad: alcanzar un estado donde los actos no tuvieran consecuencias, donde ella pudiera hablar sin que Guillermo recelara, con razón, del origen de sus argumentos. La imparcialidad, una inteligencia aristocrática y desengañada que no necesitara hacerse ilusiones con respecto a Carlos, a la izquierda o a sí misma. Se acabó la canción. Marta se daba cuenta de que la imparcialidad requería rentas, y una villa de piedra, pero quién, se dijo apoyando la cabeza en el hombro de Guillermo, no tiene dentro un alma corrupta y decadente, un alma orgullosa y jamás arrepentida.

Después de la película fueron a un café cercano. Jorge era

ayudante de meteorología, como Guillermo. Concha daba clases de latín y de griego en un instituto. Tenían una hija de ocho meses y estaban pensando en ir a vivir a Cádiz. Eran gente pacífica. «Demasiado pacífica», solía decirle Marta a Guillermo, y él sonreía dándole la razón. Sin embargo, pensaba ahora, el proyecto de Jorge y Concha debía de ser para Guillermo lo que eran para ella los caballos imaginarios, la nieve y, por último, una villa con viejas estatuas mordidas por el tiempo. Porque tal vez Guillermo no tenía un alma corrupta y decadente, pero sí, quizá, un alma funcionaria y corrupta. Porque de alguna forma, se decía, de una forma al menos, los funcionarios habían aceptado el orden establecido, eran perros en vez de lobos, gatos en vez de linces, animales que difícilmente se rebelarían contra sus amos. Cierto que tanto Jorge como Guillermo colaboraban con una consultora haciendo informes. Pero una cosa era colaborar y otra, ganarse la vida. Y la vida se la ganaban con su puesto de funcionarios. En la consultora quizá se ganaran una imagen, una reputación, su cuota de sentido y hasta un pequeño sobresueldo que, sin embargo, no les daba para vivir. Una cosa era invertir el tiempo libre, sobre todo teniendo tanto como ellos tenían, y otra apostar la propia biografía en una sucesión de empleos.

Siguió distraída la conversación sobre el puerto de Cádiz, las playas, el estrecho, el viento de Levante. Planes y deseos que se hacían realidad. En cambio los planes de Carlos, o los suyos, se dijo, quizá no salieran nunca pues no dependían sólo de ellos dos. Ella no iba a conseguir sacar adelante, ni siquiera como una prueba, el método de asignación de costes globales en el transporte. Había demasiados grupos interesados en que no se supiese cuánto le costaba de verdad al país cada viaje en automóvil. Y, al final, tal vez ella perdiera su contrato en el ministerio. Entonces volverían los caballos imaginarios, negros y azules, veloces, incansables. Caballos para dejar atrás la tentación de transigir y esa otra tentación más cercana: no haberle prestado el dinero a Carlos, irse del ministerio. Un desamparo distante la invadía al llamar a eso tentación.

—¡Eh! ¡Vuelve! —dijo Jorge—. ¿En qué estás pensando?

Marta miró a Jorge y a Concha, y después a Guillermo.

—Pensaba —dijo— en la película.

Al salir del cine habían hecho los comentarios de rigor: aquella escena, ese final, los actores. La conversación se había extinguido antes de llegar al café y ahora todos esperaban el comentario de Marta. Ella se había propuesto no discutir, pero la pregunta de Jorge la había cogido desprevenida.

—Pensaba —dijo—que el director debería haber tenido más cuidado para no hacer el juego a todo lo que intenta criticar.

—No me parece que la película le haga el juego a nadie —contestó Jorge—. Se limita a decir cómo están las cosas.

—Mal, muy mal para los que viven mucho peor que nosotros —dijo Marta—. Pero eso ya lo sabíamos. Si alguien decide hacer una película con ese tema, será por algo.

—Bueno —dijo Jorge sonriendo—, en general las películas de denuncia suelen conformarse con que la gente se acuerde de que no todo está bien. En este caso, además, se critica a un Estado que con el pretexto de proteger puede contribuir a empeorar más las cosas.

Marta movió la cabeza.

—A lo mejor no es el momento más oportuno para criticar los sistemas de protección social. —Enseguida rectificó—: Aun así, si la película hubiera abordado ese tema, no me parecería mal, en serio. La crítica interna, cuando está bien hecha, tiene sentido. Pero no creo que la película trate de eso.

—¿De qué crees que trata? —preguntó Concha.

—La intención del director supongo que ha sido la que decía Jorge, denunciar. Sólo que el efecto general de las películas de denuncia suele ser el contrario del que buscan. Como mucho, en algunos casos remueven la mala conciencia de la gente y despiertan su vena caritativa, lo que ya es un mal asunto. El efecto de rebote que producen es reforzar lo que hay.

Marta miró los vasos de todos y llamó al camarero.

—Creo —continuó— que es parecido a cuando mi tía abuela se pone a comentar con sus amigas las últimas muertes, enfermedades y desgracias. Le gusta hacerlo porque la ayuda a disfrutar de su vida: ella y sus amigas siguen vivas; sus pequeños achaques no son nada comparados con las desgracias que cuentan. Las películas como ésta no las ven mujeres alcohólicas, apaleadas y sin el graduado escolar; las vemos gente como nosotros, y a nosotros nunca nos va a pasar nada parecido, gracias, entre otras cosas, al sistema económico y político que tenemos.

El camarero recogió los vasos. Sobre los posavasos de cartón fue poniendo cuatro nuevas cervezas. El cartón amortiguaba el ruido.

—Estoy de acuerdo contigo en que ese efecto suele darse —dijo Guillermo—. Sin embargo, una buena película de denuncia debería servir también para conocer al otro, para imaginar mejor al otro. Quiero decir, para entender que el mundo no pasa sólo por uno mismo.

Concha miró a Marta al decir:

—No creo que una película de denuncia sea el mejor sitio para imaginar al otro. Resulta casi imposible imaginar de verdad al otro, salir de los clichés, cuando ese otro es mucho más pobre y menos inteligente que tú. Los griegos lo sabían bien, por eso hacían que los protagonistas de sus tragedias fueran héroes y reyes.

Marta asintió.

—Puestos a denunciar, funciona mejor una novela como

El Gatopardo, donde se puede ver, al mismo tiempo, cuánto le molesta al príncipe perder sus privilegios y qué relación hay entre los privilegios del príncipe y la vida de quienes tratan con él.

—Es verdad. Yo no diría que ésta es exactamente una película de denuncia —dijo Concha despacio—. Más bien creo que ha cogido el viejo tema de la tragedia, el conflicto entre la ley de la ciudad y la ley de la tribu. Ya se había hecho antes en los westerns. Juicio frente a linchamiento. Sheriff frente a pistolero. Sólo que aquí se han invertido los términos y, frente a una ciudad injusta, la película parece defender la ley de la tribu.

—Pero si fuera así —argumentó Marta— la parte de la ciudad tendría que tener tanta importancia como la parte de la mujer. Conocemos casi todo de la mujer; en cambio, de la situación de los servicios sociales no sabemos nada. Tendría que haber un cierto equilibrio en el trato. No puedes dedicar tres minutos a unos asistentes sociales con cara de gendarmes, y volcar el resto de la película en la vida de la mujer.

—¿Por qué no? —dijo Jorge—. A lo mejor quiere que sepas que los asistentes sociales ponen esa cara y que sólo dedicaron tres minutos al caso de esa mujer.

—De acuerdo —concedió Marta—, pero entonces volvemos al principio. La película no está contando el conflicto entre dos sistemas de valores; se limita a denunciar lo mal que han tratado a una mujer. Si después alguien se pregunta por qué la han tratado mal, la única respuesta es la maldad, la inhumanidad de los asistentes sociales.

—¡Quieto todo el mundo! —dijo Jorge, y fingía apuntarles con la mano—. A ver si por ser tan listos y tan críticos ahora nos vamos a quedar sin las películas de buenos y malos.

Guillermo apreció la broma de Jorge y rió con los demás aunque no quería dejar de contestar a Marta. Se había casado con ella, vivía con ella pero, pensaba, no había sabido enseñarle que se puede acertar y estar equivocada al mismo tiempo. Pasada la tregua, dijo:

—Es verdad que los términos morales enturbian cualquier denuncia hecha desde la izquierda. ¿De qué sirve decir que los banqueros son malos? Sólo aumenta la confusión porque induce a pensar que podría haber banqueros buenos, cuando el problema no es la supuesta limpieza de su alma sino la posición que ocupan.

Mientras Jorge le daba fuego a Marta, Guillermo continuó:

—Pero aunque no lo haga bien, yo sí diría que la película intenta cuestionar una forma de organización social. Probablemente su error está en acentuar demasiado el lado humano, eso no le deja desarrollar el tema.

—¿Quién creéis que representa a la ciudad? ¿La protagonista? —preguntó Jorge.

—Supongo que la intención del director es contar eso —contestó Guillermo—. Que en los valores de humanidad, maternidad, altruismo, etcétera, están los restos de la ciudad, de la razón, y que debemos alimentar esos valores. Cosa que también podríamos discutir.

Guillermo cogió el mechero de Jorge, lo encendió en el vacío.

—Es que es discutible —dijo Marta—. No sé qué tienen que ver la razón o la justicia con el sentimiento en bruto de la protagonista, o con la falsa bondad de ese santo sudamericano que sale en la película.

—¿Por qué falsa? —preguntó Jorge.

—Bueno —Marta había bajado un poco la voz como si ya no le importara estar en lo cierto, como si aceptara de antemano su equivocación—, a mí no me parece posible que alguien en la situación de ese personaje pueda ser tan bueno, pero yo tengo una idea casi aritmética de la bondad. Creo que mucho sentimiento produce resentimiento, creo que cuando pones la otra mejilla, es otro quien acaba recibiendo tu bofetada. Eso no quiere decir que no puedas ponerla, pero sí que debes elegir bien a quién le traspasas tu bofetada. A lo mejor vosotros —dijo mirando a Guillermo— no lo veis igual.

—Más o menos —contestó Guillermo.

Concha dijo que se hacía tarde. Mientras esperaban la cuenta comentaron los últimos casos de corrupción.

En el coche, Marta conducía pensando en el día siguiente. Deseaba que durara el mal tiempo, quería un domingo de lluvia tempestuosa para quedarse en casa leyendo un libro triste y penetrar en el sentido de lo inútil y lo contradictorio.

Guillermo, desde el asiento de al lado, seguía maquinalmente la conducción de Marta, el freno, los cambios de marcha, la entrada en el subterráneo. Tenía sueño pero no lograba adormilarse porque le acometía una extraña forma de responsabilidad. Era una sensación activa, que le dejaba algo perplejo. Era, pensaba, como si se sintiera responsable de ser siete años mayor que Marta, de haber mantenido durante mucho tiempo una relación con una mujer once años mayor que él y haberla empujado a abandonarle; de que le gustara llevar sandalias en verano; de haber dejado sociología a medias y haber terminado tras sacar la oposición; responsable del libro de Adorno que le esperaba en la mesilla de noche; de haber estado tres años en Amsterdam y dos en Dublín; de tener una madre farmacéutica retirada en Chaouen, el pelo rizado, las manos anchas y morenas, un reloj de muñeca heredado de su padre, una colección de soldados de plomo; de haber vivido, pensó, de estar viviendo.

II

En casa de Santiago una caja de leche duraba siete días. En casa de Carlos, Diego y Ainhoa, duraba tres. En casa de Marta y de Guillermo, seis. Era la madrugada del 31 de enero de 1995. Habían pasado treinta cajas de leche para Carlos, quince para Marta, medio bote de jabón de lavadora para Santiago, un frasco de loción de afeitar para Carlos; noventa periódicos para Santiago, ochenta y cinco para Carlos, ciento catorce para Marta. Dieciocho limones para Carlos, un tercio de botella de coñac para Marta, tres paquetes de café para Santiago; quince depósitos de gasolina para Carlos, cuatro para Marta, siete para Santiago. Dos bolas rotas de Navidad para Carlos, once figuras de mazapán para Marta, dos tabletas de turrón blando para Santiago, doce uvas para cada uno de los tres; diez cartones de Camel para Marta, treinta y dos tónicas para Carlos, setenta y cinco yogures para Santiago. Había pasado el tiempo en forma de sustancia y no dormían. Filas de envases amontonados, filtros de cigarrillos consumidos formando montañas, periódicos reciclándose, ardiendo en una caldera de calefacción. A las seis de la tarde del 30 de enero, en una cafetería de la calle Infantas, Carlos Maceda había pedido una prórroga.

Una noche malva y anaranjada y sucia llenaba los patios

interiores, las terrazas, se arrimaba a los cristales fríos, descendía por los tejados tocándolo todo, cada una de las ramas secas de los árboles, las cornisas, la piel de los gatos, el filo suave y mojado de las sábanas tendidas en las azoteas.

Marta, la cabeza metida debajo de la almohada, daba portazos en el despacho vacío de su jefe y la imagen de Carlos la asaltaba, y ella tenía que apartarla como a veces tenía que apartar la imagen del fuego en el túnel del ascensor. Puso la almohada contra la pared. Su jefe se iba a Bruselas. No podía culparle. Para él era una buena noticia; Marta le había felicitado. Pero daba portazos en aquel despacho vacío, portazos en el aire del dormitorio, al tanto de que el sustituto anunciado no iba a apoyar el proyecto de renovación del transporte, el único que a ella le interesaba. Más aún, el propósito de ese individuo sería aleccionarla en el manejo de un presupuesto ornamental. Había ocurrido lo probable, se decía, lo previsible, ella contaba con que sucediera desde el principio; cuando decidió seguir a su jefe al ministerio los dos sabían que el proyecto era una apuesta de lujo, perdida de antemano, y los portazos se transformaban en el agitado batir del viento contra la persiana y luego en la respiración de Guillermo. Se volvió de costado hacia ese cuerpo dormido, mirando el torso alto, más alto que la almohada. Apoyó ahí la cabeza. Pensaba en la casa que Guillermo quería comprar, en el término de su contrato, y otra vez en Carlos: perdonadme, les había dicho a Santiago y a ella en la cafetería. Guillermo la cogió con un brazo sin apenas despertarse; su mano pesaba sobre la espalda de Marta, contundente.

Santiago superpuso a la conversación de la prórroga la imagen de Leticia Tineo. Sentía en su erección el contacto de la sábana de arriba y lamentaba ese vigor inútil. Se destapó. No quería fantasear con Leticia; además, estaba sin recursos, sin libertad para invitarla a qué viaje, para llevarla a qué hotel y sugerirle qué vida justo ahora. Con la paga extraordinaria había terminado de pagar el arreglo del coche. El dinero del máster se lo había gastado en comprar, como siempre, regalos caros y buenos para todos, en especial para su sobrino. También le había dado una parte a su madre, para reparar el tejado de la casa. Al volver a Madrid, sin un duro, halló una postal de Leticia Tineo en el buzón. Esa mujer le convenía. Varias veces se lo había dicho a sí mismo, sin que ello comportara cinismo alguno. De la misma manera, en ocasiones, leía artículos que le convenían, porque le abrían campos de reflexión y de estudio, porque le proponían horizontes. Leticia Tineo le convenía así, su mera existencia le planteaba una pluralidad de posibilidades.

En aquella fiesta del chalet había hablado con ella, se había quedado un rato con ella en el jardín. Un rato breve, Leticia era la mujer de un profesor titular, el joven filósofo, lo llamaban, y él no quería líos. Sobre todo, no quería líos por nada. Sin embargo, desde la fiesta habían llovido al menos tres llamadas con excusas absurdas, y después de las vacaciones una cita entre casual y buscada por los dos. Leticia Tineo trabajaba en el departamento de patrimonio bibliográfico de la Biblioteca Nacional. Él exageró al decirle que solía ir allí un día a la semana, los martes, y ella le contestó que cuando fuera subiese a verla. Leticia salía a las seis. A las seis menos cuarto del martes siguiente, Santiago llamaba a su despacho. Se quedó cinco minutos, ella adelantó otros cinco su hora de salida y, juntos, bajaron por las grandes escaleras de piedra de la biblioteca como reyes. Vinieron después el juego y el miedo, no se vieron durante dos semanas, pero al fin Leticia llamó y Santiago decidió responder con una propuesta osada, una cita sin excusa para ir al cine. Ella había aceptado. A la salida fueron a tomar una copa y ella le contó que se había separado del joven filósofo, iban a divorciarse. Cuando el día

29 de enero oyó el mensaje de Carlos convocándole a una cita con Marta y con él, Santiago pensó que recibía viento en las velas: se acababan los problemas de dinero, Carlos cumplía lo prometido poniendo fin a la inquietud, pronto quedarían de nuevo a comer los tres, y él podría volver a mirarse en el espejo seguro, satisfecho de haber pasado la prueba con sus amigos y haber soportado la ansiedad. Se imaginó dentro de unos meses contando a Leticia su participación estelar en la aventura de Carlos.

Pero no había habido restitución, sino pérdida: «Necesito noventa días, a primeros de mayo os lo devuelvo, perdonadme». El cántaro de la lechera astillado; la leche vertida. Un café rápido, ninguna broma, tanto por parte de Marta como por la suya, una actitud comprensiva. «A la fuerza ahorcan», maldecía Santiago en la vigilia, joder, ¿qué podían haberle dicho?: «Es nuestra voluntad que nos lo devuelvas ahora», o «Te vamos a embargar», o «¡Qué putada, Carlos, justo ahora, justo cuando necesitaba dinero para el amor!». Eres gilipollas, era lo que Santiago había pensado de sí mismo, pero a Carlos sólo le habían dicho, Marta y él a la vez: «Tranquilo, no te preocupes». Porque al menos la amistad servía para saber que Carlos no iba a estar tranquilo y porque, ahora, Carlos se había convertido en una inversión. Ahí sí había cinismo, pensaba, en la clarividencia con que Marta y él habían entendido que necesitaban cuidar a Carlos, decirle que estuviera en calma, procurar impedir que le venciera la tensión y se precipitara montaña abajo, arrastrándoles a ellos. Las 2.15 de la mañana en el despertador. Santiago se tapó para intentar dormirse. Tenía comprobado que abriendo los ojos se desvelaba más y se empeñó en mantenerlos cerrados. Pero allí estaban los tres encima de la acera. Expulsados del café, indecisos, no sabiendo si los otros dos tenían coche o moto, o una cita, no atreviéndose a preguntar ni a marcharse, los tres temiendo posibles alianzas. A Santiago no le habría gustado imaginar que Carlos y Marta se quedaban juntos. Por lo mismo, pero de otro modo, le habría dado vergüenza irse en el coche con Marta y dejar a Carlos solo, confinado en el margen del «debe» mientras él y Marta se iban para seguir viviendo en el lado del «haber». Y aún se habría atrevido menos a irse sólo con Carlos y correr el riesgo de delatarse: «Mira, Carlos, soy un estúpido, soy un imbécil por haber confiado en ti, un verdadero gilipollas». Un café rápido y después salir disparados, cada uno en una dirección. Esa noche se había acostado sin llamar a Leticia Tineo. Mañana, se dijo, y notó que se excitaba otra vez. Leticia estaría durmiendo en la cama matrimonial que su marido ya no compartía; pero también podía estar despierta en la oscuridad, acaso preguntándose por qué Santiago Álvarez no le devolvía la llamada. Se levantó a enjuagarse la boca. Al verse desnudo, empalmado y preso en su estrecho cuarto de baño, le dio rabia pensar en el dinero, pensar que Marta sí podía permitirse ser generosa. Una ráfaga de viento helado cortó el ambiente. Había olvidado entornar el ventanuco. Volvió a la cama destemplado, deseando taparse y coger el sueño.

Tumbado boca arriba, Carlos vagaba por la ciudad buscando un cliente posible para Jard y siempre tropezaba, había relojes rotos en el suelo, correas metálicas cuyo cierre, candente, se derretía quemando sus zapatos porque él no había respetado el plazo, no había sido duro ni inapelable, porque él, Carlos Maceda, había empezado a fallar. Y Carlos abría los ojos para no ver el rostro de Jard, S. L. en cuatro rostros, Lucas, Rodrigo, Esteban y Daniel, cuatro puestos de trabajo perdidos, cinco con el suyo, y los cerraba, y los abría de nuevo y en ambos casos veía el tiempo imaginado, custodiado, la promesa incumplida, a Marta y a Santiago con la duda en la mirada, una duda mucho más real que el ridículo «No te preocupes». Ojalá le hubieran dicho: «Preocúpate, mira por nosotros».

—Deberíamos convocar una reunión con todos —le dijo Carlos a Lucas el 1 de febrero. Estaban los dos en el despacho de Jard.

—Deberías convocarla tú, quieres decir —contestó Lucas.

Carlos bajó la mirada. Sus ojos fueron a parar a la tela de la camisa de Lucas. Era blanca y tenía un aire entre anticuado y proletario. El aire de Lucas, se dijo. Ya la primera vez que habló con él, siete años atrás, había pensado que Lucas tenía aspecto de futbolista de segunda a punto de retirarse. Ahora, con cuarenta y dos años, Lucas ya sólo podía parecer un entrenador. Sin embargo, Carlos seguía viendo en él al futbolista veterano, musculoso pero delgado, con modales cultivados aunque llanos, un jugador que poseyera la elegancia ilustrada de un ingeniero decimonónico. Y le dolía sentirse censurado por él.

—Disculpa —dijo—. Ha sido un lapsus. A veces se me olvida que ya no somos socios.

—Recuerda que nos hicimos socios por las palabras —dijo Lucas.

Carlos apoyó los codos en la mesa. Se sentía como un estudiante la noche antes del examen, como si tuviera demasiado pasado, demasiadas materias a su espalda y hacia delante sólo una franja en blanco. Sí, era verdad, se habían hecho socios por las palabras, porque Lucas sólo podía aportar un décimo del capital y ambos estaban de acuerdo en que una posición económica desigual multiplicaría los malentendidos, haría que cada uno viese la empresa de distinto modo, impidiéndoles construir un vocabulario común. A la actitud de entrega uno le llamaría entusiasmo y otro, responsabilidad.

Evitar correr ciertos riesgos sería prudencia para uno y para el otro, síntoma de cobardía. Se pusieron de acuerdo y Lucas aceptó un adelanto imaginario sobre futuros beneficios destinado a la compra de la mitad de las participaciones. Pero después había llegado el préstamo, y todo eso se vino abajo. Lucas se había negado a mantener su situación si Carlos llevaba a cabo la operación amigos. «Te toca ser empresario —le había dicho—, yo no puedo seguirte», y le había hecho una venta a precio simbólico del cuarenta y nueve por ciento de las acciones. O acaso a precio real, pues Carlos había acordado pagar por ellas las ciento cincuenta mil pesetas aportadas por Lucas en su día. Lucas también le había vendido el uno por ciento que pusieron a nombre de su sobrino porque la ley exigía que las sociedades limitadas tuvieran tres socios. Una venta secreta, a la espera de la nueva ley que, según se anunciaba, permitiría convertir empresas como Jard en sociedades unipersonales.

Seguía callado, no sabía siquiera si tenía que responder a Lucas o sólo decirle: de acuerdo, márchate, ya veré lo que hago, soy yo quien va a examinarse. Desde la dichosa operación amigos, el tiempo se había convertido en un interrogatorio, y pensar hacia delante significaba pensar en qué respuestas debería dar a las preguntas de Ainhoa, de Lucas, de Esteban, Rodrigo y Daniel, de los proveedores, de los talleres, de Santiago y de Marta. Le habían relegado a la soledad de ser el único responsable. Hizo un último intento.

—¿No nos habremos equivocado? —preguntó—. El préstamo de mis amigos es personal, pero la empresa sigue siendo de los dos. Para la empresa, y también para mí, lo reconozco, sería mejor que tomásemos las decisiones a medias.

—Carlos, no es un problema de software, sino de hardware —dijo Lucas—. Da igual que te programes para vivir en la esquizofrenia, el préstamo es hardware y está en un solo sitio. Lo mejor para todos es tenerlo presente. Cuando el alma se separa del cuerpo no empieza la religión, empieza la hipocresía.

Carlos rió, no tanto por los argumentos de Lucas, que conocía de sobra, sino por eso, por conocerlos, porque sabía que Lucas iba a secundar su risa aunque fuera durante unos pocos segundos, los necesarios para constatar el tiempo común, la corta biografía de Jard, S. L., no por corta menos innegable: cuatro años de *jardware* que pertenecían a los dos por igual. Y se rieron, sí, como si el desacuerdo anterior fuera un tercero interpuesto y le hubiesen hecho salir del despacho: «Espera fuera unos minutos, tenemos que hablar de un asunto sólo nuestro». Al cabo, el hardware era su territorio común, su familia, el pueblo donde se hermanaban. Entre sus compañeros de la multinacional, abundaba la fantasía de montar una empresa propia y pequeña, pero esa fantasía siempre iba vinculada al mercado del software: crear programas, instalarlos, impartir cursos, ofrecer, en definitiva, servicios. Sin embargo, en Lucas, Carlos había reconocido a un semejante: alguien interesado, como él, en la materia, alguien que tal vez no compartía su necesidad de fundar fábricas, edificaciones, pero sí cierta afinidad por lo firme, lo duro, por lo que no es ambiguo ni inestable, sino que tiene existencia, cualidad de cacharro que funciona o no funciona, y es sustancia, y ocupa un espacio visible. Cuatro años fabricando hardware, y ahora un préstamo les dividía. Sin embargo, el préstamo no era materia, se dijo, era sólo capital financiero. Sólo una posibilidad, aun cuando pesara y pudiera convertirse en privación de materia para otros si él no llegaba a devolverlo.

—¿El dinero es hardware? —preguntó entonces sintiéndose débil, queriendo salir de allí y, al andar, poner un brazo en el hombro de Lucas.

—Quieres que te diga que no, pero haces trampa. Ya sabes lo que pienso, Carlos. No me rasgué las vestiduras cuando decidimos ir al cincuenta por ciento en las acciones aunque yo no tuviera dinero. Esta empresa la montamos a medias. Sin ti yo no hubiera podido hacerlo, y sin mí tú tampoco. Eso era hardware. De algo nos tiene que servir haber leído a Marx. Pero no seamos ingenuos. Cuando dinero y poder están en el mismo sitio, entonces el dinero es hardware, o por lo menos funciona como si lo fuera.

—¿Y a qué esperas? ¿Por qué no los separas? Deja que yo tenga el dinero y coge tú el poder.

—Pero, Carlos, qué dices. El poder. El primero que habló de «el poder» como si fuera un nombre, desde luego sabía lo que hacía. Poder es un verbo. Tú, gracias al préstamo, puedes hacer que la empresa resista unos meses.

El ruido de un tenedor al golpear contra la loza se filtraba por la ventana interior del despacho. Carlos miró hacia ahí esperando ver el olor flaco y pringoso a aceite barato y a tortilla francesa que pronto atravesaría las juntas mal encajadas de la ventana. ¿Poder? Veía los archivadores de cartón en el suelo, entre la mesa de Lucas y la suya, ocupando el único tramo de espacio libre en el pequeño cuarto. Veía los grumos de pintura blanca, ya medio grises. Y el calendario apaisado con un cuadro sobre cada mes. Lo había traído Lucas para que diera vida y horizonte al cuarto. En febrero tocaba un prado y una mujer con sombrilla pero él no veía el prado sino un papel tintado, plano, clavado con una chincheta sobre la pintura. Quédate con mi poder, Lucas, quédate con mi nadar, con mi comer, con mi contabilidad, quédate con mi estar orgulloso de que nuestros sueldos, la nave del fondo y los proyectos de Santiago y de Marta, dependan de mí.

—¿Te gustaría estar en mi sitio? —preguntó.

—¿Y ahora qué quieres que conteste? ¿Que te envidio por poder hacer lo que yo sólo puedo pensar? Supongo que prefieres que diga eso, porque si digo que siento que todo caiga sobre ti, que no quisiera deber ocho millones de pesetas a dos amigos míos, te quito el monopolio de la compasión.

Carlos pensó que había recibido un golpe bajo. De acuerdo, estaba compadeciéndose. Empezaba a saborear la empalagosa dulzura de ser el héroe a quien todos van dejando solo. Lucas le había descubierto, pero resultaba demasiado fácil, se dijo, descubrir a alguien en su situación. Y en todo caso era él quien había tenido que hablar con Santiago y con Marta.

Lucas se levantó, salió delante de la vieja mesa de oficina verde humo y se quedó apoyado ahí, con las manos dobladas sobre el borde.

—Carlos, creo que puedo entender bastante bien tu situación, incluso puedo entender lo fáciles y lo injustas que te habrán parecido mis palabras. Sólo intento que tú sepas dónde estás, dónde te has metido.

—El lunes estuve con Marta y con Santiago. Les pedí que me dieran noventa días. Dijeron que sí. Por supuesto, sé bien que no podían hacer otra cosa.

Lucas seguía de pie. Y Carlos pensó que otra vez había perdido el control, que Lucas no merecía el «por supuesto», que con las manos Lucas no estaba apoyándose en el borde de la mesa sino sujetándose, sujetando sus ganas de salir. Sintió alivio al ver que Lucas iba a decir algo.

—¿Para qué quieres convocar la reunión?

—Creo que era una decisión precipitada. De todas formas, ya lo hablaremos, es tarde y no mido bien lo que digo.

—Sí —dijo Lucas—. Es tarde.

Salió sin cerrar la puerta. Carlos le vio descolgar su cazadora negra del perchero.

—No me esperes —contestó a su mirada—. Voy a mandar un fax.

Lucas apagó la luz del pasillo. Luego, el ruido de la puerta lo dejó solo, y era como si el espacio de la empresa se hubiera constituido de nuevo, más compacto, más oscuro, un recinto exclusivo para su soledad. Se preguntó adónde iría Lucas. Quizá hubiera quedado en un bar con otros miembros de ese submundo de viejos grupos de blues donde se movía. Dentro de un rato aparcaría en una callejuela empinada su Simca gris, tan antiguo como los grupos. O tal vez regresara directamente al piso que compartía con un sobrino estudiante. ¿Estudiante? Ya debía de haber terminado la carrera, aunque Lucas no le había dicho nada. Hacía mucho que no hablaban como personas normales, comentando la semana, dándose simplemente información. Ni siquiera sabía, pensó avergonzado, si en Navidades Lucas había ido a Oporto para ver a su hija, ni cómo estaba ella. Carlos rodó sobre la silla hacia la pared y luego hacia la mesa varias veces. Se acordaba de lo a menudo que solía ir Lucas a Portugal y advertía cómo habían disminuido sus viajes desde que empezó la crisis. Tenía que estar agradecido a Lucas por la conversación de antes, sabía que era una forma de generosidad decirle a otro cómo le estamos viendo. Pero, se dijo, cuánto tiempo aguanta nadie estando agradecido.

Le había mentido a Lucas; no iba a mandar ningún fax. Había dejado que se fuera para quedarse solo y poder sentirse durante un rato un héroe y una víctima. Un héroe bajo con cara aniñada y olor a tortilla francesa. Llamó a Ainhoa «salgo enseguida». Pensaba que en realidad quería llamar a Alberto, aunque no al Alberto que vendría pronto a Madrid y que estaría ahora viendo el telediario en su casa de Edimburgo. Le imaginó, por el contrario, atravesando una calle poco iluminada. Se dirigía a una cabina roja. Ahora Alberto, con su cara de flecha, su pelo muy corto y negro, su gabardina clara, esperaba dentro de la cabina. Carlos miró el reloj. Eran las ocho y cuarenta y cuatro minutos. Imaginó que a las ocho y cuarenta y cinco sonaba el timbre en la cabina roja. Alberto descolgaba. También imaginó un teléfono público en una calle cualquiera de Madrid. Y él estaba dentro. Se vio exponiendo a Alberto la situación de Jard, S. L. En clave. Imaginó que Alberto daba una orden. No había asambleas, ni conversaciones paternales, ni siquiera consejos marxistas libertarios. No había necesidad de contar con los otros y dar explicaciones, disculpándose. Sólo una orden. Sólo una canción: «No dejes que se den cuenta». Carlos reconstruía, traduciéndolos, fragmentos de la letra: «Aunque esté a punto de desbordarse, guárdalo dentro de ti, no te rindas, no les digas nada, don't let it show. [...] Y si te duele cuando digan mi nombre, di que no me conoces. Porque si te ríes cuando me echen la culpa, ellos nunca te tendrán». Órdenes. Consignas en clave. Pertenecer a una organización y actuar. Él y Alberto. No ser dos supervivientes desorientados. No ser un profesor de español en Edimburgo y un pequeño empresario en crisis, sino dos miembros de un movimiento clandestino. La resistencia, un ejército en la sombra, la secreta organización revolucionaria de los hermanos internacionales. Todo eso y menos y más en una canción adolescente. «Aunque creas que no tienes nada que esconder, escóndelo. Porque si sonríes cuando me mencionen, ellos nunca te tendrán.»

La doble vida, murmuraba Carlos. Cuando todos pedían afirmaciones, definiciones, claridades, entonces negar. Niégame y acepta que yo te niegue. «Y aunque quieras creer que hay una salida, yo no estaré allí.» *Don't Let it Show* era el paso definitivo para llegar a la doble vida. Había un paso previo, más ingenuo, en aquel otro manifiesto adolescente, *You've Got a Friend*: «... cuando nada vaya bien —tradujo de nuevo—, cierra los ojos y piensa en mí, y enseguida estaré contigo para iluminar hasta tus noches más oscuras». Era, sí, demasiado torpe e ingenuo. «Llámame y sabrás que, dondequiera que esté, iré corriendo a verte otra vez.» Un teléfono móvil, un minúsculo aparato podía desmentir tres años de adolescencia, se burló Carlos al recordar la mañana en que había fundido las bielas del coche de la multinacional. El viento soplaba de un modo delirante en el puerto de la Cruz Verde «you just call out my name», y Carlos había llamado a Laura, de teléfono móvil a teléfono móvil, sólo que Laura estaba en plena visita comercial y le había respondido con una indiferencia educada, acaso levemente cariñosa, pero no, no había venido corriendo, «invierno, primavera, verano, otoño, todo lo que tienes que hacer es llamar y yo estaré ahí», pero Laura no había estado allí, ni siquiera con su tono de voz, con su deseo. Por fortuna Ayuda en Carretera sí llegó. A Ainhoa no la había llamado. Ella no era la adolescencia, no era siquiera la juventud, no era lo clandestino, lo irreal. Ainhoa eran los otros, lo razonable, luz dentro de su cuerpo, vida, «los espías sólo tienen una vida, los adúlteros sólo tienen una vida, Ainhoa, te lo juro».

Ainhoa estaría en casa cuando él llegara y, en cambio, Alberto no estaría. Carlos tarareó «Don't Let it Show» en voz baja. «Aun cuando quieras creer que hay un camino, I won't be there, no estaré allí.» Niégame y acepta que yo te niegue. En eso residía la superioridad de la doble vida si además de ser secreta, aceptaba la negación. Cae, se dijo, el adúltero que busca reconocimiento. Cae pero de nuevo se levanta. Deseó abrir una ventana y dominar con la vista toda la ciudad. ¿Por qué no bastaba una vida? Se sentía emparedado dentro del despacho, entre una ventana interior y un calendario con cuadros impresionistas. Esos durmientes, pensaba: militantes de una organización secreta, hombres comunes hasta que una mañana reciben una orden que obliga a interpretar su vida de otro modo; ya no se trata de una vida vulgar, por el contrario, es la tapadera perfecta. Vivir así, tener la seguridad de quien no se pertenece y lo oculta, y calla mientras recuerda que, desde alguna parte, alguien le va a exigir gestos que los demás desconocen. Sin embargo, se torturaba Carlos, detrás de sus llamadas secretas, de sus libros de espías, detrás de su adulterio no había ninguna organización. Había algo bochornoso y más sencillo. Él necesitaba pertenecer a otro sitio para no defraudar, porque aquí no podía con las exigencias ajenas y costaba tan poco convencerse de que en el otro sitio no fallaría, pensar que en ese mundo secreto, invisible, Carlos Maceda lograría llevar a cabo cuanto se esperaba de él. Miró la hora. No debía haber llamado a casa tan pronto, no quería salir aún. Le dolía la cabeza. Fue a buscar una aspirina al botiquín del cuarto de baño.

En vez de volver al despacho, entró en la nave, un carguero maltrecho, se dijo, y evitó dar la luz. Sentado en la silla de Daniel recordaba las condiciones que le llevaron a montar Jard, S.L. No habían sido todo lo limpias que hubiera querido. Él se había ido de la multinacional pero no por sus principios, sino después de una amplia reestructuración. Cierto que no iban a despedirle, sin embargo el nuevo puesto de trabajo que le ofrecían era equivalente a un destierro. Dos años en Düsseldorf y, muy probablemente, otros dos en Barcelona. Su traslado contenía un despido en potencia con otra indemnización. Además, Ainhoa estaba embarazada. Y luego quedaba Laura: a ella también la destinaban a Düsseldorf. A ese respecto Lucas podía estar más tranquilo. La reestructuración, para él, era sólo una contrariedad porque le alejaba de la investigación y le obligaba a tratar con los clientes. Lucas había buscado en Jard, S.L. un puesto de trabajo más a su gusto; él lo había buscado todo.

Salió de la nave abatido. «No te rindas, no les digas nada, no dejes que se den cuenta», cantaba para dentro. Otros fuman, se dijo. Siempre había pensado que fumar estando acompañado era una forma de aceptar la compañía sin entregarse del todo, salvaguardando al fin la propia soledad. Los fumadores fumaban soledad, consumían su dosis de software delante del mundo. No obstante, lo suyo era peor: él fumaba a escondidas puro software desencarnado. Sin filtro, sin papel, sin alquitrán: hablar por un teléfono inexistente con un Alberto modelado a su imagen, fumarse un Alberto, una organización, cantar una consigna sin que nadie le viera ni quedara constancia en forma de colillas, sin que ni Alberto, la organización o la consigna fuesen a dejar en sus pulmones una sustancia opaca, real. Descolgó el Barbour del perchero, «Ainhoa, yo daría la mano derecha por no necesitar el mito y la mentira». Se puso el casco y arrancó la moto.

El ascensor del ministerio bajaba a trompicones. Como si tuviera que vencer demasiada presión, comprimir la columna de aire para un trayecto demasiado pequeño. Luego, cuando volvía a pararse despacio en el piso siguiente, Marta casi podía notar cómo la columna se expandía otra vez desde el suelo del túnel hacia arriba, cerrando el camino.

—Qué pocos tacones se ven en este ministerio —dijo el nuevo jefe de Marta—. Las mujeres no comprenden que los tacones son arquitectura ascética en el más puro estilo internacional, el juego de los volúmenes bajo los pies.

Un silencio de cinco personas replicó al comentario, y al cabo del silencio dos risas retrasadas, breves. La puerta del ascensor se abrió y volvió a cerrarse, faltaban tres pisos. Marta miró a su compañera de despacho; era ella, Julia, quien la había convencido para que bajara a desayunar con todos. Julia le devolvió una mirada entre resignada y comprensiva. Las dos sonrieron. Pero ¿y si un fuego se propagara? Marta quería salir del ascensor, haberse quedado arriba en el despacho vacío, no ver nunca más al nuevo director general.

Al fin llegaron. Marta pidió un café solo y siguió pensando en sus semejanzas con el descenso del ascensor. El ardor propulsaba su espíritu contra la columna de aire. Sentía la presión acumulada, una vocación de caída libre, pero más abajo había solamente otro piso, frenos y la columna de aire comprimida.

Le hacía bien el café. Caliente, oscuro como un petróleo humano, era el combustible de su motor de explosión, el impulso para moverse entre llamadas, comidas, un proyecto abortado y tres proyectos inútiles.

—El documento mártir está muy bien —le dijo Julia—. Yo sólo haría dos cambios. Los he anotado a lápiz. Cuando subamos te lo doy.

Marta le agradeció que hubiera tenido la paciencia de mirarlo. Debía entregar el documento el 15 de febrero; ya estaban a 13, pero ella lo había dejado arrumbado, sin terminar, en un rincón de su mesa. Le aburría ese tipo de documentos cuya única función era no discutir en el vacío. Mecanos de ideas articuladas y después ofrecidas a los leones para que pudieran comentarlas, suprimirlas, desmontarlas, cambiarlas. Julia los hacía mejor que ella porque Julia, pensó, no se desplazaba como el armatoste del ascensor sino como una persona que baja liviana por la escalera y se detiene o corre a voluntad. Ahora llamaba con una mano al camarero y con la otra se colocaba el pelo detrás de la oreja en un doble movimiento coordinado, tranquilo. También los documentos de Julia sabían acoplarse con suavidad. En cambio a ella le costaba demasiado trabajo concebir un material variable, flexible, y al final acababa, se dijo, imponiendo una estructura fija precisamente a aquello que no debía tenerla para así poder ser discutido, invalidado y aceptado por partes.

El café prendía en sus venas, un ejército de diminutos motores de automóvil se apoderaba de sus últimos restos de tranquilidad. Era el café, y no este café, sino éste sumado a todos los cafés de autopropulsión, cafés bebidos para entonarse, para seguir estando donde no quería, para ser movida y detenerse y arrancar de nuevo: piso cuarto, piso segundo, planta baja, vuelta a empezar. Pero, con frecuencia, esos cafés depositados en las venas durante años se ponían en marcha a pesar suyo, y la hacían embestir contra cualquiera sin causa, casi siempre contra Guillermo aunque, se dijo, a veces también embestía contra el techo, contra la falta de espacio y lo arbitrario; a veces, sí, las menos de las veces.

Por cortesía siguió a Julia, quien se arrimaba al resto del grupo. Estaban comentando el papel de la Iglesia en la insurrección de Chiapas. Luego pasaron al subcomandante Marcos, pero Marta se había quedado en la Iglesia. Siempre le producía una suerte de extrañamiento el que esa institución hubiera sido la pista de despegue de su identidad. Recordó la parroquia donde había conocido a Carlos cuando los dos tenían dieciséis años. En un pequeño sótano se reunían varios «jóvenes»; hablaban del Evangelio, de Garaudy, de Hélder Câmara, cantaban himnos dulzones, decían que el cristianismo no era lo mismo que el catolicismo, discutían sobre la miseria, la justicia, la no-violencia. Luego empezó la facultad y ya no volvió a la parroquia, pero continuó viéndose con algunos del grupo, con Cristina, dos hermanos a los que había perdido la pista y Carlos.

Pagaron los cafés. Marta pidió un vaso de agua. Los demás ya iban hacia el ascensor. Subo en el siguiente, le dijo a Julia con un gesto. Apenas tocó el agua, no tenía sed. Tenía un recuerdo en la punta de la lengua. La sensación de haber topado con algo que debía solucionar y haberlo olvidado. Se dirigió a la escalera y volvió a sus diecisiete años, a cuando iban al monte de acampada, encendían fuego en los refugios, se contaban historias de miedo y dormían en sacos de dormir acercándose mucho. Subía despacio, peldaño a peldaño, pensando que no llegaron a enamorarse; los novios y novias venían de fuera, aquel ex grupo cristiano era una formación autónoma, un lugar donde se proveían no tanto de emociones como de códigos propios. Cuando Cristina se marchó a Barcelona y los dos hermanos dejaron de ir, apareció el amigo de un amigo de Carlos, se llamaba Santiago. Entre los tres empezaron a hablar de libros, de política; idearon *A trancas y barrancas*, la única revista de varias facultades a la vez; después Carlos les metió en el ateneo de Magallanes, y aunque Santiago se fue pronto de allí, siguieron viéndose. Llegaron a ser un trío indestructible. Se habían acompañado en cada traslado de casa, habían celebrado cada trabajo, cada cambio, se habían ido a esperar a estaciones y aeropuertos. Santiago y Carlos habían vivido un año y medio juntos y ella había estado cinco meses en su piso. Habían hablado noches enteras, tenían siempre una copia de la llave de la casa del otro, habían compartido los coches, se habían visto felices y furiosos y desesperados, y cómo ahora iba a pensar en Carlos con celos, sí, con celos porque Carlos tenía cuatro millones y ella no.

Se detuvo en un rellano. Nadie usaba, por suerte, la escalera de emergencia. Sólo ella, pues al fin había comprendido contra qué chocaba su columna de aire. Desde hacía más de una semana su malestar en el trabajo, el odio a su jefe, el deseo de abandonar el ministerio y quizá también Madrid, iban siempre a parar a una imagen no dicha, a la empresa de Carlos. Miró los escalones con la idea de sentarse a descansar en uno de ellos, pero siguió subiendo. Alguien podía pasar por casualidad y ella tendría que inventarse un mareo o cualquier otra cosa. Ya se había inventado la sed en la cafetería. Con un despacho para ella sola, pensó, sería diferente. Iba cada vez más despacio, procurando no acordarse de Guillermo. Porque a veces tenía la intuición de que Guillermo la contemplaba pendiente de lo malo, de sus embestidas injustas, de su malhumor. Trataba de esquivar su recuerdo, igual que de pequeña había intentado esquivar la mirada de unos padres atentos a cada muestra de celos de Marta, la hermana guapa y mimada y mayor que, a la fuerza, debía vivir mal la irrupción de un hermano siete años más pequeño.

Le habría gustado, se dijo, ser la hermana pequeña y haber nacido, como Santiago, como Guillermo, en un sitio donde el otro no fuera una posibilidad, ni una intrusión, ni siquiera pregunta sino, sobre todo, existencia, carne ajena, un elemento más del día y de la noche. Ella, en cambio, creció imaginando un mundo sin intrusos, lo deseaba y su deseo iba más allá de los primeros celos, tal vez naturales, de Bruno. Lo deseaba todo porque había tenido casi todo, porque su no tener era fruto de una ficción. Aunque sus padres le negasen caprichos, ella sabía que se los negaban para que aprendiera, no porque esos caprichos fueran inaccesibles. Y aprendió. Aprendió a graduar sus deseos, pero no a renunciar a ellos. Sólo una vez había renunciado, el año en que el oído interno de su madre pareció romperse y los médicos no sabían lo que era, y los calmantes no conseguían paliar el dolor y su madre se tumbaba en la cama con las manos en la cabeza sin ver a nadie, susurrando un gemido continuo, vuelta hacia un lado con los ojos abiertos y empañados todo el tiempo.

Marta cruzó por la sala grande de su planta. Recordaba el miedo a la operación cuando por fin se supo que era preciso operar con un alto riesgo de que el cerebro de su madre no sobreviviera. Entonces Marta había renunciado a todo, había visto su vida como un vaso que cae al suelo: podía romperse o quedar intacto. No se había roto. La operación había salido bien, y Marta empujaba la puerta del despacho, saludaba y fingía que iba hacer algo en el ordenador pero sólo miraba la pantalla preguntándose cómo se aprende lo que no se ha vivido. Cómo podía ella alegrarse de la insurrección de Chiapas sin mentir, sin ser consciente de que sólo le alegraba el romanticisimo exótico, lejano. Si la insurrección se extendiera, desde México a Oceanía pasando por los demás continentes, por el portero de casa de sus padres, por el hombre que la atracó, los camareros, la asistenta; si la insurrección alcanzase a todos ellos y derrocaran el poder hegemónico, y abolieran los títulos y las herencias, los viajes al extranjero, las casas de noventa y cinco metros cuadrados para dos personas, entonces ni ella ni ninguno de los que trabajaban con ella se alegrarían. Entonces, en aras de la convivencia pacífica y democrática o de cualquier otra cosa, serían capaces, estaba segura, de apoyar una contrarrevolución. «No seas extremista», dijo la voz de Guillermo. El extremismo pasa del cero al cien y vuelve al cero y al cien y al cero sin que haya avance posible. Pero el extremismo, pensaba ella, siquiera alimenta la voluntad de avanzar, mientras que el romanticismo de sus compañeros celebrando el mito del subcomandante sólo la suplantaba.

Los dibujos del protector de pantalla fluían incesantes. Galaxias o fuegos artificiales en blanco y negro crecían, empequeñecían, reproduciendo mil formas distintas en una especie de movimiento inmóvil. Marta escribió la clave en la pantalla: «brazos». A Guillermo le costaría adivinar esa clave. Guillermo se asombraría si supiera que no eran brazos en abstracto, sino sus brazos morenos, rematados en dos manos anchas, los que Marta nombraba cada vez.

El último sábado de febrero Santiago vio de lejos a Sol; esperaba apoyada en la pared de granito del Auditorio, quieta. No miraba hacia el callejón por donde venía él. Parecía absorta en algo. ¿Por qué la había llamado? Si hubiera podido resistir un mes más, y luego otro, entonces todo se habría disuelto sin mentiras, pensó. Pero él no sabía actuar como un hijo de puta;

era un blando necesitado del suave plumón de las justificaciones. «Te dejo, pero te quiero. Te dejo pero tengo una explicación lógica, sé que es lo mejor para los dos.» Santiago dio marcha atrás. Aún faltaban diez minutos para el concierto. Encendió un cigarrillo en la otra calle y avanzó hasta el descampado donde había aparcado el coche. Si fuera capaz de marcharse. Ni era capaz ni podía permitirse un derroche así. Sus casi tres años con Sol tenían que servirle para algo. Y a ella también. Estaba dispuesto a soportar la ira de Sol, su sarcasmo o sus lágrimas con tal que esos años no cayeran en saco roto. Como los pobres, se dijo, que nunca tiraban las sobras. Como el padre de su cuñado que había prosperado en Argentina quedándose cerca de la tienda después que cerraba por si acaso acudía alguien, por si acaso podía aprovechar y vender algo pasada la hora. Sintió un impulso de ternura hacia Sol. Los enemigos son ellos, ¿no lo ves? El marido de Leticia, Marta, los competidores de Carlos, todos los que nos obligan a aferrarnos a lo poco que tenemos a costa de desgarrarlo. Tiró la colilla en la arena, iba en busca de Sol resuelto a manifestar esa ternura. Pero, al verle, ella se despegó de la pared y Santiago pudo advertir que llevaba colgada del hombro la mochila negra, señal de que quería ir a dormir a su casa. También de ti, pensó, tengo que defenderme.

—Llego tarde, lo siento —dijo. Se besaron en los labios con aprensión.

En el concierto, Santiago no disfrutaba de la música. Aunque nunca se lo había confesado a Sol, en realidad lo único que él pedía a un concierto de música clásica era tiempo disponible para callarse, darle vueltas a las cosas y no hacerlo a la intemperie. Esta vez la mochila, como un automóvil atravesado en la carretera, bloqueaba todos sus pensamientos. La mochila contenía una provocación. La casa de Sol estaba más cerca; además, él la prefería porque tenía calefacción central, plantas, manteles. Prefería el barrio de Sol porque, por las mañanas, había un alborozo de niños en la plaza más próxima, columpios y árboles, y una fuente, mientras que la plaza adonde daba su casa era el techo de un aparcamiento y durante el día estaba sucia y desierta. Lo normal aquella noche habría sido dormir en casa de Sol. Comprendía que después de dos meses sin haber hablado apenas, ella estuviese asustada y tratara de controlarle. Pero le irritaba que invadiera su territorio. A ratos, sin embargo, la visión de la muñeca blanca y delgada sobre el cuero negro de la mochila le conmovía. Era casi como ver a Sol frente a su armario, guardando una blusa, unas bragas, el neceser: guardando el último cartucho. Porque estaba seguro de que ella había decidido hacer de la mochila un último cartucho, una cuestión de honor.

—¿Vamos a tu casa? —preguntó Sol a la salida.

Santiago trató de aparentar indiferencia al responder:

—No veo por qué. Tengo el coche bien aparcado aquí y aparcar en mi barrio a estas horas es imposible.

Sol se puso seria.

—De acuerdo —dijo—. Vamos a la mía. Tenemos que hablar.

Cuando llegaron, Sol atravesó el pasillo sin encender la luz. Dejó atrás el salón. Iba deprisa, rozó al pasar las faldas de la mesa camilla y las hojas del ficus benjamina se movieron con el aire desplazado. Santiago la seguía más despacio, receloso. Pero Sol no pensaba preguntarle, entró directamente en el cuarto de las colchonetas y los almohadones tirados. Sólo entonces encendió una luz, una lámpara que era un gato de porcelana al que le brillaban dos ojos amarillos.

—Dispara —dijo.

Sol se había sentado en una colchoneta. Su cabeza asomaba entre las rodillas, las manos cubrían la lengüeta de los zapatos de cordones. Santiago estaba enfrente, sentado como los indios, mirando el doble triángulo de sus piernas largas, fuertes, pero tan poco flexibles que se levantaban sin él quererlo.

—Es como este cuarto —contestó—. Me encuentro raro aquí. Creo que estoy haciéndome mayor.

—Enhorabuena.

—A ti también te pasa. Sé que a veces te gustaría que tuviéramos otro tipo de relación, que fuera a casa de tus padres, incluso que viviéramos juntos, pero...

—Santiago.

—Espera, déjame. Cada uno tiene que encontrar su forma de madurar. Estamos en el momento de hacerlo. Creo que en ese proceso no vamos a poder servirnos mucho el uno al otro. Yo necesito aclararme. Aunque nuestra relación ha estado bien...

Él mismo se interrumpió. Se sentía estúpido y torpe. En los últimos días había dedicado bastante tiempo a buscar una frase que les justificara a los dos, una frase capaz de transfigurar sus tres años de «noviazgo» en algo autónomo, en una fuerza independiente, viva más allá de ellos mismos. Una frase donde cupieran los besos en los bancos, las mañanas que salían de Madrid para quererse en un robledal cerca de un río, bailar, darse la mano en la calle, la fiereza con que los dos habían querido resarcirse de dos adolescencias solitarias. Una frase como un fruto que lleva en sí la semilla, pero al final todo lo que había conseguido decir era «nuestra relación ha estado bien». Se acercó a Sol dispuesto a deshacer su postura defensiva. Le soltó las manos de los tobillos y la atrajo por los hombros. Luego él recostó la espalda en la pared para que Sol, tumbada boca arriba, apoyara la cabeza en sus piernas estiradas. Ahora Santiago pasaba la mano por la frente de Sol una y otra vez, como si ella tuviera fiebre.

—Es mejor que lo dejemos —continuó—. Tú estás contenta con el coro, con tus amigos, te gusta tu ambiente. Yo sólo sería un problema. Todavía no he orientado mi vida. Necesito estar solo, dedicar más tiempo a la investigación. No estoy seguro de querer ser un simple profesor titular. Estarás mejor con alguien más centrado, menos insatisfecho.

—Santiago, me imaginaba que esto iba a pasar, pero no hagas que pase justo como me lo imaginaba, por favor. —Sol hablaba con los ojos cerrados—. No me vendas motos. Atrévete a decirlo, supongo que no es tan grave. Di que me dejas. Adiós, Sol.

Santiago sujetó la cabeza de Sol procurando que ella la levantara.

—Mírame.

Sol abrió los ojos y no miró a Santiago, sólo dijo:

—Apaga esa lámpara, anda. Ya no me gusta tanto la luz que da.

—Pero antes mírame. No es que yo te deje.

Sol había vuelto a tumbarse.

—Acabarás diciendo que te vas porque no quieres hacerme daño —le cortó—. Santiago, no lo acapares todo para ti. Te vas, de acuerdo, pero no pretendas que encima te dé las gracias. No te quedes con mi derecho a estar triste. —Cogió la mano de Santiago y la llevó a sus labios—. Se me pasará pronto, ya te he dicho que me lo imaginaba.

Santiago no sabía qué hacer. Estaba empezando a emocionarse y a pensar que a lo mejor no quería dejar a Sol, sino que las circunstancias le obligaban. Pero al mismo tiempo se sentía herido en su amor propio, o tal vez descubierto, pensó, porque Sol tenía razón, se había comportado como el ganador de un partido que además reclamara para sí la dignidad de la derrota. Lo quería todo, el poder y la tristeza. Un cínico, sí, un acaparador. Sin embargo su emoción era real, su tristeza era real y le dolía que Sol no comprendiera cómo esa emoción era lo único que ellos podían acaparar: ni millones, ni casas, ni idiomas, ni másters en el extranjero, sólo compasión y tristeza, sólo grandes sentimientos.

Sol se incorporó, le abrazó el cuello con las manos y le besó en la boca. Santiago respondió al beso mordiendo sus labios, su cara. Empezó a desnudarla con avidez.

—Apaga, por favor —insistió Sol, y tenía la voz ronca, las manos heladas. Santiago la obedeció sintiéndose excluido. Sol se guardaba el llanto como si quisiera recordarle que aquélla iba a ser la última vez, al menos la última vez en mucho tiempo. ¿Por qué la última?, ¿por qué el dolor y las despedidas? Ya no le empujaba el deseo sino el amor propio. Él quería a Sol, no había sabido explicárselo bien, no siempre había sabido quererla bien pero la quería. Impidió que Sol le desabrochara la camisa y se la desabrochó él mismo mientras la besaba por todas partes muy despacio. Más despacio que nunca. Muy muy lento. Cogió la colcha que estaba, como siempre, doblada en un rincón. Tapó a Sol y entró debajo de la colcha para seguir besándola y acariciándola. Ella dulcificó los gemidos, estaban a oscuras, casi nunca lo hacían a oscuras. Santiago subió hasta la cara, imaginaba lágrimas y era un error. Ella le abrazó buscándole, pero él no quería penetrarla aún, quería su risa y le acariciaba el sexo agazapado, se lo mojaba de saliva, volvía a acariciárselo, oía cómo se agitaba su respiración, la sentía temblar y entonces comprendió que Sol no iba a reírse, tendría un orgasmo ahora y luego acaso otro, pero no se reiría. Sintió angustia, ganas de salir corriendo. Ya sólo quería terminar. Hizo que su mano se amoldara a los movimientos de Sol, oyó su grito asombrado, corto, y sin dejar apenas tiempo entró en ella y se movía a golpes casi cronometrados, había roto algo, le habían echado, ya sólo le quedaba concentrarse en que viniera, unos segundos y podría soltarlo. Habría querido gritar más alto que nunca pero la voz no le salió, se había corrido, pero aún seguía embarrancado en la vía del tren, a lo hecho pecho y se aferraba a los hombros delgados de Sol, por qué no te has reído, no nos merecíamos algo tan gris. Se hizo a un lado.

Sol le pasó los dedos por la boca.

—Buenas noches.

Fingía voz de sueño. Después respiró como si se hubiera dormido. Él, en cambio, sí sentía la tentación de dormir un rato, pero ¿a qué hora se despertaría? Leticia y la ponencia que debía terminar para el congreso de Budapest, y Budapest con Leticia se le aparecieron con la desvergüenza del color dentro de ese cuarto en blanco y negro. Buscó a tientas su ropa. Se vistió en el salón, iluminado por el resplandor de la calle. No se atrevía a cerrar la puerta del cuarto de las colchonetas. Al fin se acercó descalzo hasta Sol. Ella abrió los ojos y, antes de que él hablara, se puso de pie y se envolvió en la colcha.

—Te acompaño —dijo.

—Vas a coger frío.

—Ahora me meto en la cama, no te preocupes.

Sol le precedía por el salón, llevaba la colcha como un manto. Santiago se paró a ponerse los zapatos. Cuando terminó, reanudaron aquella procesión absurda por el pasillo. Sol abrió la puerta. Se besaron en el quicio, esta vez sin aprensión pero sin fe, un beso anónimo, uno más entre los miles que se habrían dado esos dos años. Mientras él esperaba el ascensor, ella dijo:

—Dile a Carlos que me llame si quiere. Un chico que ha entrado este año en el coro tiene un hermano en una empresa de electrónica. Le conté la historia de Jard y me ha dicho que la empresa de su hermano está interesada en hablar con ellos.

El ascensor había llegado, pero Santiago no lo abrió.

—Creí que se te había olvidado lo de Carlos —dijo.

Sol no contestó. Ninguno se movía.

—Bueno, adiós —dijo ella. Y cerró la puerta.

Marta miraba por el ventanal el cielo frío de primeros de marzo. Era raro que ella estuviese en casa a las cinco y cuarto un día laborable. Tal vez por eso no había llegado a sentarse en el sofá. Ahora, los de la secretaría general técnica de Hacienda y su jefe estarían pidiendo la segunda copa. Marta se había marchado valiéndose de su fama de persona estricta: los otros darían por supuesto que iba a volver al ministerio. Antes, con su otro jefe, casi siempre volvía. Pero a veces también demoraba la comida con los demás, se relajaba, se achispaba sin dejar de tener presente que en cierto modo seguía trabajando.

Esta vez no había hecho ninguna de las dos cosas. Se había ido a casa y ahora estaba sintiéndose extraña, descolocada, y buscaba un reclamo en ese cielo frío. Una obligación. Podía distraerse con una revista o dormir, pero no le parecía bien, debido, se dijo, a lo que Manuel Soto ya en la carrera llamaba su sentido calvinista de la responsabilidad. Puesto que había robado una tarde, tenía que ser para algo. Y lo malo era que sabía para qué la había robado. Marta se proyectó en los edificios de enfrente, en la cúpula de San Francisco el Grande y en la amplia extensión de suelo y cielo que podía abarcarse desde su casa. Le gustaba mirar lejos. El año que buscaron el piso habían visto otros más nuevos o menos caros, pero ella se había empeñado en que cogieran ése. A veces se arrepentía. Si en lugar de ciento veintiocho mil pesetas durante cuatro años hubieran estado pagando noventa mil, podría tomarse de otra forma los problemas de Carlos, sus propias dudas con respecto al trabajo y, sobre todo, esa idea de Guillermo de comprar una casa medio derruida justo ahora.

Varias nubes llegaron desde la izquierda; la tarde se oscureció. Pronto anochecería, vendría Guillermo y ella tendría que afrontar la conversación de la compra. Era una oportunidad. Lo que siempre habían dicho, no un piso sino una casa verdadera, con suelo y con tejado; por lo visto podrían incluso plantar uno o dos árboles junto al que ya había en un pequeño jardín. Guillermo estaba dispuesto, además, a trabajar en la reconstrucción de la casa con amigos; experimentarían, modelarían la casa como quisieran y todo eso dentro de Madrid, sin aislarse, sin atascos obligatorios. «Construir una casa no cuesta tanto; lo que cuesta es que te dejen, y aquí nos dejan porque en teoría no se trata de construir», le había dicho Guillermo cuando ella habló del dinero. «Pero es que ahora ni siquiera tenemos dinero para la entrada de una casa en ruinas», insistió ella. «Tenemos un poco, podemos mudarnos a una casa más barata, yo intentaré sacar más con los informes; en último caso, podemos pedir algo», fueron las palabras de Guillermo y a Marta el mundo había empezado a darle vueltas: otro traslado, pedir dinero y su contrato a punto de terminarse. «Ya lo devolveremos; cuando la casa esté acabada no tendremos que pagar alquiler —intentó tranquilizarla él, y luego añadió—: Siempre habíamos dicho que queríamos un barrio así para el niño o la niña, cuando vengan.» ¿Por qué la hostigaba así? ¿Por qué se sentía hostigada? Apoyó la frente en el cristal. Después la separó y vio la pequeña mancha que dejaba la piel. Cogió un cigarrillo, marcó en el teléfono el número de Jard, S. L.

—¿Carlos?

—Marta, ¿cómo estás?

—Bien. Quería hacerte una proposición. ¿Estás muy ocupado ahora?

—Ahora sí, porque tengo una visita. Pero a las seis habré terminado.

—Quería raptarte.

—Me parece una buena proposición. ¿Dónde quieres que nos veamos?

Quedaron a las seis y media en la cuesta de Moyano. Aunque no faltaba mucho, a Marta le parecía demasiado tarde. Dejó una nota a Guillermo y bajó a la calle. Esperaría mirando los puestos de libros. No quería pensar. Había llegado ya a una conclusión: si Carlos estaba en condiciones de cumplir su promesa y devolverles el dinero en mayo, entonces le diría a Guillermo que siguieran adelante con la casa en ruinas. Si no era así, tendría que volver a planteárselo, pero no ahora.

Carlos llegó con diez minutos de antelación. Se besaron. Luego Carlos se puso a mirar los libros que estaba mirando ella. Marta cogió una edición de *Materialismo y empirocriticismo*.

—Hace poco estuve con Manuel Soto, uno de mi facultad que al principio colaboraba en *A trancas*, aunque duró muy poco, no creo que te acuerdes. Me dijo que yo era del sector jacobino y tú, Vladímir Lenin.

—Se ve que nunca le llevaste al ateneo. —La mirada de Carlos recorría los libros amontonados. Vio uno de Paul Cardan, *Los consejos obreros y la economía en una sociedad autogestionaria*. Lo sacó para enseñárselo a Marta—. Dile a Manuel que éstos eran los libros que queríamos llevar a la práctica. Dile que leninistas y consejistas nunca se han llevado bien. Aunque no creo que ni tu amigo ni casi nadie sepa hoy lo que era el consejismo.

—Algunos quedamos —contestó Marta mirando la bolsa de lona de Carlos, la vieja bolsa de Alberto.

Carlos llevaba su Babour negro de siempre y debajo un jersey de lana fina, unos pantalones de pana y unos zapatos muy limpios. Marta propuso bajar hacia el paseo del Prado. Anduvieron un buen rato en silencio. Quería a Carlos y pensaba que de algún modo, al hacerlo, se estaba queriendo a sí misma, queriendo los años en que ensayaban la felicidad, tan seguros se sentían de haber escogido un entorno de objetivos y aspiraciones donde no habría lugar para la mala conciencia. Aunque el motivo de su llamada era preguntarle por Jard, ahora no le apetecía. Mucho más que las reuniones en el ministerio, estar con Carlos la hacía ver la realidad en términos políticos. Era como si Carlos le pusiera delante la posibilidad de reordenar el mundo, y se estaba preguntando cómo lo conseguía, si con su manera pausada de andar, con su forma de vestir siempre idéntica, o si era sólo el peso de tanto recuerdo acumulado. En todo caso, y excepto cuando Carlos se exaltaba, a Marta le parecía que el mundo daba vueltas más despacio estando con él. Lograba pensar en Guillermo, en el ministerio o en Alemania sin prisa, como si cada cosa pudiera ser puesta en su sitio poco a poco. Ésa era, sí, una visión política: aceptar que ni la distribución de la riqueza ni tampoco la distribución de los sucesos venían dadas de antemano; aceptar que los hombres y mujeres no vivían siempre cuesta abajo presionados por la pendiente o cuesta arriba en el túnel del ascensor. A veces también ocupaban una superficie plana donde los desplazamientos obedecían a una causa comprensible.

—Perdona por haberte asaltado así —le dijo.

—Me ha venido muy bien. No sé cuánto tiempo llevaba ya sin salir a dar una vuelta. Cuéntame cómo estás.

—Bien. Algunos líos en el ministerio, pero todo lo demás bien.

—¿Líos?

—Nada grave. Han cambiado al director general, y supongo que el nuevo hace que sea más difícil engañarse, creerte que eres una persona de izquierdas que intenta hacer bien su trabajo.

—Yo creo que eres eso.

—Ya, pero también sabes lo que quiero decir. No puede

ser que tengamos que estar eligiendo siempre entre lo malo y lo menos malo.

—Lo malo y lo menos malo, eso me suena —dijo Carlos mirando hacia un banco de madera—. ¿Nos sentamos ahí?

Marta se recostó en el brazo del banco para poder mirar mejor a Carlos. Al fondo, la fuente de Neptuno se superponía a la portada de *Los consejos obreros*, y a su despacho en el ministerio, al aula grande del ateneo de Magallanes, y al suelo de baldosas de aquella parroquia donde Carlos y ella se habían conocido. Sacó una cajetilla del bolsillo de la chaqueta.

—¿Y dónde hemos dejado lo bueno, Carlos?

—Estamos en ello, ¿no? Se supone que si seguimos con quebraderos de cabeza ideológicos es porque todavía no nos hemos resignado.

La voz de Carlos sonaba apagada. Marta pensó que al sentarse en el banco Carlos había dimitido de cualquier afán de representación: ya no quería enarbolar con sus afirmaciones estandarte alguno y deliberadamente las mantenía a la altura de su cara, de los coches cruzando a ambos lados del bulevar que hacían el ruido del viento cuando barre la superficie del agua.

Ante el silencio de Marta, Carlos continuó:

—Yo todavía creo en lo razonable, en mantener algunos espacios que intenten regirse con criterios sensatos, y que ese intento nos recuerde lo que somos.

—El ateneo era algo parecido a eso y se cerró. Pero no se cerró sólo porque nos echaran del local. Todo el mundo estaba un poco cansado.

—Tiene su lógica —dijo Carlos—. Nadie aguanta peleando por cosas que están fuera de su entorno real. Lo normal es hacer lo que hicimos, intentar llevar la batalla a nuestros trabajos, tú al ministerio, yo a Jard. Lo anormal es hacer horas extraordinarias.

—Pero eso es imposible, Carlos, no se puede ser razonable si nada lo es a tu alrededor.

—¿Entonces qué nos queda? ¿Someternos? ¿Elegir pero dejando que otros decidan de acuerdo con qué valores podemos elegir?

—No lo sé. —Marta dio una calada al cigarrillo. Le había venido una frase muy dura a los labios: a veces, «Carlos, me da miedo pensar si no estaremos jugando a cambiar lo que no puede cambiarse porque en el fondo nos viene bien, porque ese juego nos distrae de nuestras vidas y sirve para legitimar nuestras equivocaciones». Una frase dura y parcial, pensaba, y se la repetía en silencio obligándose a no decirla. Tiró el cigarrillo y cambió de postura. En vez de mirar a Carlos se colocó junto a él, la espalda apoyada en el respaldo del banco. Qué poco, se dijo, le había durado la tranquilidad. El mundo se había puesto a girar demasiado deprisa otra vez. Guillermo y la casa y la necesidad de tomar una decisión daban vueltas. Si te pregunto ahora por el dinero voy a parecerte cruel, pensó volviendo la cabeza hacia Carlos. ¿Pero ha sido mejor otras veces, cuando Santiago y yo nos hemos callado por cobardía?

—¿Cómo va Jard? —se oyó decir.

Carlos dijo que en Huertas había bares tranquilos, que le apetecía beber algo caliente.

—Va mal —respondió al rato empujando la puerta de un pub con sillones de mimbre. Los dos pidieron té.

¿Cuánto de mal?, quería saber Marta. Y callaba.

—Nos hemos metido en un lío —dijo Carlos—. Antes producíamos tres fuentes de alimentación más o menos sencillas. Una se vendía especialmente bien, pero ya os conté lo que nos pasó. Cuando os pedí el préstamo habíamos empezado a diseñar un modelo más complicado. Lo hemos terminado, es bueno, pero no sirve para compensar todo lo que se ha perdido. Si lo perfeccionamos, un conocido de Sol podría conseguir que la empresa donde trabaja nos proporcione algunos contratos con hospitales y con centros de cálculo en Grecia. Ellos se encargarían de la distribución. Mientras, el tiempo pasa y seguimos perdiendo dinero.

Trajeron el té. Marta lo sirvió sin dejar que reposara.

—¿Para qué querías verme? —dijo Carlos.

—No es que necesite el dinero. Pero por lo visto venden una casa medio destruida en Ciudad Jardín y Guillermo tiene la descabellada idea de que la compremos.

A Marta le sorprendió haber hablado sin miramientos. Por qué tenía que sorprenderla, se preguntó. Era amiga de Carlos desde hacía dieciséis años, los dos habían hablado de asuntos mucho más extraños y delicados, qué tenía de raro hablar francamente ahora.

—No creo que sea una idea descabellada —contestó Carlos después de probar el té—. Conociendo a Guillermo, la casa debe de ser una oportunidad.

—¿Y qué le digo, Carlos?

—Quería haber esperado un poco, pero no voy a mentirte. Jard va cuesta abajo. No sé cuándo podré devolveros el dinero. Desde luego, en mayo no. Si todo sale bien, a lo mejor después del verano os puedo dar una parte, y ya ves que ni siquiera es seguro.

Marta se puso a fumar. Acababa de entender que estaba enfadada con Carlos y que por culpa de ese enfado, y no por los años de confianza, se había puesto a hablar sin miramientos. Estaba enfadada con él porque en menos de una hora la había hecho pasar de la serenidad a la política, de la política a lo razonable, y de lo razonable al naufragio absoluto de la serenidad, a la irritación que le producía pensar en Carlos como en un colgado, como en el amigo parásito cargado de deudas. No quería pensar en él así, sin embargo había caído en la tentación de hacerlo y eso le parecía mal, y era su malestar con ella misma lo que la hacía enfadarse con Carlos.

—¿No podemos ayudarte? —preguntó.

—Ya me estáis ayudando, Marta. En cinco meses os he traspasado el problema de cómo me gano la vida.

—Jard no es sólo tu forma de ganarte la vida. Acuérdate de cuando nos contaste a Santiago y a mí la idea de montarla. Si te animamos fue, entre otras cosas, porque para nosotros tenía un valor simbólico que lo hicieras. Y más de una vez nos hemos servido de ese valor.

—Tienes una memoria generosa. Pero al final voy a conseguir que ni Guillermo, ni Santiago ni tú estéis a gusto.

Marta no contestó. Tras unos segundos, Carlos dijo:

—No sé qué le puedes decir a Guillermo. Aunque tarde, yo os voy a devolver los cuatro millones. Lucas lo está haciendo muy bien. Hay por lo menos un cincuenta por ciento de posibilidades de que consigamos esos contratos. Y si no, os lo voy a devolver igual. Bueno, igual no, claro, pasará más tiempo.

Carlos miró a Marta. Luego miró la tetera de porcelana. Arrancó el cartón que había al final del hilo de la infusión. Le quitó la grapa. Lo fue rompiendo.

—Me vas a matar —dijo—. Pero si tenéis que comprar esa casa justo ahora, sólo se me ocurre que pidáis dinero prestado.

—Ya —dijo Marta mientras una cólera muda le latía en el cuerpo. Miró la hora y se levantó—. Ahora vuelvo —dijo.

En el servicio encendió un cigarrillo frente al espejo, sin mirarse. Miraba el depósito de jabón líquido y el desagüe del lavabo pensando que con los cuatro millones a ella no le habría parecido mal pagar la entrada de la parcela con ruina y hasta pedir una pequeña ayuda a sus padres, pero así no. No quería quedarse sin nada de dinero, empantanarse con una hipoteca. No quería cambiar su ritmo de vida, que sus padres se dieran cuenta y preocuparles ahora que estaban jubilados. No quería un traslado y después otro, pasar las tardes de domingo ayudando a Guillermo a desescombrar y que todo eso coincidiera con el final de su contrato. Ni Guillermo ni Carlos podían pedirle eso. ¿Y por qué no?, se dijo. ¿Cuánto dinero estaba entonces dispuesta a dejar a Carlos? ¿Sólo aquella cantidad que no le supusiera ningún cambio significativo? Eso era como no estar dispuesta a dejarle nada, pensó, y veía la sonrisa de Manuel Soto.

Apagó el cigarrillo con agua. Una colilla mojada tenía algo de vergonzoso y sucio. La tiró a una papelera de plástico. Quizá era sólo Guillermo quien no podía pedirle tanto. ¿Tanto? Desde hacía meses, pensó, desde que le contó lo del préstamo, aunque quizá desde antes, Guillermo parecía querer algo concreto de ella. Luego, por fin, a través de la casa él le había dicho que se acercase, que eligiera sus brazos, que renunciara a todos los caballos de una vez. Pero no entendía que renunciar a algo era seguir teniéndolo. ¿Por qué no lo entendía si era él quien se lo había contado, si cuando hablaban sobre sociología y sobre economía era él quien la hacía ver que no hay renuncias, que sólo pierde aquel grupo social a quien le quitan? Aunque renunciara a otros fines de semana por estar con él desescombrando, seguiría teniéndolos, porque podía tenerlos y no conseguiría librarse de la imagen de otros sábados y domingos distintos. También, habiendo renunciado a un coche mejor, ella notaba que lo tenía. Se peinó el pelo corto con los dedos y salió en dirección a la barra.

Pidió la cuenta mirando a Carlos. Estaba rígido y absorto. Marta tuvo un movimiento de compasión. Sabía que debía decirle algo y además sabía el qué. Tenía que ocultarle su precaria situación en el ministerio y decirle que Guillermo no contaba con el dinero de Carlos, que a ellos les quedaba millón y medio en el banco y que eso, y tres más que le dejaran sus padres, bastarían quizá para la entrada. Aunque la hipoteca subiera, al principio no necesitarían pedir demasiado. Debía decírselo y quedarse sola frente a Guillermo, frente a Carlos. Pero el riesgo de cargar con nuevas dificultades su relación con Guillermo y que un día se quebrara estaba demasiado cerca. Eran los dos tan distintos. El ascensor, pensaba, la prisa, la opresión. Si pudiera conseguir una tregua.

—Ya te contaré —dijo—. Yo aún no he visto la casa, y Guillermo tenía que mirar la estructura y los papeles. A lo mejor hay algo mal y se acaban los problemas.

Él la miró distraído.

—¿Sabes —le dijo— que Santiago ha dejado a Sol?

—No. Llevo tiempo sin verles. ¿Qué ha pasado?

—No he querido preguntar.

Carlos había aparcado la moto junto al coche de Marta. Cuando estaban llegando, Marta le cogió del brazo y dijo que iba a llamar a Santiago, hacía mucho que no comían los tres.

—¿Qué tal está Ainhoa? ¿Y Diego?

Él la miró con la esperanza de que la noche se esclareciera. Como en unos prismáticos mal enfocados, tal vez girando un poco la rueda empezarían a perfilarse los contornos del suelo, los coches, la silueta de los pantalones ceñidos de Marta, el casco entre sus manos. Si no saca las llaves del coche, se dijo, si levanta la vista y me mira, le pido que sigamos un rato.

La mano de Marta se adentró en el bolsillo y sus ojos midieron el espacio que los coches contiguos le habían dejado para maniobrar.

—Están bien —respondió Carlos.

El Lada granate de Marta se alejaba, pero Carlos no había arrancado la moto aún. Conocía la sensación de haber metido la pata, la sensación de haber humillado a alguien y el «tierra, trágame» mientras el humillado sólo tragaba saliva. Pero esta vez notaba cómo la tierra lo iba tragando de verdad y no sabía de qué arrepentirse. Quizá no hubiera debido pedirles dinero. Quizá no hubiera debido dejar la multinacional, o no hubiera debido entrar en ella. ¿Acaso había un límite hacia atrás en el arrepentimiento? Pero sí lo había, pensó. No tenía que haberles pedido el dinero, no tenía que haberles obligado a odiarle. Por algo deseaba cada vez con más fuerza que pasaran los días y llegase Alberto. A él no le había pedido nada; con él sí podría hablar. Sin embargo, sólo el juicio de Santiago y de Marta le comprometía. Y se preguntó cuántos días, en esos cinco meses, Santiago y Marta habrían querido no ser amigos suyos, y hasta se habrían despreciado a sí mismos por quererlo. Santiago y Marta, y ahora también Guillermo, y de algún modo Sol. La tierra lo tragaba sin dejar que se hundiera del todo.

La tierra lo escupía fuera otra vez y ahí estaba, apoyado en el asiento de su vespa, mirando la riada de coches y pensando que entre su casa y la de Santiago y la de Marta y Guillermo apenas habría un radio de dos kilómetros. La gente tiene el dinero en el banco y no lo necesita, puede prestarlo, moverlo. Llega, sin embargo, el momento de comprarse una casa y entonces la gente quiere todo su dinero, lo necesita todo. ¿Lo quiere o lo necesita? Era una pesadilla tener que juzgar. No soportar la deuda, la deuda a secas, no soportar haber resultado una carga para sus amigos y querer convertirse en el inquisidor de sus temores, de sus deseos. Ojalá fuera deseo lo que tenía Marta. Ojalá no necesitase tanto el dinero y fuera sólo el deseo de estar más cubierta. Y Carlos imaginó que no era así. Imaginó que perdían la casa por su culpa. Imaginó a Santiago peleándose con Sol por un problema de dinero y de orgullo. Ahí tenía que vivir, a menos de cuatro kilómetros de los cuartos donde transcurrían esas conversaciones, sabiendo que él había movido los hilos, los destinos de otros, no pudiendo librarse de saberlo.

En vez de arrancar la vespa, fue de nuevo hacia las casetas de libros. Estaban cerradas. Pensó que le habría gustado hojear un rato y a lo mejor comprarse alguna reliquia sobre marxismo libertario. Sí, Marta tenía una memoria generosa. Marta sabía lo de Laura y lo de la reestructuración, pero no había olvidado que Jard fue también un símbolo compartido. Cuando el ateneo empezó a perder gente, cuando se acabaron los últimos restos de militancia radical y hasta Alberto decidió marcharse, ellos decían: «Es imposible olvidar lo que se sabe». Y confiaban en que su conocimiento terminaría por aflorar en otra organización, tarde o temprano. Carlos nunca había sido tan ingenuo como para pretender traspasar la autogestión del ateneo a una pequeña empresa aislada. Existía una cosa llamada la lógica del capital, pero existían distintos grados, ángulos de apertura. La memoria de Marta guardaba esa confianza que todos habían puesto en Jard, S. L.

Creyó distinguir una silueta entre los bultos de sombra del Jardín Botánico. Carlos guiñó los ojos pero sólo consiguió ver masas oscuras, la verja, los arbustos. Se quedó mirando la luz de la caseta del guarda. Había apostado demasiado alto. Nadie tiene por qué seguir reconociendo, ni por qué recordar, a quien ha sido causa de sus discusiones, de sus mentiras, a quien ha desencadenado acontecimientos turbios. Demasiado alto, se dijo, pero ya no tenía vuelta atrás. Había apostado los paseos a la salida del grupo cristiano, las visitas a la imprenta de *A trancas*, los veranos viajando en InterRail, las reuniones del ateneo, irse los tres a Roma con el primer sueldo, las noches de aguardiente de hierbas con Marta, presentarle a Ainhoa, verlas hablar, una tarde contarle lo de Laura, aceptar sus preguntas, ir con ella a comprar las botellas para la fiesta de inauguración de Jard. Había apostado el pasado en el presente.

Echó a andar hacia la vespa. La mancha de luz de la caseta permanecía en sus ojos, era una incandescencia blanca allí donde mirase. Había apostado demasiado alto. Ya sólo podía seguir adelante y no perder.

Mediaba el mes de marzo, los árboles crecían en Budapest. Santiago los observaba, semidesnudos, procaces; a veces, junto al alcorque, un perro; en lo alto, los brotes diseminados, chispas rientes y verdes. Santiago avanzaba solo por las calles en dirección al Danubio, y aquellas chispas sacudían la cabeza burlándose de su paso incierto, de la voz tan sorprendida al principio y después tan al borde del desprecio con que Leticia Tineo había rechazado su invitación.

Marta y Guillermo buscaban sitio para aparcar junto a la casa medio derruida en Ciudad Jardín.

«A los trabajadores del mundo entero incumbe actualmente y durante el período que comienza, en el momento en que Europa es devastada y la Humanidad empobrecida por la Segunda Guerra Mundial, organizar la industria para liberarse de las miserias y la explotación. Su tarea consiste en tomar en sus manos la organización de la producción de bienes. Para realizar esta obra inmensa y difícil, necesitan conocer plenamente el carácter del trabajo», leyó Carlos en soledad. Ainhoa tenía guardia. Diego estaba con su prima en casa de los abuelos. Era domingo.

El Danubio le estalló en la cara. Cruzó la última calle y subió por el puente hasta llegar al punto central. Se acodó allí entregado a la presencia del agua, agradeciendo su abundancia indudable y continua.

La casa llevaba tres años abandonada. La lluvia había minado algunos tabiques. Uno de los muros laterales estaba medio derruido, pues la marcha de los dueños se produjo en mitad de unas obras. Ahora los dueños volvían de Venezuela para vender sus propiedades, querían dinero en mano. Un tío de Guillermo les conocía. «Ten cuidado con los peldaños al subir», le dijo Guillermo a Marta. En el piso de arriba, Marta encontró una paloma muerta.

Pardo, azulado, color metal, gris y verde, el Danubio avanzaba. Santiago descartó la orilla y también aquel barco y la isla en el centro del río y ese minúsculo fragmento de luz que flotaba y podía ser un cristal. Miraba sólo el agua en un punto, miraba el movimiento del agua y sentía un mareo agradable, ligero, mientras fantaseaba con el final del congreso. A la salida los participantes le felicitarían por su ponencia: «Retomo a Mandeville». Más tarde, en las universidades de los respectivos países, hablarían de él. Su nombre empezaría a oírse: una buena cabeza, una de las mejores cabezas en el ámbito de la historia moderna y contemporánea. Santiago cerró los ojos y se prohibió continuar.

«El objetivo del capital es lograr beneficios. Al capitalista no le mueve el deseo de proporcionar a sus conciudadanos los productos necesarios para vivir. Lo que le empuja es la necesidad de ganar dinero. Si tiene una fábrica de zapatos no le impulsa la piedad por aquellos que podrían hacerse daño en los pies al ir descalzos, sino que únicamente sabe que su mercancía le producirá beneficios y que, si éstos son insuficientes, quebrará.» Carlos se rió en voz alta. Tengo una risa de loco.

Procurando no arrimarse al marco podrido, Marta miró por la ventana del piso de arriba. Aunque Guillermo había hablado de un jardín, sólo veía una especie de estrecho patio de cemento y, en una esquina, apenas un metro cuadrado de tierra. Tal vez no le importara tanto vivir toda la vida en una casa alquilada. Alquilando serían más libres, podrían cambiar cuando quisieran, se dijo. Comprar significaba atarse, decidirse, renunciar a demasiadas posibilidades. Abajo, Guillermo salió al patio. Marta se apartó del hueco de la ventana y encendió un cigarrillo. Quería irse. Quería no haber estado nunca allí.

Con un folio blanco, Carlos empezó a forrar su viejo libro. Las caras de rusos pobres y solemnes pintadas en la portada ya no le miraban. El libro podía ser cualquier libro y no precisamente un fósil, no *Los consejos obreros* de Anton Pannekoek, una anacronía.

Abandonó el puente. Estaba convencido de que el exceso de fantasías debilitaba. Era conveniente ponerse un límite. De lo contrario, se dijo, acabaría viejo y fantaseando aún con ser catedrático pero sin haberse presentado nunca a una cátedra, porque las fantasías apaciguaban los deseos. Él no debía apaciguar los suyos. Por el contrario, debía mantenerlos vigentes, insatisfechos. Debía necesitar conseguir el reconocimiento y la cátedra, pues la necesidad era un combustible potente y no le convenía malgastarlo. También el dinero era un combustible, pero Carlos lo había malgastado por él. Carlos lo había malgastado todo, pensó con amargura al recordar su última conversación telefónica, cuando Carlos rompió de nuevo la prórroga: «Olvídate de mayo, después del verano, en octubre, pero no quiero dar más fechas». Desdobló el mapa que le habían dado en el hotel y se buscó.

En el trayecto de vuelta no dijeron una palabra. Marta sabía que Guillermo esperaba su veredicto, pero en lugar de dárselo puso una cinta de música reggae. Subieron en el ascensor sin rozarse. Guillermo entró en la cocina. Marta le miraba llenar de agua la cafetera. Más café, se dijo. Más nitroglicerina. Puso las tazas en una bandeja y esperó a Guillermo en el salón.

—Entiendo —dijo Guillermo— que no te guste la casa. Lo que me preocupa es que, antes de verla, ya quieras que no te guste.

—Yo podría decir lo mismo al revés: entiendo que te guste. Lo que me preocupa es que antes de que yo la vea ya quieras que me guste.

—¿De verdad te parece lo mismo?

—Sí, si vas a tomarte el que no me haya gustado como una ofensa personal.

—¿Crees que es eso lo que nos pasa?

No, claro que no, pensaba Marta. Algo más les pasaba. ¿La tensión entre los pensamientos de cada uno y el tiempo real que les envejecía era demasiado fuerte? ¿Tenían, tal vez, proyectos incompatibles? Si no le estuviera vedado empezar por lo más superficial, si Guillermo pudiera aceptar que algo le pasaba a ella. El préstamo, su trabajo, la compra de la casa. No sabía en qué orden ponerlos. Sin embargo, el orden había venido del exterior. La devolución del dinero iba a tardar, su contrato se acababa en julio y, con el nuevo director, era cada vez más probable que no se lo renovaran. ¿Por qué no aplazar al menos la compra de la casa? ¿Por qué había que tener prisa? Terminó su café y se levantó para coger el tabaco. A veces odiaba a Guillermo con un odio pueril. Y deseaba romper delante de su rostro tranquilo todas las cafeteras de su vida, arrojar seis o siete cafeteras italianas contra el suelo, salpicarse con el agua hirviente, dejar el suelo sembrado de melladuras y posos de café, de gomas y mangos de plástico negro, de agua color madera. Sabía que Guillermo no se inmutaría. El dolor. «¿Qué clase de dolor?», le habría preguntado él. Tal vez por eso le odiaba, porque Guillermo del Castillo aún no sabía que había una sola clase de dolor, que el dolor carecía de proporción y motivo; que, más allá del dolor ocasionado por los comportamientos injustos, había un dolor amoral. Y ese dolor se abatía sobre cualquiera, y era la muerte de los que tenían cinco, diez, treinta o cuarenta años, y era lo incomprensible, el oído interno de su madre, la voz del médico diciendo que, en la operación, ella podría morir o quedar con el cerebro dañado.

Aunque Guillermo había visto morir a su padre, esa muerte le había parecido comprensible, quizá porque su padre ya había vivido. Sin embargo ella no había llegado a comprender nunca por qué su madre había podido morir o salvarse dependiendo de nada, del azar o de nada. Tenía dieciséis años y desde entonces había seguido viendo cómo el dolor elegía grandes y buenas personas. El dolor era amoral y no dependía de la voluntad. Pero Guillermo no conocía ese dolor. Conocía sólo la preocupación y seguía ahí, esperando su respuesta con gesto preocupado.

—No creo que nos pase nada más —dijo Marta—. Hemos ido a ver una casa. A mí no me ha gustado mucho. Por otro lado, es casi mejor que haya sido así. No estamos en un buen momento para comprar.

Dibujó una cruz con la ceniza y la deshizo, un círculo y lo deshizo. Guillermo no contestaba y ella le apremiaba con preguntas urgentes pero sin mover los labios: escucha, aunque haya un dolor fruto del mal y sea el más abundante, aunque haya enfermedades fruto de la codicia de otros, de la imprudencia de otros y haya seres condenados por otros a la angustia, cómo discriminarlo, cómo dejar de contribuir. Escucha, no te das cuenta, aunque yo tenga la voluntad de implantar en mi vida el latido de tus brazos, ¿y si no puedo? ¿Y si los caballos no son imaginarios sino algo que me lleva y sólo alcanzo a gritar mientras corro en su grupa? ¿Cómo se aprende, di, lo que no se ha vivido?

—Marta —contestó él—, me gustaría que lo pensaras más despacio. Podemos hablarlo otro día.

—¿Lo de la casa?

—Lo de nosotros.

El lunes 20 de marzo, a media mañana, Carlos recibió la esperada llamada de Alberto. Le había escrito avisándole de su llegada, aunque sin decirle por cuánto tiempo venía esta vez. Quedaron para comer juntos ese mismo día en el chino de la calle Magallanes.

El edificio donde estaba el ateneo lo habían demolido años atrás. En su lugar había un bloque de oficinas. Seguramente quedaban allí por nostalgia, pensaba Carlos en la moto, o por costumbre, si es que las dos cosas no eran lo mismo, se dijo. Alberto, con su cara de flecha, ya debía de haber entrado en el restaurante. Una cara para ser disparada, sí. Una vida para ser disparada con el arco dos, tres o cinco veces antes de tener que sustituirla por otra. Edimburgo había sido el último disparo de Alberto o, hasta cierto punto, así lo veía él. Alberto se había ido a Edimburgo con treinta y cuatro años y ya llevaba siete allí. Pero Edimburgo fue un disparo benigno; no fue un disparo de guerra. Alberto se había disparado a sí mismo, había dejado su trabajo, el ateneo, las reuniones con toda clase de coordinadoras de grupos combativos en el mundo de la educación y se había ido después de pedir a Carlos que le mantuviera informado. Él tenía entonces veinticinco años. Un año más tarde cerraron el ateneo. Cuando, a los veintinueve, le contó que pensaba montar una empresa, Alberto repitió aquello de «es imposible olvidar lo que se sabe», pero luego apenas hablaron de política. Lo político se había marchado de sus vidas. Aún hablaban a veces de lo razonable, como si lo razonable fuera el último punto de vista, la última referencia antes de aceptar que Marta estaba en lo cierto, que no se podía ser razonable si nada lo era alrededor; antes de recluirse, como estaba haciendo Alberto, en un hedonismo discreto y elegante. Pero Carlos tenía un hijo. ¿Era eso lo que quería enseñar a Diego? ¿Tenía, se dijo, derecho a convertirse en un viejo de treinta y tres años?

Durante la comida se pusieron al día. En sus horas libres, Alberto había reanudado sus estudios sobre los mecanismos de persuasión en Orwell y en Kafka. Conocía gente en la universidad que investigaba el análisis de falacias, paradojas y sofismas en el orden de lo narrativo, y estaba haciendo un curso con ellos. Había venido a Madrid porque necesitaba su título de licenciado. Era probable que en junio convocaran una beca que le permitiera doctorarse. Por lo demás, no tenía grandes cambios que contar.

—Yo sí —dijo Carlos sintiendo que se invertían los papeles. Él, con su cara aniñada y un poco redonda, accesible, se había convertido en una flecha. Tal vez en contra de su voluntad, pero lo cierto era que había sido disparado, que volaba deprisa y podía clavarse mientras que Alberto estaba quieto. Seguía teniendo el rostro afilado, el pelo negro muy corto. Sin embargo, en su postura, en su chaqueta, en su talante conciliador se hacían visibles las primeras canas, una especie de adormecimiento de la piel, un sentimiento de benevolencia. Le contó los problemas de Jard y la historia del préstamo sin interrupción: no quería que Alberto los separase.

Ya habían llegado al postre. El helado con nueces de Carlos se fue derritiendo. Alberto tomaba el suyo despacio. Cuando se lo terminó, dijo:

—Yo tengo algo más de un millón.

Déjame en paz, Alberto, pensó notando que el cuerpo se le llenaba de impotencia. Dejadme todos en paz.

—¿He hecho bien? —preguntó sin darse por enterado del ofrecimiento.

—¿A qué te refieres?

—A Santiago y a Marta, sobre todo. ¿He hecho bien en pedirles el préstamo?

—En todo caso —dijo Alberto— la pregunta sería si habéis hecho bien.

Bebieron el café en silencio. Carlos agradecía ahora la precisión de Alberto, pero, pensaba, no podía corresponderle. No podía incluir a Alberto diciendo «hemos», la pregunta sería si hemos hecho bien. No podía porque Alberto estaba fuera. Él se había acercado a Alberto cuando tenía diecinueve años. Buscaba alguna ayuda para poner en orden sus lecturas, su sentido crítico y sus enredos ideológicos. Alberto le hizo ver que «no era esto», que no era el franquismo, pero tampoco la burda democracia autosatisfecha, la pompa de chicle de los que no están en paro. Le mostró el ateneo, una organización opuesta a la pompa de chicle. Cuántos debates, conferencias, libros comentados, cuántas asambleas, cuánto hábito de legislar, de establecer criterios y pronunciarse. Allí Alberto le había formulado preguntas pertinentes. Sin embargo, cuando luego vino la pelea de la vida real, Alberto se había ido. Carlos no se lo reprochaba, cómo podría.

La camarera trajo una pequeña botella de sake.

—Por lo que queda del año noventa y cinco —dijo Alberto.

Brindaron sin llegar a chocar los vasos diminutos. El sake estaba tibio. Carlos se fijó en las venas duras que sobresalían en el dorso de la mano de Alberto. No sólo no podía reprocharle nada, se dijo, sino que tenía casi todo que agradecerle. Casi todo a excepción de ese brindis, porque él había roto todas las prórrogas y no se veía capaz de soportar una nueva fecha. Aunque trabajara con ella, aunque a sí mismo se dijera después del verano y, como máximo, pase lo que pase, a final de año, le repugnaba decirlo en voz alta. Miró los ojos expectantes de Alberto. Le preguntó por Susan como quien sopla sobre un rostro ruborizado. Casi todo que agradecerte, pero estás fuera, pensaba Carlos sin apenas escuchar. De acuerdo, te hago llamadas imaginarias, y puede que sea imposible olvidar lo que se sabe, olvidar, por ejemplo, que tienes algo más de un millón disponible, pero estás fuera, te has ido, debes entender que te has ido. El préstamo nos está pasando a nosotros, este miedo a la astucia, a la vulgaridad es sólo nuestro.

Le tranquilizó comprobar que algo debía de haber entendido Alberto, porque ni siquiera correspondía a la mención de Susan preguntando a su vez por Ainhoa y por Diego, sino que en cambio le dejaba el campo libre.

—Vuelvo en octubre —dijo—. Me hubiera gustado llamar a Marta y a Santiago, pero no voy a tener tiempo. A ver si en octubre podemos quedar todos.

Después le dio un camión de bomberos para Diego.

Se despidieron en la puerta del chino, Carlos fue hacia la moto, sacó del cajetín la bolsa de lona y metió dentro el camión. Luego se colgó la bolsa en bandolera, Alberto ya había cruzado y no miraba.

Al día siguiente por la tarde llovía. Marta estaba sola en el despacho del ministerio. Había apagado el ordenador; ahora le llegaba el ruido del viento y la lluvia. Eran las seis y media y empezaba a arrepentirse de haber quedado con Manuel Soto. No tenía el ánimo para hacer florituras entre la espada y la pared. Quería descansar. Sin embargo, esta vez había sido Manuel quien había llamado y lo había hecho en el momento oportuno. Aunque era martes le parecía como si aún fuese domingo, pues la tensión entre Guillermo y ella seguía siendo la misma. Dentro de ese domingo oscuro de más de cincuenta horas, la llamada de Manuel Soto la había tentado como una luz exacta en el borde de una puerta, como un cuarto claro adonde poder ir. Además, se trataba sólo de tomar un café a las siete, porque a esa hora Manuel habría acabado una gestión cerca del ministerio. Sólo un café. No tenía por qué pensar en nuevas tensiones, se dijo. Por el contrario, podía venirle bien hablar con Manuel Soto un rato. Sería un cambio de aire. Marta no tenía paraguas, pero no le importó.

Vio a Manuel sentado al fondo del café. Observaba las demás mesas con indiferencia, como un agente secreto. Cuando estaban en quinto, en la facultad corrió el rumor de que el CESID había contactado con Manuel. Ella nunca lo creyó. En cambio sí le parecía posible que Manuel hubiera conseguido propagar el rumor acudiendo a cuatro o cinco fuentes distintas y cruzando informaciones elaboradas a tenor de una operación de imagen. Podía haberlo hecho como un juego o también, había pensado Marta entonces, para llamar su atención, pues los dos estaban probando a seducirse cuando la aparición simultánea de una periodista rubia y de un profesor de teoría económica acabó con el mutuo interés. Ahora miraba a Manuel Soto y se decía que, después de diez años, Manuel había terminado por trabajar en el servicio de información de sí mismo en calidad de agente doble, un topo a las órdenes de la televisión privada y de su conciencia. Marta se preguntaba qué hacía Manuel con eso, con su conciencia, con su modo de ser reacio a las mistificaciones. Porque el método de los profesionales en ascenso consistía en distorsionar su propia figura, mientras que Manuel Soto todas las mañanas debía recibir informes, pruebas y documentos enviados por él mismo en donde haría constar que Manuel Soto no era ese individuo aún en gestación, cauto e independiente que tantos asalariados del intelecto creían ser.

Se besaron en la mejilla. Manuel volvió a sentarse y ella se colocó frente a él. Veía detrás el espejo donde se reflejaban casi todas las mesas. También veía su rostro. El cristal oscurecido resultaba muy favorecedor. A Marta le complacía reconocer su cara equilibrada y traviesa, con esa cuenca de sensualidad que se desbordaba en la boca. Tenía el pelo empapado.

—¿Cómo va todo? —le preguntó resuelta a hacerle hablar.

—Bien —dijo Manuel, y después de unos segundos—: Sí, creo que bien.

Marta le cubrió de preguntas: ¿por qué sólo lo creía?, ¿por qué seguía soltero?, ¿quería trabajar siempre en una televisión privada?

—De acuerdo —dijo Manuel—. Hoy me toca hablar a mí. Sólo dime qué quieres tomar.

Llamó al camarero y Marta pensaba: que hable, sí, para eso están a veces los amigos, para aliviar la tensión. Para llevarnos a otro cuarto y que el nuestro se ventile mientras, en el suyo, nos muestran sus papeles, sus fotografías.

Manuel Soto habló. Le gustaba vivir solo, dijo, era un buen amo de casa; además, seguramente su precio no había sido fijado aún en el mercado y eso le dificultaba la tarea: aún no sabía a qué tipo de esposa podía optar. Iba cada mes un fin de semana a Cáceres, a estar con sus padres, pero los otros tres era libre, de momento, valoraba su libertad. Sobre todo, dijo, teniendo en cuenta que entre semana no era libre en absoluto. Salía de trabajar pasadas las siete y no llegaba a su casa hasta las ocho, pero ya no era él quien llegaba sino un cuerpo con su nombre, con el ánimo y la cabeza cargados, un hombre soso con dificultades de comunicación. «Hoy he salido antes», dijo como disculpándose por estarle ofreciendo un producto de desecho. Enseguida añadió que era un privilegiado, tenía un puesto alto, un buen sueldo, un despacho y una secretaria, viajaba en primera, comía en buenos restaurantes, a menudo leía los periódicos sabiendo de antemano lo que iban a decir. «Sin embargo, a cualquiera —dijo—, le cansa templar gaitas y encima para un concierto que no le interesa.» Por eso le agradaba estar libre los fines de semana. El que dedicaba a sus padres le permitía cumplir con un elemental deber de gratitud. Y los otros, bueno, a él siempre le habían gustado las mujeres inteligentes, guapas; en especial, sonreía, con el pelo cortado a lo chico y mojado por la lluvia. También le gustaba quedarse solo al atardecer, bebiendo vino de Alsacia en la terraza amplia de su apartamento, oyendo música de Bach o leyendo a Ortega, a Bertrand Russell, a Max Weber. Era su pequeña vanidad, no iba al gimnasio pero necesitaba un poco de footing para el cerebro.

—Ortega, por ejemplo, me haría callar ahora mismo —dijo—. Según él, a las mujeres hay que hablarles para hacerlas reír. Y si no lo consigues, lo mejor es que las dejes hablar a ellas.

Marta no sonrió. Había estado escuchando relajada, se dejaba llevar por las palabras de Manuel porque no le concernían. Incluso la alusión a su pelo cortado a lo chico le había parecido una especie de ilustración: leo esto, bebo esto, y así es como flirteo con una vieja amiga. Y Marta descansaba imaginando el apartamento con terraza, o el vino, o el ambiente profesional de Manuel. Quería creer que esas cosas no tenían nada que ver con su mundo, deseaba creerlo para no comprometerse, para no verse obligada a formular juicios, así se muestran al extranjero costumbres y tradiciones sin esperar su aprobación. Pero de repente el consejo de Ortega sobre las mujeres la había devuelto a su trabajo, y la imagen de su jefe había comparecido en la conversación sin dejarle escapatoria. Porque esa imagen arrastraba consigo la expresión dolorida de Guillermo. Apenas habían pasado tres horas desde que su jefe, después de una discusión sobre la fiscalidad del transporte aéreo, le dijera: «Estar casado contigo debe de ser toda una aventura. Eres una mujer muy dominante». Marta no le contestó. Se negaba a entrar en ese terreno. ¿Para qué perder el tiempo tratando de hacerle ver que, de haber sido ella un hombre, no habría resuelto la discusión aludiendo a su vida privada? Tampoco le interesaba teorizar sobre los usos del lenguaje y decirle a su jefe que nunca había oído hablar de hombres dominantes, que al hombre el dominio se le supone. Cualquiera de las dos salidas la habría llevado al campo de batalla del otro. Y en ese momento ella defendía su derecho a permanecer en el campo de batalla original: la necesidad de someter el transporte aéreo a las mismas normas que el resto de los medios movidos por combustibles fósiles. Sin embargo, ahora no conseguía rectificar su cara seria. Nadie, se dijo, es invulnerable, nada es indiferente, para sortear un campo de batalla hace falta tener un territorio franco y yo no lo tengo. Durante tres horas la frase de su jefe había actuado como un microbio, se había infiltrado en su sangre dividiendo sus tropas, haciéndole sentir un resquemor inútil contra Guillermo y contra la casa que ella no quería comprar.

Manuel Soto la miraba desconcertado.

—No me hagas caso —dijo—. Esa frase sobre las mujeres me ha recordado una discusión de esta mañana. Ahora han puesto a un director general que piensa que todas las mujeres somos como Dalila y cosas así. Pero preferiría no hablar de eso —dijo, y puso la mano sobre el brazo de Manuel en un gesto que quería parecer espontáneo y deliberado al mismo tiempo. Lo bastante espontáneo para que él no pudiera considerarlo fruto del juego de la seducción. Y lo bastante deliberado para que Manuel la mirara justo en ese momento, aceptando su presencia, refundando el pacto mudo de la tarde: «Seamos más que dos antiguos conocidos que se exploran», quería decirle Marta. Más, pero qué más. ¿Puedes ser como Carlos, podrías serlo alguna vez? Aliados, se dijo. Al menos seamos aliados.

—¿No te entran dudas a veces? —le preguntó.

—¿Dudas?

—Sobre ti. A lo mejor nos hemos convertido justo en lo que ellos querían que nos convirtiéramos.

—¿Ha vuelto a ponerse de moda entre la izquierda la teoría conspirativa de la historia? «Ellos», me imagino, serán los dueños de las grandes corporaciones internacionales.

—No estoy segura. Tal vez mi jefe, o el jefe de tu jefe, los ciudadanos del mundo, pero eso ya lo decía Adam Smith, ¿te acuerdas?: el dueño del capital es ciudadano del mundo y no se encuentra necesariamente vinculado a una determinada nación. Ellos también podrían ser Kant o Maquiavelo o Calvino, o un personaje de Graham Greene, o tus padres, o tus hijos, si llegas a tenerlos. Ésa es la duda, a quién le viene bien esto en lo que nos hemos convertido.

—Tú le vienes bien, me parece, a tu amigo Carlos.

—Un día —dijo Marta— tenemos que quedar en son de paz.

Manuel pidió otras dos cervezas y le preguntó a Marta, en son de paz, dijo, por el préstamo.

Guillermo ya habría llegado a casa, pensaba ella, no debía haber dejado que Manuel pidiera otra ronda. Con todo, se propuso contestar a la pregunta de Manuel lentamente, sin la tensión de la primera vez. Dijo que la empresa de Carlos seguía pasándolo mal, y luego dijo que le gustaría que Bruno, su hermano pequeño, se pareciera a Carlos. Carlos Maceda, lo aceptaba, había sido imprudente con Jard. Tampoco en los demás aspectos de la vida era perfecto. No obstante, si de entre toda la gente que conocía tuviera que ofrecer un modelo a su hermano, no elegiría a Santiago, ni a su amiga Cristina, ni a Guillermo, ni a su antiguo jefe, ni se elegiría, desde luego, a sí misma: elegiría a Carlos. Ella quería más a Guillermo; probablemente su hermano llegaría más lejos siendo como Santiago o como Cristina; probablemente viviría más tranquilo y disfrutaría más siendo como Guillermo. Pero cuando ella contestaba las cartas que su hermano le escribía desde Estados Unidos, lo hacía pensando en eso, dijo, en que le gustaría que Bruno fuera como Carlos.

—No creas que lo idealizo —añadió—. Lo que me gusta

de Carlos es que todavía no se ha dado de baja de este mundo, no ha renunciado a su parte de responsabilidad.

—¿Por qué no le hablas de mí a tu hermano? Tengo fama de ser el economista más responsable de la televisión.

—También yo he cogido una fama parecida en el ministerio, pero el ejemplo no me sirve. Nuestro sentido de la responsabilidad, calvinismo lo llamabas tú, se limita a nuestras tareas y no al porqué de esas tareas, a la marcha del mundo. Nosotros nos saltamos la pregunta de a quién le viene bien esto en lo que nos hemos convertido.

—Sin embargo, yo diría que Carlos ha renunciado a ocho millones de su responsabilidad.

—Yo no lo diría. Es más, si Carlos hubiera pedido un crédito al banco a lo mejor te lo aceptaba. Pero a Santiago y a mí va a seguir viéndonos siempre.

—Es otra forma de considerarlo —dijo Manuel Soto, y detuvo sus ojos en los de Marta. Ella retiró la mirada. Fue a ponerla sobre el vaso mediado de cerveza. Había restos de espuma en el cristal. El cenicero metálico, el mármol de la mesa, las uñas de manicura de Manuel. Otra forma de considerarlo, otro punto de vista; se preguntaba cuál podría adoptar cuando llegara a casa y encontrase allí las cosas muertas, el sofá, la alfombra, la espuma blanca en las manos de Guillermo.

—¿Quieres que pida la cuenta? —dijo Manuel.

Marta asintió. Al volverse para mirar si aún llovía, su rodilla chocó sin querer contra la de Manuel, pero después Marta la mantuvo allí. Fuera el agua seguía cayendo. Permanecieron los dos rodilla contra rodilla durante unos segundos. Marta regresó a la posición de antes como si la presión hubiera sido casual. Tal vez, se dijo, había sido casual; acaso, durante unos segundos, no se había visto tendida desnuda junto a otro, en la vida de otro.

Santiago encendió el televisor y lo apagó enseguida. Aquellos hombres gritando en húngaro parecían querer echarle de la habitación. Ni siquiera cambió de canal buscando uno en inglés. Lo había hecho otros días para practicar pero, en media hora, el hall del hotel se llenaría de participantes y organizadores. Él tendría que bajar, situarse cerca del catedrático suizo y, en el restaurante, sentarse a su lado. Se recostó en la cama con el pitillo en la mano. Echaba el humo contra las cortinas amarillas. No estaba descontento de su ponencia. La del suizo y la suya habían sido las únicas aportaciones dignas al tema del congreso. Los únicos trabajos dignos, en realidad. Su teoría sobre la supresión de cierto postulado de Mandeville según el cual el mantenimiento de la sociedad comercial exige confinar a la mayoría de la población fuera del circuito de intercambio de satisfacciones reales, proporcionaba un instrumento nuevo para analizar al enemigo invisible, al destinatario ideológico de numerosos textos posteriores. Claro que casi nadie lo había advertido. No sabían lo bastante para poder hacerlo. Quizá por eso ahora le costaba dar rienda suelta a su mente. Algo le retenía, un peso en el estómago, una marejada confusa en donde se agitaban imágenes de Carlos, de Sol y del futuro. Después de dejar a Sol había llamado a Carlos para darle el recado sobre el contacto de Sol, y al decirle que ya no estaba con ella se había sentido mal. Aunque no dudaba de su decisión, habría preferido esperar unos días antes de contarlo.

El humo esparcido por el cuarto no aplacaba el amarillo chillón de las cortinas. Revivió el viaje de ida, cuando el avión despegaba y él se decía que también iba a despegar, que iba a remontarse por encima de los últimos errores, que volvería renovado de Budapest y se pondría delante de Leticia Tineo como un hombre sin ataduras. No como un hombre pendiente de diversas humillaciones prácticas, mínimas, graves, a veces fundamentales. No. Él se presentaría ante Leticia como un ser dinámico, libre, urgido acaso por el rencor, pero liberado también por el rencor. Un hombre con un destino. Por qué habría de conformarse con ser un profesor de universidad. Hacía falta dotar de relieve a esa estampa, darle perspectiva y fondo. Santiago no quería que sus alumnos y sus colegas vieran detrás de sus clases el decorado plano del piso de Vázquez de Mella: un telón pintado, unos años presididos sólo por la docencia, las publicaciones y la futura cátedra. En cambio sí esperaba entrar en clase, o en la cafetería, proyectando un espacio frondoso y múltiple: una mujer interesante a su lado, tal vez unos hijos, contactos en el terreno de la acción política, la posibilidad de intervenir a través de un corpus de pensamiento y que, un día, le fuese encomendada la fundación de un instituto para la investigación histórica y social. Pero el relieve no había llegado aún. Por eso Leticia había rechazado su invitación: Santiago Álvarez, de Alguazas a Vázquez de Mella, de Vázquez de Mella a Budapest, de Budapest a Vázquez de Mella, y a Alguazas.

Apagó el cigarrillo en un cuenco de angustia. Leticia despreciándole, Sol hablando con Carlos, su ponencia inadvertida, cajas de zapatos abiertas y su contenido volcado. Todo siempre podía salir mal porque en su vida los recuerdos no cimentaban nada. No daban relieve, solidez, sino que debían ser borrados, como la noche en que abofeteó a su segunda novia sólo porque esa niña malcriada le había llamado pedante y él se había sentido acorralado, incapaz de hacerse perdonar la rabia con que elegía cada una de las palabras para ser más preciso que nadie, para demostrar que aunque él no hubiera aprendido de sus padres elegancia alguna en la expresión, sin embargo conocía y usaba el lenguaje mejor que los demás, mejor que esa chica de buena familia quien ya sintiera asco, pudor o compasión a todo lo llamaba «me da cosa», y para quien cualquier buen libro «estaba» sin matices «fenomenal». De repente se había visto abofeteándola una vez, y otra todavía al darse cuenta de que ella se había salido con la suya, le había quitado el lenguaje, le había dejado con lo único que le pertenecía por su origen, la violencia impotente de su padre.

Recuerdos vergonzosos, recuerdos que le humillaban y ni siquiera le enardecían. A lo hecho pecho, y luego había que ocultar los residuos de un pasado precario. Pero si ocultaba los recuerdos, nunca tendría relieve; si no podía volver la cabeza, nunca conseguiría perspectiva.

Y cómo iba a volver la cabeza cuando detrás le esperaba su última noche con Sol, su propia manera de menospreciar, y le esperaban los cuatro millones. Cajas de zapatos abiertas, su contenido volcado. Santiago se dispuso a recogerlo. Recogería también sus ridículas fantasías cuando pensaba que la gente iba a felicitarle por sus tesis sobre la influencia oculta de Mandeville. Guardaría el proyecto de un Santiago admirado, escuchado siquiera, lo escondería sabiendo que a ninguno de los participantes invitados a la comida le interesaba algo más que su propio puesto en el escalafón. Dentro de media hora se sentaría enfrente del catedrático suizo, para entretenerle. A los postres, en aras de la cordialidad, de futuras e implícitas correspondencias, el catedrático se ofrecería a publicar su ponencia en la revista dirigida por él. Y después, pese a estar seguro de que la suya era, junto a la del suizo, la única ponencia que merecía ser publicada, guardaría también en una caja ese recuerdo. El resultado podía ser honesto, pero el procedimiento sólo convenía a un pobre diablo y cuando pasaran unos meses querría olvidar su última comida en Budapest, porque era preferible no tener relieve a labrarse el pasado de un pobre diablo obsequioso aunque indignado.

Santiago se levantó. Junto al armario estaba su equipaje listo. Quedaba una sola cosa por hacer. Encima de la mesa había dejado una postal en blanco y negro, la fotografía de un puente sobre el Danubio. La había escogido por el encuadre: un río sin orillas, sólo se veía el puente y el agua. Compró la postal el lunes para Leticia, pero ya era jueves, su avión salía dentro de unas horas y aún no la había escrito. «Que me tenga miedo, entonces no se atreverá a despreciarme», rezaba la divisa de Napoleón y la de Julien Sorel. También la mía, se dijo. De nuevo me comportaré como un pobre diablo, bailaré al son de quienes confunden amor y miedo.

Apartó la cortina amarilla con la mano. Miraba la acera de enfrente. En la piedra desbastada de los edificios se hundían los desconchados y eso le hizo pensar en las viejas máquinas de escribir, en su manera de esculpir las letras en el papel, dejando huella. Si Leticia hubiera evitado aquel asombro desdeñoso, se dijo. Si hubiera rechazado su invitación con pesar, o aun con firmeza. Pero se había comportado como si nunca hubiese salido con él hasta la madrugada, ni le hubiese hablado de su divorcio del joven filósofo y de cuánto la desconcertaban las preguntas de su hija de cuatro años. Como si nunca se hubiera dejado coger por él, los dedos de la mano pulsando la cadera, Leticia reclinada y temblando. Como si no le hubiera visto, y Santiago soltó la cortina. A los veintiún años se había aprendido de memoria un párrafo de Henry Miller. Lo escribió sobre las rayas reservadas en la postal para la dirección: «La vida prosigue aunque actuemos como cobardes o como héroes. La vida no impone ninguna disciplina sino la de aceptar la vida incuestionablemente. Todo aquello a lo que cerramos los ojos, todo aquello de lo que huimos, todo lo que negamos, denigramos o despreciamos sirve para derrotarnos al final». Puso también el nombre de Henry Miller, consciente de que eso impediría a Leticia relegar la cita al mundo de lo abstracto. Henry Miller llevaba aparejados la carne y el sexo. Ahora Leticia tendría que ver su carne y su sexo, no podría hacer como si nunca los hubiera sentido. En la zona de la postal reservada al texto sólo puso «Amada mía», seguido de dos puntos, y dejó el resto en blanco. Complétalo, Leticia, pon tú las palabras a esta pasión audaz que pasará de largo si no te apresuras. Metió la postal en un sobre. El teléfono había empezado a sonar: abajo le esperaban. «I'm coming», dijo con su mal acento inglés.

III

El alba atravesada por el ruido de una motocicleta y antes, y después, un rumor intermitente de paso de vehículos. A las ocho, en el dormitorio de Carlos y de Ainhoa, el metal sintético del despertador. A las ocho y cuarto una emisora de música clásica deshacía el silencio en el cuarto de Marta y Guillermo. A las ocho y media el despertador de Santiago pitaba como el de Carlos y Ainhoa. Con los ojos medio cerrados, como quien durante la noche vio claridad en el cuarto y creyó que soñaba, oyó un ladrido, gritos, motores, y creyó que soñaba pero estaba despierto negándole a su cuerpo el descanso, ellos se pusieron en pie. El ascensor de la casa de Carlos frenó con brusquedad. La puerta del portal de Marta golpeó fuerte al cerrarse. Santiago no recordaba en qué calle había aparcado el coche. Era la mañana del 30 de marzo de 1995, el viento les rozó la cara y vieron la arena del remolino, el polvo que mancilla los ojos. Habían salido a la calle anhelando un acontecimiento esencial. Miraban el cielo, la calzada, los meses por venir, y eran como semillas a la espera de un impulso para alzarse del suelo, de una corriente que les remontara por encima de los techos de los automóviles, más allá de las aceras hasta la tierra hendida, desnuda.

No hubo Semana Santa para Carlos. Estuvo yendo a Jard mañana y tarde todos los días. Sin embargo, de algún modo sí pudo descansar. Ainhoa se había marchado con el niño al caserío de los abuelos. Lucas, después de acompañarle al registro y firmar la transacción que convertía a Carlos, según la nueva ley, en el administrador y el único socio de Jard, S. L., se había ido a Portugal. También Rodrigo, Daniel y Esteban habían cogido vacaciones. El domingo 16 de abril, cuando oyó la llave de Ainhoa en la puerta y luego la voz de Diego, se dijo que necesitaba seguir esperándolos. No pretendía estar sin ellos pero sí postergar el encuentro, darse la oportunidad de tener preparada para ellos, además de la tortilla de patatas y la fuente de natillas, calma. Tuvo que componer la sonrisa al recibirles. Oyó contar a Diego su aventura con un perro, vio su pequeña cicatriz en el brazo. El salón se llenaba con el discurso excitado del niño, aparecían vacas y la caña de pescar del abuelo y un mordisco enlazándose sin solución de continuidad mientras, en el ángulo de visión de Carlos, sólo entraba el perfil de la camiseta de Ainhoa y un trozo de mandíbula despejada por el moño. Seguía demorando el momento de mirarla de frente.

Esa noche follaron, pero él tenía la impresión de haber participado en una imposible carrera de relevos donde cada atleta corriera contra los de su mismo equipo. Luego se tendió con la cabeza apoyada en el vientre de Ainhoa. Ella le acariciaba el pelo. Ninguno hablaba. Carlos intentó recordar alguna época de su vida en que hubiera aceptado recibir consuelo sin miedo a no merecerlo todavía. No había habido esa época, se dijo; la sensación de tener algo pendiente y no poder relajar del todo los músculos ni el pensamiento hasta tanto no hubiera terminado la tarea estaba siempre ahí. Apoyaba la cabeza como de puntillas, quizá para no pesarle demasiado a Ainhoa, pero no era eso. Incluso cuando se daba lástima y pensaba que los demás habían hecho de él una víctima y se abandonaba al sentimiento de injusticia, incluso entonces seguía estando inquieto, y aceptaba mal el consuelo de la autocompasión porque aún no había terminado, porque aún tenía que vengarse o demostrar su poder.

Abrazó con las manos las caderas de Ainhoa. Habrá un día en que pueda quererme, le prometió en silencio. Habrá un día en que Carlos pueda querer a Carlos, pueda cerrar los ojos sobre tu vientre sin tensión. Notó que Ainhoa empezaba a dormirse y se quitó. Después de taparla con cuidado, se tumbó encima de las sábanas. Con los ojos abiertos se dijo que no dejaba de ser irónico haber terminado debiendo ocho millones de verdad, él y su eterna sensación de tener algo pendiente, su eterna sensación de tener que pagar algo.

Se levantó para ducharse con agua casi hirviendo que le obligara a relajar el cuerpo. Al día siguiente era el santo de su madre, estaban invitados a comer y quería mostrarse descansado, risueño. El agua quemaba. Carlos se echó gel en las manos. A menudo pensaba que todo había empezado con Tomás, el hermano mayor que murió cuando él tenía tres años. Sus padres dejaron Ciudad Real para ir a buscar trabajo y casa a Madrid antes de que Carlos naciera. Encontraron ambas cosas pero, después de la muerte de Tomás, no tuvieron más hijos. De ese modo, Carlos se había quedado solo frente a sus padres, con una deuda de gratitud, esta vez sí, pendiente y sin poder compartir esa deuda con Tomás. Se había quedado con todo el miedo a defraudarles, y también con el disimulo o la mala conciencia por sentir ese miedo como un peso antes que como un impulso natural. Cerró el grifo. Desde el techo hasta la baja altura de sus hombros flotaban gotas de vapor condensado. Tardó en secarse buscando adrede el frío, un desequilibrio térmico que le empujara a meterse dentro de la cama temblando y sin insomnio. Pero en el dormitorio, al taparse, la cama le expulsó.

Tuvo que apartar la sábana. No eran sus padres, se dijo, ni las estrecheces de su infancia, ni ser hijo único, ni el hermano que murió. Nunca había creído en las causas primeras; quizá sí en la huida hacia delante. El jugador no puede, se dijo, echar la culpa a la primera apuesta fallida sino al ansia de reponer lo perdido. Así en la vida él había doblado las apuestas. Porque no supo pagar la entrega de sus padres, buscó el cristianismo y después el marxismo libertario. Porque no supo querer bien a Ainhoa, porque se mostró hosco y desatento, había buscado a Laura, la doble vida, un lugar acotado donde parecer perfecto. Y después había vuelto, doblada y no saldada su deuda con Ainhoa, pues no existían lugares acotados dentro de la vida, la vida era una sola y él había doblado la apuesta otra vez pero no en una faceta, no para cubrir su deuda con Ainhoa, no para reponer tardes o mañanas perdidas. No. Esta vez se trataba de un órdago con que pagar a todos. Haría una empresa digna, suya. Tendría algo suyo y, por lo tanto, en cierto modo autónomo, un sitio donde librarse de la arbitrariedad. Allí nadie podría trasladarle, utilizarle, nadie se consideraría con derecho a disponer de su energía, no le obligarían a participar en proyectos nefastos. Desde su empresa intentaría preservar un recinto civilizado en la selva del capital. Luego, al volver a casa, seguiría siendo un hombre cabal. Aunque tarde, conquistaría un pedazo de mundo fabricado por él para ofrecérselo a sus padres, para Ainhoa y Diego, para sus amigos; incluso trataría de poner en práctica viejas máximas sobre el sentido de la producción. Todo o nada. Todo o mucho menos que nada: todo o la infelicidad de todos.

Carlos se dio la vuelta evitando hacer un movimiento brusco. Tal vez, como el jugador cuando sólo ha perdido la mitad de sus bienes, él habría podido dejar de apostar. Sin embargo, siguió jugando, centuplicó la apuesta y ahora, aunque quisiera, ya no podría renegar del mecanismo, porque ya no era el perdón sino la subsistencia lo que estaba en juego. Se tumbó de costado con el cuerpo encogido. Quería despertar a Ainhoa pero se contuvo pensando que si le entregaba su miedo, luego, qué le quedaría, desde dónde iba a apoyarla después. No era verdad, se dijo, no le frenaba la generosidad sino la desconfianza; sentía vértigo al imaginar que tocaba el brazo, la espalda de Ainhoa, y ella abría los ojos y le fallaba. Debía poner gasolina al día siguiente. Vio la manguera de la gasolina. La biografía de Michael Faraday que estaba leyendo. Vio a Diego jugando con el perro. Se vio en su vespa naranja sobre el prado del caserío. Deslizándose de una imagen a otra procuraba aflojar el pensamiento y se adormecía.

En la tarde del viernes 21 de abril, Santiago esperaba a Leticia junto a la Biblioteca Nacional. Faltaban diez minutos para que Leticia saliera. Aunque había llegado con antelación, no intentó buscar un sitio donde dejar el coche. Prefirió aguardar en la perpendicular, el intermitente puesto y la ventanilla bajada. Estaba contento. La pobreza, pensaba, le había favorecido. En vez de poner la radio recordó una vez más su vuelta del congreso de Budapest: los días de silencio orgulloso y, una tarde, la voz de Leticia dictando la cita de su postal en el contestador. Él devolvió la llamada, se vieron. Todo iba bien pero no lo bastante bien. Leticia no acababa de decidirse. Santiago tenía la impresión de haberse convertido en un morador más del mundo de Leticia, pero echaba en falta la reciprocidad, que Leticia viera cómo en torno a Santiago se vertebraba a su vez un mundo aparte. Un mundo incompatible con la impunidad desde donde Leticia imaginaba futuros, yéndose a vivir con una amiga canaria, viviendo sola, haciendo un doctorado de dos años sobre biblioteconomía en Ginebra. Fue entonces cuando llegó la Semana Santa, entonces cuando la pobreza le favoreció. Leticia le había contado que iría a una finca de su amiga en Tenerife, y le propuso que fuera a visitarlas. Santiago se negó. Por su cabeza sólo había pasado el precio del billete y otros gastos. Sin embargo, al ver la reacción de Leticia supo que la pobreza le indicaba el camino y se mantuvo inflexible.

Desde Tenerife, Leticia le llamó varias veces. Él fue a recogerla al aeropuerto. Durante el trayecto de vuelta, al menos en dos ocasiones la sorprendió mirándole cuando él no la miraba. No se trataba de la mirada furtiva de otros días, esa mirada que tasa y juzga. Era, por el contrario, una mirada franca, curiosa, la mirada perpleja, confirmó, de quien empieza a intuir que ese otro que conduce vive y existe por cuenta propia. Nada estaba ganado todavía. Santiago recordaba haber mirado así al principio de algunas relaciones y luego haberlo ido olvidando. Nada estaba ganado, se repitió al ver a Leticia avanzar hacia el coche, su cara mojada de luz.

Cuando Guillermo salió, Marta pensó bajar corriendo y alcanzarle. Lo pensaba y seguía quieta en el sofá, segura de que no lo haría. Al poco, sin embargo, se levantó y fue deprisa a la ventana. Tuvo que abrirla y sacar el torso para ver la acera de la casa y al fin la figura de Guillermo. «Tú lo has querido, tú lo has querido», le espetó Marta en voz baja. Aliviada, lo vio cruzar. Todavía podía llamarlo. Si gritaba, él la oiría. Gritar y que subiera pero después qué. Las vacaciones de Semana Santa habían sido patéticas. Silencios, desencuentros, un malestar agravado por el contraste con la chimenea, los alrededores y la vista impresionante del hotel en donde estaban. Aunque Guillermo subiera, ella no tendría nada nuevo que decirle. ¡Quiéreme! ¿Cómo podía nadie decir «¡quiéreme!»? Quiéreme sin condiciones. Guillermo torció hacia la izquierda aunque no miró hacia atrás y hacia arriba, hacia la ventana. «Mira, por favor, mira aquí», dijo Marta. Guillermo ya había desaparecido. Marta se acurrucó en el sofá. Odiaba a Guillermo por no haberse vuelto, y le quería, y le necesitaba. «Quiéreme sin condiciones», murmuró. Quiéreme por llamarme Marta, por tener los dientes finos y una cicatriz en el muslo. Quiéreme por ser yo, por mi olor y mis costillas, quiéreme por mis huellas dactilares. No por lo que he dicho, Guillermo, ni por lo que hago, no por lo que aún no sé si quiero hacer.

Marta se puso el brazo desnudo sobre la frente. Estaba sudando, pero no lloraba. Le había empezado la menstruación y notaba el cuerpo destemplado, un daño color vino en el vientre y, sobre todo, una suerte de certidumbre, como si su desgajarse interior se correspondiera con el fluir de las cosas externas y, en alguna parte, estuviera escrito que el ciclo debía continuar; el daño que le hacía encoger el cuerpo pasaría como también el otro daño, el frío de pensarse esa noche durmiendo sin él. Pero ¿y si no pasaba? Marta se imaginó viviendo sola y lejos, y dijo en alto «Qué tenemos», y después «No te vayas», y después «Tú lo has querido». Oía su propia voz sin dejar por ello de atender al sonido de fuera. Guillermo no iba a volver pero ojalá el ascensor se parase ahí. Una vez lo hizo. Marta fumaba mientras seguía el ruido de las bolsas que el vecino solía traer los fines de semana. Después escuchó cómo abría y cerraba la puerta. Intentó dormirse en el sofá. No pudo. Quiso beber un poco de ginebra que adormeciera su dolor como otras veces y la incitara al sueño. No lo hizo porque siempre le había dado miedo beber sola. Miró de nuevo la hora y rechazó el impulso de encender la televisión, también le daba miedo verla sin esperar nada concreto, era como beber ginebra diluida. Buscó el periódico con la mirada: «El Partido Popular mejora en siete puntos sus expectativas de voto tras el atentado». Una mueca triste le vino a los labios al pensar que ese titular ilógico se acoplaba perfectamente a su tarde de domingo, a la figura de Guillermo cinco pisos más pequeña, a su propia figura tumbada boca abajo, la cabeza colgando para ver el periódico tirado en el suelo.

Guillermo se apoyó en el respaldo de un banco de las Vistillas. Trataba sólo de respirar más despacio. Después cruzó de nuevo la calle Bailén. Había decidido ir andando a la consultora y pasar allí la noche. En el reloj de su padre no venía la fecha. Reconstruyó los últimos días y supo que era el domingo 23 de abril. Se habían casado el 11 de abril de 1991. Cuatro años y doce días, calculó. La frente le latía por dentro y cada latido rebotaba en la nuca. Sopesó la extensión de un período de cuatro años y doce días. Aunque él sólo estaba buscando un punto de inflexión, sabía que el orgullo de Marta o el azar podían transformar ese domingo en un punto de no retorno. Le dolía bastante la cabeza y los zapatos le pesaban. Estaba intranquilo, si bien creía que había hecho lo que debía. Quizá era eso, se dijo, lo que le hacía estar intranquilo, nervioso con anticipación. Si consiguiera pensar que se había equivocado entonces podría retroceder, entonces su decisión sería sólo provisional y llevadera. Sin embargo, ahora era como si en cada paso que daba estuvieran todos los pasos siguientes y él sintiera ya la preocupación por todos y cada uno de los pasos futuros. Arrastraba las conversaciones que debería tener con Marta y también las que debería eludir; las veces en que debería negarse a verla; el tiempo de avanzar en silencio, desplazarse confiando en que Marta levantaría la mirada y entonces no vería su presencia, pero tampoco el hueco limpio, sino un lugar con las referencias cambiadas: otros muebles y otros árboles, distancias nuevas como distintas longitudes de onda que al rebotar contra sus ojos podrían modificar su conciencia. Le sobrevino un horizonte de melancolía. Tantos libros de sociología había leído, tantos artículos para averiguar si algo semejante a la luz de la razón podía derramarse, más allá del espíritu, sobre la propia biografía. Dos cristales puestos delante de los ojos de un individuo actuaban sobre su conciencia visual. Y bien, había preguntado: ¿qué clase de visiones, de ideas, qué argumentos podían exponerse ante el mismo individuo para actuar sobre la posición que ocupaba en el mundo? Tantos libros y al fin cuatro millones, y dónde quedaba, y para qué servía la inteligencia.

Levantó la vista del suelo. Había muy pocas personas por la calle. Una fealdad incipiente en la luz ponía al descubierto el gris sucio de los portales o la prisa de esa mujer que acababa de adelantarle, violenta cual si rehusara exponer a ojos del mundo su domingo solitario. Al doblar por Duque de Rivas, Guillermo invocó las tardes de hacía cuatro y cinco años, cuando Marta y él salían a andar. Entonces no eran ellos errantes demediados del domingo; entonces visitaban la ciudad y miraban los portales, las iglesias, como dos extranjeros. Compraban una botella de agua y la bebían por la calle, o manzanas. Se le llenó la cabeza con imágenes de aquellos paseos.

A lo mejor en el tiempo no había progresión, acaso el tiempo era una cinta extendida, una especie de mural continuo donde estaban expuestos todos los momentos. Se le había ocurrido por primera vez a raíz de la muerte de su padre, al ver que no había ninguna marca de autenticidad en sus últimos días de vida, sino que esos días contaban tanto o acaso menos que el día, muy anterior, en que salió con él a la terraza, y su padre le puso la mano en el hombro y le estuvo contando cosas de cuando era niño y leía a Salgari y soñaba con ser Yáñez el Portugués. No había ninguna marca de autenticidad en los hechos más recientes, no había estaciones de llegada distintas al trayecto en la vida, sino que todo era trayecto. La calle Postas. Buscó las llaves de la consultora. Abrió el portal, subió despacio por la escalera de madera y llamó, por si acaso, al timbre, aunque no era probable que hubiera gente. Nadie vino a abrir.

Santiago conducía en silencio. Leticia le había propuesto que durmiera en su casa esa noche y no sabía si aceptar. El fin de semana había salido incluso mejor de lo esperado. Apenas habían abandonado la habitación. Sólo al anochecer merodeaban un poco por los alrededores del parador de Gredos. En la cama sus cuerpos se entendieron enseguida. Después del primer escarceo apresurado días atrás, Santiago había imaginado que necesitarían un largo tiempo de acoplamiento. Creyó que Leticia era procaz y autoritaria y que procuraba disimularlo manifestando arrobo y docilidad. En cuanto a él, ya se veía durante semanas ocupado en fingir deseos y placeres. Pero cuando al fin se encontraron en una cama con horas por delante, nada de eso ocurrió. Se habían gustado, pensaba Santiago. Era así de fácil: cada uno había ido hacia el cuerpo del otro por el afán de tener y tocar y penetrar algo que le agradaba. Leticia le había parecido más mujer de lo que su elegancia discreta dejaba traslucir, y no porque la maternidad hubiera dejado alguna huella en su cuerpo. Al verla desnuda y de pie, con los muslos entreabiertos, la había llevado a la cama sabiendo que sus piernas fuertes estaban hechas para cubrirla, y se había sentido alegre de pensar que iba a coger esas tetas, a tocarlas, a morderlas, a tenerlas para él. De algún modo los ajustes de cuentas que siempre ponía en el sexo, la voracidad, recordó, con que exigía su propio placer y el de Sol como si sólo el exceso pudiera compensarle por sus dudas, habían quedado pospuestos. En el cuerpo de Leticia no había nada que le resultara extraño, perfecto o en exceso desolador. Nada que hubiera tenido que conquistar pero tampoco nada que perdonarse. Se habían visto desnudos y enseguida habían buscado el roce, y Santiago había creído percibir en Leticia el mismo sentimiento de gratitud, sorprendidos los dos no tanto por hallarse ante un cuerpo que les complacía como por el hecho de que ese cuerpo les complaciera tan alegremente, sin tensión, sin tener que estar a la altura de algo demasiado hermoso, pero sin tener tampoco que mentirse, que obviar olores, formas o ademanes molestos.

Era un buen comienzo, pensaba ahora. No quería estropearlo, y a medida que se acercaba a Alfonso XII algo le decía que huyendo podría estropearlo. Si ahora él retrocedía, también retrocedería ella. Si la dejaba sola en su casa y él se iba solo a su piso perdería gran parte del terreno ganado, el fin de semana se convertiría en una aventura risueña, remota, mucho menos vívida que la casa de Leticia, su trabajo del lunes, su hija, las llamadas telefónicas del joven filósofo. Tenían que afianzar la relación, también ella se daba cuenta y por eso le habría invitado a dormir esa noche. Pero a Santiago la casa de Leticia le acobardaba. Arrancó obedeciendo a los pitidos del coche de atrás. La desnudez, pensaba, les había hecho accesibles y felices mientras que una casa era una fortaleza cargada de advertencias, un complejo sistema de información. Santiago sería informado, sin él quererlo, de la clase de toallas que usaba Leticia, de las cortinas, de la calidad del equipo de música. Vería a Leticia más joven en las fotografías que ella le había descrito sólo con palabras. Vería si había juguetes de Irene en el salón y cuáles. Un coche en segunda fila había formado un atasco, pero Santiago no se impacientó. Ahora pensaba en el tamaño de las habitaciones, imaginando el suelo de madera barnizada, el buen gusto del tapizado de los sofás y esos muebles de despacho antiguos que vendían en algunas tiendas del Rastro: mesas de madera labrada, arcones, bargueños, altas estanterías de castaño cubiertas con vitrinas de cristal. Él podía pagar alguno de esos muebles pero nunca podría pagar la casa apropiada donde ponerlos.

Minutos después empezaba la búsqueda de un sitio para aparcar. Leticia le indicaba las mejores calles y Santiago obedecía pensando que siempre podía dejarla allí y despedirse, pero al mismo tiempo sabía que no debía hacerlo, que no debía dejar a Leticia esa noche. Debía elegir entre dormir en casa de Leticia y que Leticia durmiera en la suya. Y había elegido. A conciencia, se dijo. No quería que Leticia fuera esa noche a Vázquez de Mella, no quería una crónica de pobres amantes. ¿Por qué su no querer le hacía sentirse mal? ¿Acaso no tenía derecho a medirse con una buena casa y no tenía, sobre todo, derecho a que no le exigieran nada a cambio? En ese momento Leticia pasó la mano por el pelo de Santiago.

—Ése se va —dijo señalando las luces blancas de un coche aparcado. Él frenó, puso el intermitente y la miró sonriendo, aunque enseguida dejó de hacerlo porque le había asaltado un fuerte sentimiento de piedad hacia Sol y ni siquiera sabía si era piedad o si estaba echándola de menos, o bien si se trataba sólo de una nueva manifestación de su inquietud.

—Tengo ganas —le dijo a Leticia— de que haya pasado bastante tiempo y hagas ese gesto otra vez.

La frase sonaba cursi como un disfraz, pensó, como una fiesta entera de disfraces, pero aún era pronto para decir deseo no sospechar de mí mismo en esta relación.

El jueves 4 de mayo, a las diez de la noche, Carlos llamó a Lucas por teléfono. Diego tenía fiebre y Ainhoa estaba con él en el cuarto. Con el capuchón del bolígrafo, Carlos dibujaba rombos en el brazo del sillón. La tela silbaba.

Respondió al «Dígame» de Lucas en voz baja aunque ni Ainhoa ni Diego podían oírle.

—Lucas, soy Carlos.

—Dime, Carlos.

—¿Podemos hablar un rato, es buen momento?

—Muy bueno.

—He pensado hacer una reunión con todos mañana. Quiero explicarles en qué situación estamos. No voy a apremiarles, pero antes de aceptar la oferta de Electra necesito saber qué planes tienen.

—Lo entiendo.

—Una vez conté algo que no debía haber contado —dijo Carlos después de soltar el bolígrafo—. Le conté a una persona algo que le afectaba, a pesar de que yo era el único con capacidad de movimiento en esa situación. Sólo yo podía decidir —añadió en un tono más fuerte—. Creo que fui un cabrón. Necesitaba quedarme tranquilo y lo que hice fue trasvasarle mi intranquilidad a la otra persona. Yo sabía que ella no iba a moverse, que no haría nada con lo que le había contado. Fui un cabrón. Lo sabía pero quise asegurarme.

—Daniel, Rodrigo y yo tenemos capacidad de movimiento. Quizá Esteban tenga menos, pero la suficiente —dijo Lucas—. No es un caso comparable al que cuentas.

—Gracias; necesitaba tu opinión.

—Te lo he dicho antes. Entiendo que quieras hablar con todos. A ti te hace falta y creo que a nosotros también.

—¿Podrías venir mañana a las ocho y media? Me gustaría comentar contigo lo que voy a decir.

—Estaré allí a menos cuarto.

—Da tiempo de sobra. Lucas, ¿tú crees que fui un cabrón?

—Si la historia fue como dices, creo que sí. Pero amargarse es la mejor forma de seguir fastidiando a los demás. Lo digo con conocimiento de causa. Bueno, te veo mañana.

Carlos asintió y estaba terminando de decir buenas noches cuando oyó que Lucas colgaba. Tanteó el suelo con los pies sin encontrar sus zapatillas. Por fin encontró una. Se levantó para buscar la otra; la tenía puesta. Ya no quiso volver a sentarse. Fue al cuarto de Diego para ver cómo estaba y encontró a Ainhoa entornando la puerta.

—Ya se ha dormido —le dijo—. La semana que viene voy a llevármelo un día al hospital, está teniendo muchos catarros seguidos. A lo mejor es una alergia.

Carlos la seguía por el pasillo, algo rezagado. Aminoró el paso un poco más todavía para decir:

—A lo mejor necesita un hermano.

Ainhoa no se volvió. Al llegar al cuarto de estudio, dio la luz diciendo:

—Voy a trabajar un poco ahora. Con la huelga está todo manga por hombro en el hospital y tengo varias historias clínicas atrasadas.

Al día siguiente, a las nueve menos cuarto en punto, Carlos empezó a resumirle a Lucas la explicación que pensaba dar más tarde. En el resumen incluyó una referencia a los objetivos políticos de Jard.

—No creo que sea el momento —dijo Lucas— de hablar de política.

—¿Por qué?

—Lo sabes tan bien como yo, Jard tiene problemas reales.

—¿La política no es real?

—Carlos, yo creo que sí, pero a veces no estoy seguro de lo que piensas tú.

Carlos oyó el ruido de la puerta. Ya eran las nueve. Sin embargo, aún no podía salir. Necesitaba convencer a Lucas y, para hacerlo, debía llevar más lejos la discusión. Sin apenas reflexionar, le dijo que, en algunos aspectos, le recordaba a Alberto.

—Corrígeme —pidió, y empezó a contarle que Alberto, aunque era algo más joven que Lucas, también había militado a finales de los setenta. No en el partido comunista, como Lucas, sino en el consejismo marxista libertario. Ahora Alberto daba por terminada su intervención en la lucha política. Tenía conciencia de haber jugado sus cartas y, en ocasiones, se culpabilizaba por no haber sabido analizar a tiempo cuál era la situación que estaba atravesando el país, cómo las pequeñas prebendas económicas habían dividido a la clase trabajadora al generar una extensa capa de población que veía en el progreso de sus hijos una salida posible. Alberto creía que si en aquellos años se hubiera llevado a cabo un trabajo político en la dirección precisa, quizá hubiera podido mantenerse en latencia, sólo, sin duda, en latencia, un proyecto revolucionario. Tal vez en esas condiciones, decía Alberto, él hubiera seguido interviniendo. Pero se había empezado la casa por el tejado y ahora habría que esperar a que volviera a darse una circunstancia histórica favorable. Entretanto, la opción de Alberto era la retirada, porque el tiempo en que se creyó a punto de asaltar la locomotora de la historia le había dejado un profundo recelo hacia cualquier acción política privada del apoyo logístico correspondiente.

—Sí —contestó Lucas—. Supongo que me entendería bien con Alberto.

Antes de que Carlos replicara sonó el teléfono. Lo cogió Lucas; era su sobrino, dedujo Carlos. Le agradaba el tono firme y al mismo tiempo apacible, casi desinteresado, con que Lucas hablaba a su sobrino. Pensaba que le gustaría ser capaz de hablar así con Diego cuando creciera. Entonces se dijo que Lucas y Alberto tenían otra cosa en común. Los dos, si bien jamás lo admitirían en voz alta, habían destinado su aprendizaje político a la transformación de la única realidad sobre la que creían tener una influencia suficiente: sus actitudes con respecto a la vida de los otros. Carlos se lo agradecía. Con todo, pensó, él no iba a renunciar a su propia energía a la hora de planear un movimiento adecuado.

Lucas empezó a dictar una dirección de su agenda. Ahora Carlos miraba sus mejillas recién afeitadas, los ojos verdes, el derrame en el ojo derecho cerca del lagrimal. Lucas no tenía los hombros encogidos sino que la camisa parecía colgar sobre un travesaño de madera, su mano izquierda sujetaba el auricular con gracia, pero al verle no podía evitar pensar en Alberto: en una flecha no disparada, en uno de esos muñecos con una bola de plomo en el interior que les impide caerse y, por tanto, aplastar a los otros, pero también les impide avanzar. Quizá era el modo de cogerse el cuello con la mano derecha. Aunque la mano izquierda sujetara graciosamente el auricular, con la mano derecha Lucas se abrazaba el cuello como quien, para protegerse, cierra el circuito de sí mismo, y habla, y sonríe, y puebla el mundo con sus señales pero no advierte que sólo son eso, señales, imágenes proyectadas que nunca abandonan la cinta, bumeranes lanzados que vuelven, un halcón de cetrería que hubiera perdido el interés por la presa y ya sólo buscara el guante de su amo, la mano sobre el cuello, la tranquilidad de dos que se llevan bien y saben que no se extraviarán. Tal vez Alberto y Lucas habían conseguido llevarse bien con ellos mismos. La mano de Lucas se llevaría bien con su cuello, el presente de Lucas bien con su pasado. Tal vez, pensó, había que aprender eso que decía Lucas, a no amargarse para no fastidiar a los otros; aprender a calmar los propios desacuerdos para no arruinar a los otros.

Pero en cuanto Lucas dejó de hablar, Carlos trazó una línea de separación entre sus trayectorias políticas, e insistió en que daría un matiz combativo a su discurso. Habló de la guerra de guerrillas; el mismo Lenin, dijo, la aprobaba. Esa guerra era importante pues aun cuando pareciera que el país vivía corrupto y satisfecho, muchos estaban callados, las pateras llegaban como un timbrazo constante, dijo, y habría que despertar. Más temprano que tarde, y Carlos procuró controlar su agitación, volverían a darse las condiciones para que cambiaran las reglas del juego. Hasta ese momento, era casi inevitable que surgieran guerrillas desordenadas, fortuitas, o por lo menos tendría que ser inevitable que alguna gente se revolviera exigiendo su derecho a trabajar y a hacerlo en proyectos con sentido. Sin embargo, tan pronto como estallara el caos, se formarían diferentes organizaciones interesadas en hacerse cargo del descontento. Organizaciones de arriba y organizaciones de abajo. Para no equivocarse entonces, dijo, había que considerar los objetivos políticos desde el principio.

Vio que la mano de Lucas se había soltado del cuello, que Lucas estaba serio, sin la sonrisa amable y algo paternal que él esperaba, la sonrisa, pensó Carlos, que él hubiera puesto de haber oído en boca de otro un alegato así.

—Bueno —se encogió Carlos de hombros al decir—, sé que no es el único argumento ni el más importante.

—Es el tuyo —dijo Lucas—. ¿Salimos?

Carlos asintió, cogió algunos papeles y cruzó la puerta que Lucas ya había abierto.

Una vez en la nave, ésta le pareció apenas un pequeño cuarto de almacén, una minúscula nave industrial instalada en un bajo interior. No era el gran acorazado insurrecto de la Rusia zarista pero sí, tal vez, un bote de metal, una patera del primer mundo, de tres estrellas, que no obstante surcaba como un aviso los márgenes de la calle Lebrel.

Rodrigo estaba al fondo de la habitación. De pie, con su pelo cortado a lo paje, su barba castaña y su elevada estatura, parecía un héroe nórdico desterrado a otro siglo, obligado a vivir entre los frágiles pueblos del sur y a usar su indumentaria ligera, zapatillas, camisetas, pantalones vaqueros. Carlos se quiso a sí mismo en el lugar puro de Rodrigo, quiso ser un técnico, renegar de la teoría. Lo quiso con desesperanza, con indiferencia, porque podía imaginarse antes jodido o desesperado, antes traicionándose en una empresa uruguaya o marroquí, antes huido con Ainhoa a una aldea vasca, antes hundido o amargado o triunfante que manteniendo el pacífico porte de Rodrigo y su seguridad. Rodrigo iba y venía del voltímetro al osciloscopio. Lucas ya estaba en el tablero. Carlos permaneció de pie.

Debía decir algo. A su lado, Daniel, con la cabeza inclinada, trabajaba en una fuente de alimentación auxiliar para el diseño de Lucas. Era la tarea que más había interesado a Daniel desde que se incorporó a Jard, pensaba Carlos cuando Esteban se le acercó para contarle un problema con un puente rectificador. Le extrañó que se hubiera dirigido a él en vez de a Lucas aunque, ciertamente, ahora todos procuraban molestar a Lucas lo menos posible.

Carlos fue a la mesa de Esteban. Alargó la explicación porque le complacía enseñar a Esteban y también hablar de un conocimiento seguro, firme, *jard*, en vez de referirse a ventas improbables. Pero cuando hubo terminado y volvió al centro de la habitación, sintió que se ablandaba. No quería, se dijo, convocar la reunión ni defender una idea sino sólo seguir en Jard, fabricando objetos con precisión y lentitud, ganándose la vida con aquellas personas. Pensó que si no tuviera que devolver el dinero a Santiago y a Marta tampoco necesitaría la asamblea, el «conmigo o contra mí» al borde del abismo, los juramentos de fidelidad. Si no tuviera que devolver el dinero, quizá la decisión de producir y comercializar las variantes de la nueva fuente de alimentación podría haberse tomado sin dramatismos, paso a paso. Al instante trató de reprimir ese razonamiento.

Pidió en voz alta, a cada uno por su nombre, que acabaran lo que estaban haciendo porque necesitaba hablar con todos. Se dirigió a Esteban para que le ayudara a vaciar la mesa grande. Con cuidado depositaron el material en el suelo. Esteban se sentó a su derecha y apoyó la cabeza rapada en una mano. Miraba a Carlos con extrema concentración y de vez en cuando guiñaba los ojos. Lucas se puso a su lado.

—Pareces un monje tibetano —le dijo.

—Un extraterrestre —dijo Rodrigo.

Por último llegó Daniel. Carlos ocupó la cabecera. Eran las diez menos cuarto de la mañana cuando tomó la palabra.

—Más o menos todos sabéis que estamos metidos en una mala racha, por llamarlo de alguna manera. Quiero hablar de sus posibles consecuencias. Intentaré hacerlo sin retórica, llamando a las cosas por su nombre. Es una de las cosas que nos propusimos Lucas y yo al fundar esto: no caer nunca en el lenguaje hipócrita de la gratitud o la lealtad. Jard es una empresa y aquí no hay gran familia que valga, ni singladura común, ni sacrificio.

Carlos miró a Esteban, quien había empezado a balancearse en la silla, y siguió hablando para él.

—Me vais a permitir que emplee viejos términos marxistas, porque la mejor manera de evitar la hipocresía es llamar a las cosas por su nombre. Como cualquier empresa, Jard es un tinglado montado para obtener una cuota de ganancia. La ganancia, en lo fundamental, sale de no pagar una parte del trabajo de quienes fabrican las piezas. Así estaban las cosas hace cien años y, matices aparte, así siguen estando hoy. Desde octubre, todos hemos aumentado nuestro horario de trabajo para sacar el nuevo modelo adelante, pero eso no ha repercutido en los sueldos. Tal como va Jard, os anuncio que tampoco podrá repercutir en los próximos meses. Digamos que estoy aprovechando la plusvalía para financiar la empresa.

—Carlos —dijo Esteban, y en ese momento el balanceo que contagiaba a la mesa y su ligero crujido cesaron—, yo creo que hoy es una putada no tener trabajo. Mucho más putada que tenerlo y que te roben horas.

—En efecto, es una putada, y más cuando hay tres millones de parados. Por eso quienes montan tinglados para obtener plusvalía están en una posición infinitamente mejor, más ventajosa, que quienes venden su fuerza de trabajo, Esteban. Ellos tienen una colina y una ametralladora, mientras que los otros están en terreno llano y apenas tienen armas.

Carlos buscó los ojos de Lucas sin encontrarlos.

—Como os he dicho, hay matices —continuó—. Por ejemplo, Lucas y yo al principio pensábamos que podríamos explotarnos sólo a nosotros mismos. Eso nos colocaba en una posición un poco ridícula. Uno sabe, además, que la cadena nunca acaba en uno. Pero nos dejaba más tranquilos. Muy pronto, sin embargo, tuvimos que contratar a Rodrigo y luego a Esteban, y un año más tarde a Daniel, aunque, y esto ya lo comentamos —se dirigió a él—, en el caso de un contrato de aprendizaje como el tuyo más nos valdría usar otro nombre.

—¿Hago un café? —preguntó Esteban.

La cafetera estaba justo detrás. Durante un minuto hubo silencio. Esteban fue a buscar agua y cuando volvió todos le miraron volcar la jarra en el depósito, colocar el filtro y el café, enchufar la cafetera. El interruptor rojo se encendió por dentro.

—Lucas y yo queríamos que, en la medida de lo posible, Jard fuera una empresa razonable —dijo Carlos—. Las circunstancias me han llevado a ser hoy el único socio de la empresa, pero espero que Lucas me autorice a usar el plural en el pasado.

Lucas asintió sin hablar.

—¿Razonable para quién? —dijo Daniel.

—Razonable —contestó mirándole— para quienes sostienen que no se pueden separar los fines de los motivos. El motivo y el fin de Jard era hacer buenas fuentes de alimentación, y este hacer algo bien presuponía una idea de la vida. No trabajar en contra de uno mismo, por ejemplo, con horarios infames o metido en peleas idiotas. Considerar el trabajo como la forma que tiene el hombre de relacionarse con la naturaleza y no como un instrumento del capital. En contra de lo que machacan todos los manuales de creación de empresas, pensábamos que el beneficio no tenía que ser el fin de Jard, su principio rector, sino, en todo caso, uno de sus efectos. Queríamos hacer buenos productos, quedarnos con la plusvalía necesaria para pagar materiales, y trabajar una media de horas sensata.

Carlos desvió la mirada hacia Rodrigo.

—Pudimos haber tenido suerte. En el mercado del hardware quedan islas. Es un mercado mosaico y a veces quedan teselas que no molestan a nadie, porque su rendimiento no es alto. Queríamos ocupar una de esas islas. Pero la probabilidad de encontrarla era pequeña y fallamos.

Sonaban ya los primeros estertores del agua hirviendo en la cafetera. Carlos los oía y creía ver una agitación semejante, cargada de impaciencia, en el rostro de Daniel. Rodrigo jugaba con su caja de juanolas. Lucas seguía sin mirarle. Sólo Esteban escuchaba confiado. El silencio era un latido creciente, pero Carlos no podía hacer nada, empezaba a ver que su discurso no tenía salida y que Lucas le había querido avisar. Problemas reales, apoyo logístico, de acuerdo, Lucas, de acuerdo.

—Enseguida acabo. ¿En qué situación está Jard ahora? Su único socio ha contraído una deuda personal de ocho millones. Con ellos, y con lo que vamos sacando de los otros modelos, se han pagado los gastos de Jard desde septiembre. Además, Jard ha contraído una deuda con sus trabajadores, quienes están financiando, como dije antes, la supervivencia de la empresa. Por último, Jard puede contraer una deuda de tres millones con la empresa Electra. El trato sería el siguiente: Electra financia la nueva fuente y se hace cargo de la distribución de las tres, a cambio de un porcentaje y de participar en nuestro fondo de comercio. Habría un período de prueba en el que Electra vería qué rendimiento podemos llegar a dar.

Se calló porque necesitaba asegurarse de lo que iba a hacer.

—Mi propuesta —dijo finalmente— es que si decidimos meternos en la operación y la cosa funciona, se repartan las participaciones entre todos, es decir, que Jard pague su deuda con la plusvalía financiera mediante el reparto de participaciones. Ahora bien, para aceptar el trato con Electra necesito saber que no os vais a marchar al menos en ocho meses. La contestación debo darla dentro de una semana.

Sí, lo había conseguido, Lucas le miraba. También él miraba la carta que acababa de mostrar.

—¿Qué posibilidades hay de que la operación salga adelante? Calculo que un veinticinco por ciento. Entonces, ¿qué sentido tiene quedarse aquí? Os recuerdo que hemos eliminado cualquier referencia a la amistad, los sacrificios, etcétera. Un sentido es la apuesta, hay jugadores a quienes les gusta apostar uno contra tres. Si elegís quedaros y esto sale bien, ganaréis vuestra participación en los beneficios de Jard. Pero la calidad del trabajo disminuirá. Tendremos que pasar más horas aquí y, pudiera ser también, cobrar menos.

La caja de juanolas de Rodrigo había ido rotando. Ahora

estaba, abierta, delante de él. Carlos pensó que si cogía la caja los demás notarían cómo le temblaba la mano. Tomó una sola juanola y al poner el pequeño rombo negro de regaliz en su lengua no pudo evitar la asociación con el acto de comulgar. Arrastró por la mesa la caja hasta el sitio de Daniel.

—Si sale mal, ¿qué puede pasar? —preguntó Rodrigo.

—Habréis estado trabajando ocho meses en malas condiciones. Y quedaréis en una posición poco ventajosa para buscar trabajo. Con respecto a las deudas no pasaría nada. Jard sólo responde de las deudas con su patrimonio. En ningún caso podrían embargarse salarios futuros ni nada parecido. O sólo en un caso, en tanto que administrador único se me podría embargar a mí si cometo alguna irregularidad, pero no voy a hacerlo. Lo que sí quiero hacer es contradecirme durante un minuto. Mientras, podemos ir tomando el café.

Esteban hizo ademán de levantarse, pero Carlos le sujetó el brazo.

—Antes —dijo—, una última advertencia: conviene quitarle dramatismo a mi deuda de ocho millones. Ya os he dicho que se trata de una deuda personal, se los debo a dos personas que pueden vivir sin ellos y que no van a pedirme intereses. Con esto quiero decir —y miraba a Esteban— que nadie debe quedarse por mí. No pretendo hacerme el héroe, ni yo mismo sé cuál es la actitud más prudente: no sé si es mejor seguir hipotecándonos o abandonar. Yo en vuestro lugar valoraría las posibilidades de encontrar otro trabajo, el interés que tenéis en éste, y lo que he llamado la apuesta.

Dejó que Esteban fuera por el café. Lucas repartió los vasos y Esteban servía. Carlos apretó con fuerza el cristal caliente. Estaba nervioso, bastante más de lo que había previsto.

—Voy a contradecirme —dijo— porque había pensado exponer la situación en frío, pero ahora quiero añadir lo que pienso. No sé si lo haré en calidad de empresario, o bien en calidad de uno que está en la colina con la ametralladora pero lleva malas botas, es obligado por los oficiales a disparar desde posiciones expuestas y teme a su propio deseo de insurrección. Ya os he dicho que varias veces he pensado cerrar la empresa, y que si no lo he hecho no ha sido por la deuda, ni por vuestros sueldos. Ha sido por mi reputación, es decir, por mi salario futuro, supongo; por la apuesta a ese veinticinco por ciento de posibilidades; y también —Carlos clavó los codos en la mesa y se cogió la cabeza para no mirar a Lucas— por una especie de empecinamiento. De acuerdo, apenas queda uno sólo de los objetivos con que se fundó Jard. Aunque quedara medio, podría tener sentido.

Miró a todos muy deprisa y luego bebió el café. Desde la noche anterior se había jurado que no les forzaría a contestar en el momento ni en público. Cuando se disponía a levantarse, pasó por su cabeza un recuerdo que no era suyo. Alguna vez Alberto le había hablado de la época en que organizaban manifestaciones en la facultad, y del grito: «¡Compañeros, ahora o nunca!». Comprendía que su único y vergonzante deseo era oír de Rodrigo, Daniel, Esteban y de Lucas, en respuesta a su «¡ahora o nunca!», un clamoroso: «¡ahora!».

—Si os parece —dijo— le dais vueltas durante el fin de semana. Quien esté de acuerdo con el trato, que pase por el despacho a partir del lunes.

Se levantó de golpe. Lucas se levantó casi a la vez y eso hizo algo menos extraña la situación.

En contraste con las lámparas potentes de la nave, el pasillo emitía oscuridad. Carlos no dio la luz. Miraba el suelo de un negro grisáceo y las paredes en sombra. Empujó la puerta del despacho resuelto a no salir de allí hasta que todos se hubieran ido.

A Marta le parecía que las cosas le estaban pasando a otra Marta cinco años más joven, o quizá mucho más mayor, aún no estaba segura. Al menos, quedar con Guillermo en esa terraza había sido igual que retroceder cinco años. Se habían saludado con un beso indeciso entre la comisura y la mejilla. Durante quince o veinte minutos habían comentado la realidad escogiendo cada frase con cuidado aunque fuese para hablar de la temperatura de la cerveza o de las obras de la calle. Luego Guillermo le dijo que había alquilado un apartamento. «Muy pequeño», añadió como queriendo, pensó Marta, suavizar así el significado del hecho. Tras el silencio de Marta, Guillermo había añadido que necesitaba llevarse algunas cosas, y después: «Casi nada, ropa, unos libros, la colección de soldados». Marta le dijo que fuera a buscarlos cuando quisiera, que tenía la llave y no necesitaba avisar. «Iré pasado mañana a las cuatro, ¿te viene bien?», preguntó él. Marta sólo asintió con la cabeza. ¿Qué estaba pasando? ¿En qué momento la representación había dejado de serlo y el suelo, el entarimado del escenario, se había convertido en suelo real?

Hacía media hora que Guillermo se había ido. Se levantaron los dos, pero una vez que Guillermo se perdió de vista, Marta volvió a la terraza y eligió la misma mesa. Apenas dedicó un segundo a pensar cómo interpretaría su actitud el camarero. No le importaba porque le parecía que ella no era la Marta Timoner que trabajaba en el Ministerio de Transportes, la que vivía con Guillermo en un quinto piso, la que tenía treinta y dos años y llevaba puesta una camiseta de rayas azules y blancas que le daba un aire de marinero francés. Ella era otra Marta, más joven y más vieja, una Marta que no vivía en tiempo real. Una Marta venida de un universo distante con la misión de hacer comprensible lo incomprensible. Esa Marta pidió café con hielo.

Movía el vaso y miraba las piernas y los zapatos de quienes estaban sentados cerca. Debía calmar el borbotón de furia, impidiendo que la invadieran el fatalismo y la tristeza, la sensación de haber sido abandonada, el impulso de buscar la revancha mediante un golpe de efecto más fuerte aún que el de Guillermo. Hacía viento. Marta cerró los ojos y se soñó en Alemania. Eso era, se dijo, lo que tenía que calmar, el «tú te has ido a un apartamento, pues yo me voy pero a otro país». Entonces pensó que Guillermo no se había ido. Había alquilado un apartamento porque los dos tenían un problema. Y Marta se acordó de la casa de Ciudad Jardín. Estaban a 10 de mayo, la contestación debían darla antes del 6, luego la casa ya la habían perdido, pensó, aunque imaginaba que en otras circunstancias podrían intentarlo aún. Tal vez era un problema que a ella se le hubiera pasado la fecha, pero más grave debía de ser que ella no quisiera pensar en la casa y que Guillermo pensara demasiado. Había muchos otros problemas, reconoció. Estaba el final de su contrato de asistencia técnica y la reciente posibilidad de un nuevo contrato de asesora que la obligaría a viajar todas las semanas, estaba la decisión de tener hijos, y Carlos. Estaban, se dijo, como siempre, los caballos y los soldados de plomo. Caballos frente a soldados, caballos imaginarios, sudorosos, brillantes, frente a inmóviles, firmes, soldados de plomo.

Pagó el café. La separación le había pasado a ella, era miércoles, eran las nueve de la noche del 10 de mayo del 1995, y al día siguiente sería jueves, y al otro viernes y entonces Guillermo iría a buscar su ropa, pero ella estaría en el ministerio. Cómo sería el apartamento que había alquilado. Ni siquiera sabía en qué calle estaba. Recordó que el sábado era la fiesta de despedida de Jorge y Concha y se preguntó si Guillermo iría y cómo tendrían que comportarse. ¿Habría contado algo? Se dijo que era todo una locura, una estúpida locura; ella misma, al dejar que todo siguiera adelante, se estaba comportando como una loca, como el copiloto imprudente que ante la velocidad desmedida del conductor calla, arrastrado, también él, por el vértigo sin límite. Y al pensarlo notó que se ruborizaba, no podía trastocar tanto las cosas, quién iba a aceptar la imagen de Guillermo, el flemático, haciendo trizas el cuentakilómetros. Guillermo se había bajado del coche, y ella seguía pulsando el acelerador. Por vez primera se asustó. Si Guillermo había echado a andar fuera de la carretera tal vez ya no diera con él. Ella sabía que había una trampa en comparar mediante cantidades la velocidad del coche y la del peatón. Eran velocidades cualitativas.

El viernes, a la vuelta del trabajo, Marta buscó una nota sin encontrarla. El armario un poco más vacío, aquí y allá los libros más holgados en las estanterías, la deserción en masa de cuarenta soldados de plomo. Entonces Marta llamó a la consultora. Guillermo acababa de llegar, le dijeron. Marta, con la voz tensa, le preguntó si iba a ir al día siguiente a la fiesta de Jorge y Concha, y también si había contado lo del apartamento. «Sólo a Jorge —dijo Guillermo—. Le he contado lo mismo que a ti.» «Vale, un beso», dijo Marta, y colgó, pero no valía. Fue a buscar un cenicero y se puso a fumar junto al teléfono. No valía, pensaba, el papel que le había tocado en la obra, no quería hacer lo que se suponía que debía hacer, llamar esa noche a Cristina a Barcelona y contárselo todo, hablar de la vida, de Guillermo, de los amantes de Cristina. No valía que Guillermo hubiera decidido darle importancia a la relación de los dos, colocándola en el centro. Siempre se habían reído de las metapelículas, las metanovelas, las metaconversaciones. Cuando en una discusión se empezaba a discutir sobre la discusión, había que dejarlo, decía Guillermo. Ella estaba de acuerdo y solía dejar los libros cuando descubría que sólo trataban de escritores que escribían libros. Guillermo decía también que su relación, su relación entera, pieles rojas ardiendo y desayunos, techos y contadores de agua, tardes de hablar, habría de ser un equipo de campaña para la vida. Y cada vez que esa palabra, vida, sonaba con el timbre arduo de la voz de Guillermo, Marta creía vislumbrar una existencia mejor que la ansiosa custodia de bienes y derechos adquiridos: una síntesis de carne y filosofía, los brazos frescos y morenos de Guillermo y la razón, su pelo rizado y las luchas políticas, sus manos grandes y el placer. ¿Por qué meterse entonces en una metarrelación? ¿Por qué en vez de estar juntos, quizá también con Santiago, hablando de Carlos, de su empresa y de cómo podían ayudarle, por qué tenían que estar separados hablando cada uno del otro? Marta se resistía y por fin decidió no llamar a nadie, quedarse en casa escuchando música y leyendo.

Al rato fue a la cocina a preparar una ensalada. Cuando cortó la cebolla vio que estaba mala por dentro. Habría podido aprovechar las partes buenas. Sin embargo, tiró la cebolla entera, porque esa especie de pequeño tumor la había desasosegado. No era nada, se dijo. La cebolla llevaba ahí demasiado tiempo. Apagó la luz y salió de la cocina, ya cenaría más tarde. Y se sentía como una persona tacaña que al ir a usar su dinero lo hubiera encontrado lleno de tubérculos, de moho. Volvió a acordarse de Carlos. Se alegraba de haberle prestado los millones. Era lo único que la calmaba, la única decisión de los últimos meses con la que estaba de acuerdo. Tuvo ganas de llamar a Guillermo y decirle que las relaciones que se convertían en tema de conversación eran iguales que esa cebolla podrida por dentro, iguales que la tacañería. Decirle que si no hubiera cosas que hacer entonces los dos podrían pasarse el día juntándose y separándose. Pero el tiempo estaba ahí, aquel jersey que ella nunca había querido dejar a su hermano Bruno, un día apareció apolillado en el armario, y si su hermano no se lo hubiera pedido, y si ella no hubiera dejado de ponérselo por temor a mancharlo, entonces los pequeños agujeros en la lana no le habrían dolido tanto. «Cosas que hacer», quería decirle Marta, sólo que luego miraba la lámpara, el aparato de música, la estantería y se preguntaba cuáles, qué cosas tenían que hacer.

Santiago acababa de colgar el teléfono cuando Leticia salió del dormitorio al baño. Desde hacía dos fines de semana, desde Gredos, Santiago no había vuelto a casa de Leticia. La primera semana durmieron separados porque Leticia tenía a la niña. Los fines de semana la tenía el padre, y Leticia se iba a Vázquez de Mella. Santiago había visto a Irene tres veces. Le había gustado por su mezcla de desparpajo y timidez. Él comprendía bien esa mezcla. También le había gustado cómo la vestía Leticia, y cómo la trataba. Santiago quería pensar en su conversación con Vicente Castro, pero se le cruzaba la silueta de Irene de pie junto a Leticia, su cabeza un poco torcida para apoyarse en el muslo de la madre. La noche anterior Leticia le había dicho que Irene preguntaba por él, y había querido saber si tenía algún motivo para no ir a su casa, si tal vez se trataba de celos retrospectivos. Él contestó con un escueto «Es posible», no porque los sintiera, sino porque su relación con Leticia le hacía estar en tensión y necesitaba zonas de descanso que mantuvieran a Leticia distraída, permitiéndole ganar tiempo.

Al oír el agua de la ducha se dijo que también ella podría estar sintiendo los celos que le había atribuido a él, celos de su pasado. Santiago no creía en esos celos. El pasado no existía; el pasado sólo existía en el presente. Él no tenía celos de los años que Leticia había vivido con el joven filósofo, lo que le importaba era el lugar que los recuerdos de lo vivido podían ocupar en el presente. ¿Acaso no le había contado a Leticia cuál era su postura en el estudio de la historia? ¿No le había hablado de la tesina que le valió su primer contrato en la universidad, una crítica materialista del plan de estudios titulada *La rebelión de la inteligencia*? Los celos retrospectivos sólo significaban que uno no había determinado bien su posición en el presente. Él sí lo había hecho, y ahora debía fortalecer esa posición para llegar a entrar en casa de Leticia como quien entra en su morada natural. No quería sentirse un arribista, pero menos aún un hospiciano, ni un huésped. Cierto que no envidiaba la actitud que le había tocado asumir a Leticia. Siguiendo la estela de tanto turista intelectual de bajos fondos, Leticia hacía turismo de la alta burguesía en el piso de un pequeñoburgués con pretensiones bohemias.

A Leticia le había gustado su piso desordenado, porque sabía que ella nunca viviría en él más de una semana seguida; los ricos, razonaba Santiago, sois materialistas por experiencia, por educación. Los ricos sabéis mejor que nadie cómo cuentan los metros cuadrados de una casa, tener la posibilidad de aislarse en un cuarto amplio, ventanas que den a sitios apacibles, una buena bañera. Para los ricos los celos retrospectivos son un juego literario, y os gusta jugarlo, jugar a que el dinero no da la felicidad. Quizá tú tengas miedo a las imágenes de Sol en esta casa pero sabes que, para seguir contigo, deberé deshacerme de la casa entera.

Leticia cruzó envuelta en una toalla, camino del dormitorio. Santiago decidió no preparar el desayuno con un sentimiento de despecho. Quiso averiguar a qué obedecía. Tengo que protegerme, pensaba, resarcirme de todo cuanto ella me obligará a hacer. Leticia se acercó con ropa casi de verano; el vestido le llegaba por encima de la rodilla. Santiago hizo un gesto para que fuera a sentarse encima de él; ella estaba sentándose en una silla próxima y no lo vio. Él alargó la mano, la puso sobre su rodilla. «Buenos días», dijo ella, y sonreía con generosidad, como quien está alegre de dar algo, pensó Santiago, igual que la abuela Joaquina cuando le mostraba el melocotón que iba a ponerle de merienda. Se levantó, cogió la cara de Leticia entre sus manos para besarla y dijo: «Ven, vamos a desayunar y a leer el periódico en un café de los de antes». Buscaba una chaqueta y su cartera pensando que Leticia también había sido llevada y traída de una casa a otra casa, de una familia a otra. En cierto modo, si había tolerado su altivez era porque Leticia no parecía ejercerla con gusto sino con aplicación. Recordó que al principio, en las fiestas donde la encontraba, le había llamado la atención su forma de moverse entre los grupos: Leticia procuraba cubrir los huecos antes que rodearse de invitados interesantes, como si ni aun queriéndolo pudiera desprenderse de su condición de anfitriona.

En el ascensor y en la calle Santiago se mostró cariñoso. Le apenaba haber estado alimentando el despecho minutos antes. Debía contarle a Leticia la llamada que lo había desencadenado.

—He hablado con Vicente Castro, no sé si le conoces, un profesor de mi departamento —le dijo cuando ya estaban sentados en el café.

—Me suena —contestó ella.

—Nos habían propuesto hacer un libro para los de segundo. Al final hemos aceptado.

Leticia iba a empezar a beberse el zumo de naranja, pero dejó la copa en la mesa.

—¿Estás contento? —preguntó.

—La verdad es que no. Nunca me ha parecido bien el negocio de los libros de texto. ¿Para qué hacer un libro más? Vicente y yo no vamos a aportar nada, porque no estamos en el momento de aportar en ese campo, y porque además nadie nos pide que lo hagamos. Simplemente somos profesores de la asignatura y se sabe que los alumnos comprarán el libro.

—¿Y no puedes negarte?

—Poder sí que podría, pero las cosas nunca son tan claras. Diciendo que no, cedes un territorio que otro ocupará por ti. Y a lo mejor luego lo necesitas y te arrepientes.

Santiago echó medio sobre de azúcar en el café. No quería hablar del dinero. Sin embargo, tampoco quería quedar como un profesor mezquino, siempre a la defensiva y temeroso de perder el terreno ganado. No le parecía que esa imagen se correspondiera del todo con su situación real. Él había aceptado más que nada por el dinero y al fin lo dijo:

—Además, necesito el dinero.

Leticia bajó la mirada. Podía creer que él estaba echándole algo en cara, pensó Santiago. Para evitar un equívoco, añadió:

—Es una historia larga. Alguna vez te he hablado de mi amigo Carlos. El caso es que me pidió dinero, pero prefiero contártelo otro día.

Ella acabó el zumo.

—Aunque sea un libro de texto, seguro que podéis aportar algo —dijo.

—Tiene que estar en septiembre y aún no hemos empezado. Más vale ser realistas.

—¿Lo harás este verano?

—Sí.

Leticia le miró y Santiago adivinaba lo que iba a preguntarle y le gustó que ella se contuviera. Con la misma elegancia con que al principio había dejado la copa de zumo en la mesa para interesarse por lo del libro, dejaba ahora pasar los segundos llevando la mirada a la ventana del café. Él entonces se adelantó:

—Puedo trabajar en cualquier sitio, también estando acompañado y con una niña llamada Irene.

—Bueno, ya se verá —dijo Leticia riendo, y le besó en el cuello.

El martes 6 de junio, a mediodía, Ainhoa terminó de ver a sus enfermos. Con la bata puesta salió del edificio. A las doce y media estaba convocada una asamblea para hablar de la huelga, pero ella no pensaba quedarse. Desde el principio había estado en contra de que los médicos usaran ese método para pedir un aumento de sueldo repentino, sin conexión alguna con los aumentos de otros sectores. En su imaginación la huelga era algo más que un método y le parecía frívolo servirse de ella sin más. Ahora, después de casi un mes de comportamientos bochornosos, le sublevaba oír siquiera una mención del rosario grotesco de justificaciones.

Miró a su alrededor. Se le hacía raro estar con la bata al aire libre, sobre todo debido al buen tiempo, a ese sol que la deslumbraba al reflejarse en la pintura brillante de los coches. Nunca era ella quien iba a ver a Pablo, se dijo mientras bajaba la cuesta. Siempre era Pablo quien subía a la cafetería y, por la tarde, la iba a buscar. Cuando coincidían en una guardia, también era Pablo quien la visitaba. Empezó a aminorar el paso. Llevaba toda la mañana pendiente de ese momento. Desde que dio los buenos días a sus compañeros al llegar, pero tal vez incluso antes, conduciendo el coche, había decidido que ese martes tendría un antes y un después, que a las doce y media iría a Medicina Interna para ver a Pablo y que cuanto sucediera luego ya no sería sólo responsabilidad suya.

Ahora, a menos de doscientos metros del edificio de Pablo, vacilaba. Miró hacia los lados buscando un sendero. Aunque sabía que no había ninguno, necesitaba cruzar la cuneta y meterse por un sendero de hierba pisada. Evocó el que había cerca del caserío de sus padres: un sendero en cuesta que iba haciendo curvas hasta un punto donde la carretera se perdía de vista. La hierba pisada se extendía ahí formando un óvalo inclinado y, después, el sendero se cortaba. Hacía muchos años había llevado a Carlos a ese lugar. Ahora, a su alrededor sólo había asfalto y verjas, y algunos pinos bajos cuya presencia Ainhoa aceptó agradecida. Dobló hacia la derecha y tocó con la mano la corteza de uno. Dio unos pasos más buscando algo que sirviera de parapeto, que la tapara. Un depósito cuadrado de cemento tenía la altura de su cadera. Ainhoa lo alcanzó, se sentó en el suelo de tierra y matorrales secos y, sintiéndose resguardada por el cemento, por los pinos, se echó a llorar.

No sabía lo que quería. Era como si Carlos se estuviera marchando, como si cada día se fuera algo de Carlos, un tobillo, una expresión, y viniesen los de un desconocido. Timbres, platos y cubiertos, llaves, todo auguraba el momento en que, durante la cena, ella misma le diría: «Mira, no eres Carlos, eres otro y casi no te conozco y no sé qué hacemos viviendo juntos; lo más práctico será que nos separemos». Ainhoa lloraba pensando que Carlos vivía ajeno a cuanto estaba preparándose, pero ella sí se daba cuenta porque oía el entrechocar del agua contra los muebles, había cristales rotos en la alfombra y la autosuficiencia de Carlos se cernía sobre cada una de las habitaciones. Se abrazó las piernas. El sol la bañaba entera, delatándola. No debía llorar más, tenía que calmarse. Acalló los sollozos poco a poco. Recordaba el año que conoció a Carlos, y cómo entonces había creído que él sabría enseñarle a vivir. Él le mostraría lo que no era sendero sino linde del bosque, la imagen de lo ajeno que permanece vivo, la tensión entre lo esperable y lo inesperado. No bastaba con ser una buena médica, porque allí detrás, en lo oscuro, temblaban ramas, respiraban animales, y Carlos iba a llevarla a la linde del bosque, iba a decirle: «Escucha, el mundo es más que repetición y decadencia, es también un impulso hacia lo posible, mezcla y superación». Ainhoa ansiaba acompañarle de noche por el campo, pero Carlos había partido sin ella. De nuevo notó el calor de las lágrimas, esta vez llegaban sin ruido mientras se decía que a lo mejor habría podido no juzgar a Carlos.

Escondió la cabeza, un llanto agitado de niña le iba creciendo en el pecho y notaba que no lo podría contener. Carlos se lo había puesto difícil. Había sido difícil no salir huyendo con Diego dentro de ella cuando él le contó su adulterio. Sin embargo, Ainhoa se había quedado, y había querido mostrarle que no se quedaba porque aprobara su comportamiento, pero tampoco porque lo condenara. No se quedaba sino que estaba con él. Ainhoa respiró hondo. Luego se dijo que Carlos no había entendido eso, no había podido oírlo. Y le tiritaba la boca, porque Carlos no había siquiera confiado en la posibilidad de oírlo; por eso prefirió pasar a la empresa directamente, sin una pregunta, sin descanso, sin una tarde de estar juntos y tranquilos los dos. Él no buscaba en Jard, como decía, sólo un lugar de trabajo razonable; buscaba también una forma de quedar limpio, un sitio donde ser perfecto. Ainhoa cogió un clínex del bolsillo de la bata. Se sonó procurando no hacer mucho ruido. Pensaba que si Jard iba mal, Carlos empezaría a odiarse, pues el fracaso de la empresa le haría sentirse para siempre sucio, impuro, mortal. Y si Carlos empezaba a odiarse, dejaría de quererla. Aunque regresara y se aferrase a su cintura y permaneciera a su lado cada hora, ya no la querría, siempre era igual, siempre las personas descontentas con ellas mismas acababan echándoles la culpa a quienes tenían cerca. Carlos lo haría, pero no porque fuera especialmente malo, sino porque estaba demasiado necesitado de no serlo.

Ainhoa levantó la cabeza. Tocó con la palma de las manos el suelo caliente de sol. Empezaba a tranquilizarse, notaba un cansancio suave por todo el cuerpo, en las piernas, en el estómago, en las axilas. Y el cansacio le hizo pensar que a Carlos debían de haberle fallado las fuerzas muchas veces. Si al menos se lo hubiera contado, entonces ella habría podido servirle. Aún respiraba muy deprisa pero supo que no iba a llorar más. Esperaría a que se le descongestionara la cara y luego iría a ver a Pablo. Asomó la cabeza por detrás de la pared de cemento. No había nadie cerca. Se levantó. Le parecía tener agua en los huesos. Necesitaba que alguien la cogiera, la sostuviera y no ser invitada a pensar que, al cogerla, le estaban haciendo un favor. Hacía tanto tiempo que tenía la sensación de que Carlos no la cogía sino que se ocupaba de ella. Si ahora acudiese a Carlos, él se ocuparía de ella, la acunaría, pero en cambio estaba segura de que cuando Pablo la viera, sus huesos también se llenarían de agua y los dos buscarían un cuarto temblorosos, sabiendo que los cuerpos brillan y se apagan.

Segunda parte

I

Desde el promontorio sólo se veía el mar, limpio y extenso. Las voces de los bañistas, después de doblar la ladera y el acantilado, llegaban allí convertidas en un suave rumor homogéneo. Una motora cruzó delante. Santiago siguió con la mirada la estela de aquella intromisión estridente. Dio una calada y levantó la vista hacia el horizonte. Terminado el cigarrillo, iría a buscar a Leticia y a Irene y las bajaría a la playa de Llafranc en el Rover. Después volvería a casa para seguir con el libro de texto. Si fuera capaz, se dijo, de no pensar y solamente beber despacio el entorno. A menudo, cuando miraba a Leticia, calculaba cuánto paisaje había en su mente. Selvas, océanos, ríos, desiertos, cataratas. No era un cálculo resentido. Leticia regalaba lo que había visto sin esperar a que se lo pidieran, y parecía que su alegría estaba hecha de eso: islas, cumbres y playas, volcanes y puertos blancos. Debía de ser una cuestión de mínimos, pensó. Sólo cuando el cerebro sobrepasaba un umbral de imágenes bellas dejaba de querer encontrarles sentido y lograba absorberlas en estado puro, como una vitamina que diese claridad a los ojos, a la piel. Como él aún no había sobrepasado ese umbral, no podía mirar sereno. Según los frailes de su colegio, frente a la naturaleza había que aspirar a estar en paz con Dios. Pero él había renegado muy pronto de la herencia religiosa. Recordó el año que conoció a Carlos y a Marta. Ellos le hablaban de un grupo cristiano y él les decía que era materialista, que los hombres vivían solos en el mundo, solos con su memoria. Había que aspirar a tener una vida de la que no avergonzarse para así estar en paz con el presente. Sin embargo, faltaba un mes exacto para el 16 de septiembre. Entonces él cumpliría treinta y tres años y no estaría libre de vergüenza. Tal vez nadie lo estaba. Apagó el cigarrillo en un tronco, después guardó la colilla en el celofán del paquete. Y aunque sabía que era una debilidad, deseó un Dios. Un regazo de absoluto donde cupiera el mar y también su vida. Rechazó la imagen del regazo medroso de su madre. Su abuela, pensó, podía quererle y al mismo tiempo decirle si había hecho algo mal. Era una mujer alegre y no rezaba; su abuela Joaquina había muerto confiando en él. Su madre sí rezaba y era débil, se dijo. Dio la espalda al mar. Abajo, entre los árboles, se distinguía el azul cambiante del Rover.

El sábado 19 de agosto Marta salía de comprar libros y un diccionario de alemán cuando vio a Manuel Soto. Iba sin corbata. Llevaba una camisa de un rojo oscuro agradable y pantalones vaqueros.

—Tú por aquí —dijo él, y le dio un beso—. Pensaba que habríais salido de Madrid.

—He cambiado de trabajo. ¿Y tú no te has ido?

—No suelo coger las vacaciones en agosto. Ahora iba a comprar un disco. Si me esperas, tomamos algo.

Marta asintió mirando la hora. Eran las doce y media. Fueron al quiosco de Alonso Martínez, pero no se sentaron en la terraza porque Marta tenía prisa. Se quedaron en la barra y cada uno dejó sus compras en el suelo.

—¿En qué trabajas ahora?

—Mi antiguo jefe me ha reclamado; estoy como asesora en la Dirección General de Coordinación Técnica Comunitaria. Vivo entre Bonn, Bruselas y Madrid.

—¿Te gusta?

—De momento, no me cansa. Alemania me gusta bastante.

—Me refería a tu trabajo.

—Digamos que me sirve.

—Pero supongo que estarás en contra del Tratado de Maastricht.

—Supones bien. Y no voy a decir que intentaré aportar algo distinto desde dentro, porque no creo que se pueda.

—¿Entonces?

—Entonces nada. Este trabajo me hacía falta.

—Perdona, no he querido recriminarte. Es que estaba convencido de que tenías alguna estrategia, algún motivo ideológico.

Marta se acabó de un trago la cerveza y encendió un pitillo.

—Tenía un motivo ideológico para no cogerlo. A nadie le gusta trabajar para ser la empleada de la semana de El Corte Inglés.

—No creo que precisamente una asesora de Exteriores sea eso.

—¿Por qué no? Tú y yo trabajamos para que nos paguen, igual que si en vez de asesores fuéramos camareros o dependientes de El Corte Inglés. Y encima intentamos hacerlo bien para que nuestro sentido calvinista de la vida y nuestros jefes nos pongan el cartel de empleados de la semana.

—No parece que sea lo mismo despachar blusas que hacer un informe económico.

—Es lo mismo —dijo Marta cogiendo velocidad— desde el momento en que no puedes decidir el sentido de lo que haces. Aunque hagas el mejor informe económico del país, si no te interesa o no estás de acuerdo con el objetivo de ese informe eres igual que cualquier trabajador: haces lo que te ordenan para ganar un sueldo.

—Un sueldo más alto que el del dependiente de El Corte Inglés.

—Sí, es verdad. Pero hemos renunciado a trabajar en algo que nos parezca justo. ¿Te acuerdas de *El puente sobre el río Kwai*? —Manuel asintió—. ¿Para que sirve hacer un buen puente si va a ser utilizado por el enemigo? Y eso que con un puente todavía hay esperanzas de que lo usen otros. Igual que si eres sastre, y todavía más fácil si eres médico. Haces tu trabajo y aunque vayas a beneficiar a los de siempre, sabes que hay algo objetivo en una chaqueta o en una operación de apendicitis. Pero en nuestros trabajos no hay nada objetivo.

—¿Seguro que no quieres que nos sentemos? Te veo con ganas de polémica.

Marta miró de nuevo su pequeño reloj negro y plateado.

—Sólo puedo quedarme un cuarto de hora —dijo.

—Nos sentamos, tú te quedas ese cuarto de hora y después yo amortizo la mesa lamentando tu ausencia y leyendo el periódico.

Pidieron otras dos cañas. Desde su silla, Marta veía la figura de Manuel sobre una gran confusión de coches. De repente se le había pasado la agitación, el énfasis. Ya no le apetecía discutir. Fue Manuel quien retomó la conversación.

—Pues, chica, lo siento —dijo—. Si no me equivoco, el sueldo de un asesor está por las trescientas cincuenta, sin contar viajes, pluses y demás. Estarás hecha polvo, claro. Trabajas para el enemigo, eres igual que una dependienta de El Corte Inglés. Encima, te suben el sueldo, con lo que tu mala conciencia también habrá subido.

—No me quejaba —dijo Marta, divertida—. Tampoco estoy pidiendo un trabajo ideológicamente puro; no creo que en este momento los haya. Pero tú me has preguntado si tenía una estrategia y eso es justo lo que echo en falta, me gustaría saber por lo menos cómo no obstruir el paso a los que vengan con fuerza para cambiar esto. Cuando vengan. Si vienen.

—El que estará encantado con tu nuevo trabajo será tu amigo Carlos.

—La verdad es que ya no me corre prisa que me devuelva el dinero.

—Haber empezado por ahí —dijo Manuel—. Ahora lo entiendo todo. Claro que tienes una causa noble para haber aceptado el cargo de asesora.

—Tú aceptaste trabajar en una televisión privada por tus padres o por el día de mañana, o para vivir. Todos tenemos una causa noble.

—Pero admite que en la nobleza también hay clases. Hay causas muy nobles y no tan nobles.

—Te digo una poco noble. Mi contrato habría terminado en julio y está claro que hay trabajos y sueldos peores que los nuestros. Sobre todo cuando no te los ofrecen sino que tú te tienes que ofrecer. Manuel —su tono había cambiado—, ¿somos masoquistas y por eso quedamos de vez en cuando?

Manuel tardaba en contestar.

—Te voy a coger un pitillo —dijo por fin acompañando el gesto—. Yo creo que todo el mundo intenta sacar algún placer o alguna utilidad de lo que hace. Supongo que te sirvo de gimnasia. Conmigo practicas golpes y contragolpes. En mi caso, supongo que me meto contigo para que lo oiga el idealista que yo también llevo dentro. Conviene mantenerlo a raya, porque esos tipos se aprovechan de tus momentos de debilidad y pueden joderte la vida.

—Como Carlos, quieres decir.

—No, Marta, lo decía…

Por los caballos, pensó Marta, y le interrumpió:

—Ya te he entendido —dijo.

—En realidad —dijo Manuel—, hoy no hemos quedado, nos hemos encontrado. Pero, al margen de todo, a mí me gusta verte. Me gusta tu forma de pegarte con la vida. Me recuerda a la típica escena de las películas de internados ingleses. Dos chicos de piel pálida se revuelcan sobre la hierba, peleándose, y todo hace pensar que cada uno está descubriendo su deseo del otro.

Marta consideró la frase; se imaginaba pegando y abrazando a la vida sobre un campo de césped, cuando sus ojos dieron con los de Manuel. Demoró la mirada unos segundos.

—¿Puedo ser indiscreto? —preguntó entonces Manuel—. ¿Qué es lo que te gusta de mí?

—Que eres valiente —dijo Marta enseguida, y pensaba en Guillermo. Pensaba que Manuel era capaz de aceptar los hechos sin disfrazarlos, sabiendo que muchos de ellos contenían trampas y tragedias. Guillermo también aceptaba los hechos pero, más que valentía, en él había temeridad, una especie de convicción descuidada de que nunca pasaría nada malo o de que, si pasaba, nunca lo sería tanto como le hacían creer desde fuera. Después pensó que no dejaba de censurar a Guillermo. Miró la hora y se levantó—. No puedo quedarme más —dijo mientras sacaba la cartera del bolsillo.

—Estás invitada —dijo Manuel.

—Pero he cambiado de trabajo.

Manuel sonrió sin contestar.

—Gracias —dijo Marta—. Me toca llamarte.

Anuncios de material escolar jalonaban la radio y las aceras. El curso, el año, una continuidad afable, pensaba Carlos, una continudad que un día podría hacerse afable. Aparcó su vespa en la plaza de Matute. Estaban a 6 de septiembre y él llevaba dos días llamando a Guillermo al trabajo. Por fin, esa mañana, en la consultora donde colaboraba le habían dado un número. Carlos habló con él y Guillermo le confirmó la noticia: vivía solo en un apartamento, Marta seguía en Bailén. Carlos se enteró, además, de que una intoxicación le había tenido en cama los dos últimos días. La alegría con que Guillermo parecía recibir su llamada le hizo avergonzarse de haber estado buscando un pretexto y no llegó a utilizarlo. Había pensado pedirle la referencia de una tienda de antigüedades adonde le había acompañado una vez añadiendo, lo cual era cierto, que iba a comprar allí el regalo de cumpleaños de Ainhoa. Sin embargo, le preguntó si podía ir a verle a eso de las siete, cuando saliera de Jard. Quería hacerlo y se veía incluso con la seguridad suficiente para conversar sobre lo ocurrido entre Guillermo y Marta. Porque, si bien Jard no había remontado todas las dificultades, las cosas parecían estarse enderezando: las dos primeras variantes de la fuente de Lucas funcionaban bien. Ojalá, se dijo, no fuera aventurado opinar que el acuerdo con Electra también funcionaría.

Buscó el número del portal. El sitio era alegre. Desde la esquina con Huertas la vista alcanzaba los árboles del Retiro. Aunque de la plaza quedaba sólo una calle ligeramente ensanchada, en la distribución de los edificios se apreciaba todavía cierta conformidad con el espacio. El portal estaba abierto. Subió los tres pisos sin esfuerzo, pues los peldaños de madera tenían la altura justa. Llamó a la puerta con los nudillos. Guillermo llevaba puesto un jersey muy largo, de andar por casa, pantalones anchos y babuchas.

—¿Cómo te encuentras? —preguntó al entrar.

—Perfectamente —dijo Guillermo conduciéndole hacia un pequeño salón—. Ayer, cuando llamaste, estaba medio dormido. Pero mañana iré al trabajo. De las siete veces que he estado en Marruecos, cuatro he vuelto con este cólico. Pasas dos días malos y luego empieza a remitir. ¿Una cerveza, ginebra, un té moruno?

—Cerveza, gracias.

El salón tenía muy poco fondo, como si fuera medio salón, pensó Carlos. Había dos sillas y un sofá de dos plazas cubierto con una tela. Acompañó a Guillermo a la cocina, que era también pequeña. Supuso que detrás de las paredes habría otro apartamento con los medios cuartos sobrantes. Guillermo cogió una tetera y dos vasos. Él sacó una lata de la nevera.

Se sentaron los dos en el sofá. En la pared de enfrente estaba colgado el retrato de una mujer con un vestido azul marino abotonado hasta el cuello. No se parecía a Marta, pero sí un poco a Guillermo. Carlos pensó que podía ser su madre, aunque no quiso preguntarlo. No sabía cómo inaugurar ese momento. Caía el té dentro del vaso de cristal de Guillermo.

—¿Te gusta madame Cézanne? —preguntó Guillermo señalando el retrato con la cabeza. Carlos asintió.

—Vaya —dijo—. No estoy muy fuerte en pintura. Había pensado que era tu madre.

Guillermo vio a su madre, delgadísima, su cara llena de arrugas bajo el sol de Chaouen. Se preguntó si podía compartir esa imagen con Carlos.

—Está bien este sitio —dijo Carlos. Su claustrofobia del principio cedía bajo la última luz de la tarde. También debían de contribuir, pensó, la actitud de Guillermo y el frío grato de la cerveza—. Cuéntame qué haces aquí —se atrevió a pedirle.

Guillermo había terminado el té. Dejó el vaso en el suelo.

—Espero —contestó—. Imagino que si hablas con Marta te dirá que el préstamo no ha tenido nada que ver en todo esto. Lo dirá para tranquilizarte, y es posible que lo crea. Yo, para tranquilizarte, te digo que sí ha tenido que ver.

—No sé si te entiendo —dijo Carlos mirando a la mujer del vestido azul. Con retraso, como después de un golpe brusco le llegaba el calambre y el aturdimiento. Guillermo ahora está afectado, se dijo. Lo que dice es subjetivo, y Carlos trataba de retener los restos de su incipiente bienestar. Guillermo encendió una pequeña lámpara. La noche estaba cayendo deprisa. Las nubes ya eran apenas una mancha oscura y encima, en el cristal, se superponía el reflejo brillante de la lámpara. Guillermo echó más té en el vaso.

—¿Otra cerveza?

No te justifiques, Carlos, no hagas nada por defenderte, no dejes que se den cuenta.

—Yo la cojo —dijo, y se levantó.

Guillermo se levantó también. Trajo un radiocasete, un ladrón y una cinta. Por un momento el cuarto quedó a oscuras. Luego la lámpara volvió a dar luz y Guillermo puso la cinta. Carlos creyó reconocer una cantata de Bach.

—«Y cuando pase la tempestad furiosa, bajaré del barco a mi propia ciudad» —recitó Guillermo. La cantata 56 era la preferida de su padre. Pensó que su padre había crecido en un Madrid en llamas y después se había quedado en ese Madrid dividido pues aun en la derrota era su ciudad. Sin embargo, él no sabía cuál era su ciudad, adónde volver cuando pasara la tempestad furiosa. Menos mal que la música aliviaba el silencio, porque no tenía ganas de romperlo. Durante un tiempo había elegido creer que su ciudad eran Marta y unos hijos, y los demás, los suyos: su madre, sus hermanos, sus amigos, Jorge y Concha, Enrique, Álvaro, los amigos de Marta. Pero ¿y si no bastaba? ¿Y si era de ilusos querer sustentar una ciudad propia, una determinada manera de vivir sin que se la tragara el mismo sistema de socialización permanente que se tragaba todo, la moral y la política, la justicia y la amistad, el sentido de lo verdadero y lo falso? ¿Y si Carlos, él mismo y todos sus iguales estaban condenados a cumplir deseos que no les pertenecían?

—¿Qué piensas hacer ahora? —preguntó Carlos.

—No lo sé. Adorno dijo que cuanto mejor comprende uno la sociedad, más difícil le resulta serle útil, insertarse en ella. Piensa en tu hijo. Si sólo lo comprendieras, serías un cero a la izquierda para él. Pero lo comprendes y le das la merienda, lo riñes y lo echas de menos y a veces no lo comprendes, y todo está unido. Algo así me pasaba con Marta. Ahora la comprendo mejor, pero no la toco. Y es como si esta situación se hubiera contagiado al resto de mi vida. Comprendo mi trabajo de ayudante de meteorología, pero no lo toco; comprendo los informes que nos encargan en la consultora, pero no los toco.

—Está bien tomar distancia de vez en cuando. Las crisis cumplen esa función. —Carlos había doblado por la mitad la arandela unida a la lata; ahora intentaba desprender la pestaña.

Guillermo se rió.

—Es verdad. —Y volvió a reír—. Una crítica de mi vida, en román paladino, una crisis. Los lugares comunes son una cura de humildad. Debo de estar en la crisis de los cuarenta. —Miró a Carlos a los ojos—. Ya te contaré qué pasa. ¿Y tú? ¿Cómo te van las cosas?

Carlos se encogió de hombros. Jard, dijo, iba un poco mejor, y estaba contento porque había llegado a un pacto con tres de los cuatro que trabajaban con él, un pacto de resistir al menos hasta marzo del año siguiente. En cambio, con Ainhoa, algo no marchaba del todo.

Carlos guiñaba los ojos esforzándose por distinguir el contorno del busto de madame Cezánne, a la vez que tanteaba en su memoria: ahí estaba su pretexto como una puerta falsa.

Precisamente, dijo, quería hacerle un regalo especial a Ainhoa, un regalo con edad, simbólico, y había pensado en aquella tienda de antigüedades adonde Guillermo le llevó una vez. ¿Cuál era la dirección exacta?

Cuando Guillermo estaba apuntándola, sonó el gatillo de la cinta. Se levantó para darle la vuelta y puso la segunda cara, pero Carlos se había levantado también.

—Me voy a marchar —dijo—. Seguiremos otro día, ¿no?

—Claro —dijo Guillermo.

Hasta la ventana llegaba el ruido de la moto de Carlos. Luego Guillermo encendió la luz del techo y se quedó mirando el cuadro de madame Cézanne. Pensaba en su madre. En los naranjos. En su viaje reciente. Habían pasado ya catorce años desde la muerte de su padre. Cinco años después, en el 86, su madre se había ido a Chaouen con una compañera del laboratorio médico. Entre las dos habían comprado una casa y un trozo de huerto con naranjos. Además, montaron una especie de farmacia casera. Tenían los ingresos de sus jubilaciones anticipadas y luego los de sus pensiones. No vivían mal.

Pero tampoco vivían bien, se dijo Guillermo camino de la cocina. Puso leche a calentar y se sentó en un taburete blanco. Ni su hermana ni su hermano, ambos mayores que él, habían aprobado la marcha de su madre, aunque no hicieron nada por evitarla. Su hermana vivía en Zurich y su hermano en Sevilla. Ninguno de los dos tenía hijos. Él tampoco hizo nada para que su madre se quedara, porque no tenía mucho que ofrecer. Entonces vivía, recordó, en un apartamento tan pequeño como el de ahora. Además, al principio, la marcha de su madre no le había parecido mal. Había visto fotos de Chaouen, un pueblo con ventanas enmarcadas de azul metido en la montaña, y sabía que era lo bastante turístico como para que a las autoridades les interesara atenderlo. Apagó el fuego;

la espuma de la leche llegaba al borde del cazo. Echó azúcar en un tazón, y leche. Cuando por fin fue a Chaouen, junto a la hermosa mezcla de añil y cal en las paredes de las casas encontró el olor insufrible de las carnicerías, las calles pedregosas, el agua estancada en los charcos y, sobre todo, una constante impresión de extravío y desguarnecimiento. Ahora su madre tenía setenta y tres años, y su amiga Teresa, sesenta y nueve. En este viaje había intentado que su madre recapacitara. ¿Qué pasaría si se rompía una pierna, si caía enferma? Ella empezó a abanicarse despacio. «Estoy contenta en Chaouen —le dijo—. Tienes razón, aquí las carnicerías huelen, no hay hospital y el calor puede ser, como hoy, agobiante. Pero son tres cosas que a mi edad no importan demasiado.» Guillermo veía la cara de abubilla de su madre. Una cara confiada y sin embargo distante, pequeña pero ubicua, la veía ahora encima de la campana de la cocina. La terraza de la casa de su madre se alzaba sobre una ladera cubierta de naranjos. Y al oír a su madre Guillermo había recordado otra terraza con su padre hablándole de Yáñez el Portugués.

No terminó de beberse la leche. A veces Carlos y Marta, pensaba, se parecían mucho.

Con un gesto que le recordó al del practicante de su pueblo cuando hacía salir unas gotas del líquido de la jeringuilla, Santiago pulsó el botón del taladrador apuntado hacia arriba e hizo que la broca girase en el aire. Leticia le miraba. Santiago se acercó a la pared, vio la marca de rotulador y clavó allí la broca. Había usado un taladrador por primera vez el año que vivió con Carlos, sólo para evitar que Carlos hiciera siempre los agujeros. A Santiago el ruido del taladrador le desagradaba de manera especial porque, en el fondo, temía que Carlos se excediera. En cambio, si lo hacía él, el sonido agudo de torno de dentista, fundido con el movimiento del brazo y con el tacto de la pared, estaba bajo su control, cobraba sentido, y Santiago llegaba a encontrar placer en el acto físico de taladrar. Vio el polvillo rojo caído sobre el periódico encima del suelo. Eligió el taco y lo introdujo en la pared junto con la escarpia. Después, Leticia le acercó el cuadro. Lo había pintado un amigo suyo aunque, al comprarlo, ella había dicho que se trataba también de una inversión. Bajo la luz del lucernario, pensó Santiago, mejoraba.

—Luego recogemos —dijo necesitado de que Leticia le obedeciera. Como siempre que hacía una chapuza doméstica, estaba experimentando una mezcla de prepotencia y desolación. Se sentía con derecho a dar órdenes a Leticia y a cualquier otro que hubiera llegado en ese momento, tontamente envalentonado por un odio que no era suyo y que sin embargo, pensó, había tocado a los suyos. La explotación física, el control del cuerpo del trabajador y el control de su cabeza no son equiparables, contaba en uno de sus seminarios. Marcan estadios distintos. Haré por ti los esfuerzos físicos que me pidas, deseaba advertir a Leticia, moveré una nevera, levantaré cajas de botellas, clavaré una estantería, pídemelo y lo haré, pero jamás te creas con derecho a exigírmelo.

Se tumbó en el sofá. Leticia había ido al cuarto por tabaco y él se hundía en el pesimismo. De algún modo, el recuerdo del agujero perpetrado, del polvillo y del feo taco de plástico que sujetaba el cuadro por detrás le remitían al mal gusto de la casa de su madre, a los platos de duralex, los tapetes de ganchillo, las zapatillas negras sobre las medias de color carne. Lo feo y lo desangelado se agazapaban en la pared junto a la triste glotonería de su abuela en la mesa, a sus manos de roedora desmigando el pan. El continente grosero de su infancia estaba ahí, colándose por debajo de la puerta.

Leticia entró con el tabaco. La veía acercarse y era como si el color claro del pelo, los delgados pantalones de lino y la camiseta de manga larga contribuyesen a mantenerla a salvo. ¿De qué le valdría hacer aflorar ante ella un mundo de agujeros y platos de duralex? Ahora Leticia fumaba a su lado y él se había creado la obligación de hablar. Miró la cajetilla de Merit de Leticia. No fumaría. No hablaría. Haría caso de las tablas de madera barnizada del suelo, de la luz suave de lucernario y de las vistas al Retiro. La riqueza debía servir para eso. Si algo le parecía particularmente despreciable era la escena de un rico regateando en un mercado y presumiendo de la ventaja obtenida. Los ricos, cuando menos, debían estar por encima del juego y también por encima de sus sensaciones. Él era rico ahora. O estaba rico, pues disponía del usufructo de la riqueza ajena. Podía, por tanto, y sobre todo debía, mostrarse displicente con su malestar. ¿Y qué si en las paredes había tacos de plástico? ¿Qué especie de rebaja quería conseguir diciéndoselo a Leticia? Ya que no me hacen descuento, regálenme algo, regateaban los agudos burgueses en las tiendas. Por tener que vencer el bar de la gasolinera cuando estoy contigo, regálame tu cara preocupada y tu admiración. Santiago atrajo a Leticia y le mordisqueó las orejas. Ella, con los ojos cerrados, preguntó:

—¿Cuándo voy a conocer a Carlos y a Marta?

En todas las casas había tacos y clavos, paredes como muelas picadas. ¿Y por qué no? Un día de éstos los conocerás. ¿Qué hay tan difícil en mezclar dos mundos? Santiago sentó a Leticia en sus rodillas.

—Muy pronto —le dijo al oído.

Después hizo que se pusiera de pie. La cogió de la mano y la condujo hasta el cuarto.

—Luego recogemos —repitió al pasar delante del cuadro recién colgado, el periódico sucio y el taladrador en el suelo.

Se tumbó en diagonal en la cama y rodó con Leticia mientras se desnudaban, también contigo voy a salir adelante.

Les despertó el timbre de la puerta. Leticia se vistió muy deprisa. Los dos sabían que era su cuñada con Irene, pero Santiago se hizo el dormido. Todo está bien, pensaba. Le gustaba el olor de la habitación, tenía ganas de ver a Irene y ya no le abrumaba la idea de un encuentro con Carlos y Marta. ¿Qué podía pasar? Con Marta, Leticia se entendería pronto, y Carlos despertaría su instinto de protección. En cuanto a él, asistiría al encuentro sin tener nada de que avergonzarse. Había pensado decirle a Carlos que, de momento, no le hacía falta el dinero. Sería diferente si se casaba con Leticia. Entonces sí querría asegurarse de que disponía de un pequeño capital. De cualquier modo, durante los próximos meses podía pasarse sin los cuatro millones. Incluso, para no sentir que hacía el ridículo, había estado calculando. El Rover que le había regalado a Leticia su familia valía más de cuatro millones y medio pero lo usaba siempre él porque a Leticia no le gustaba conducir y en la ciudad prefería ir en taxi o en autobús. En realidad, se dijo, soy yo el primero que quiere que Leticia les conozca. Y se imaginaba dentro de un año: Jard se habría recuperado, la tensión del préstamo habría desaparecido, él estaría casado con Leticia y los seis se verían a menudo. Imaginó a Carlos, Ainhoa, Marta y Guillermo con Leticia y con él en esa misma casa, bebiendo y hablando hasta la madrugada de lo que siempre habían hablado, de sus trabajos, de política, de sus amigos, de películas, de cómo hay que vivir.

El último domingo de septiembre Marta subió por la escalerilla del avión cuidando de que su bolsa no tropezara con la barandilla. Tenía el asiento 2A. Sacó de la bolsa un libro y una chaqueta, subió la bolsa al maletero y se sentó. Algunos pasajeros de clase turista atravesaron el pasillo mirándola. No hacía tanto que ella era uno de esos pasajeros. Marta cerró los ojos. Escuchaba las normas de seguridad sin atender. De los aviones sólo le daba miedo el mar. Los vuelos nocturnos encima del agua, verse en el centro del océano, de noche, con peces escurridizos rozándole las piernas. Pero en el trayecto Madrid-Colonia no se volaba sobre el mar. Abrió los ojos al oír de cerca la voz de la azafata. No quería una copa de cava, le dijo con un gesto cuando pasó por su fila. «Gracias», añadió en voz alta. El zumbido de los motores creció; era como una nota aguda que buscara hacerse cada vez más aguda, como ella misma cuando se desesperaba y, sin poder evitarlo, empezaba a concebir pequeñas acciones irreversibles: hacer una visita en plena noche a alguien de su pasado; entrar sola en un local y emborracharse mucho; conducir hasta la sierra y pasear a oscuras; abordar a un desconocido. Haría todas esas cosas y algo se rompería, el motor estallaría pero después, como al subir una montaña cubierta de niebla, el paisaje sería otro, se vería el sol, el cielo despejado. Ahora la máquina pesada se remontaba por encima de la tierra sin que el motor estallase ni se apaciguara su descontento. Sólo el ruido se había tornado más sordo y uniforme.

Marta se desabrochó el cinturón. Eran las siete y media de la tarde. Llegaría al aeropuerto de Colonia a las diez. Antes de las doce podría estar durmiendo en el hotel de Bonn. Se acostaría pero el paisaje seguiría igual: su trabajo, su mala relación con Guillermo, su vida desorientada.

Rechazó los auriculares que le ofrecían y se puso a mirar a los pasajeros. Hombres con traje y corbata, casi todos. Business class. Habría preferido decir primera clase. Ir en primera significaba pertenecer al grupo de los que tienen dinero en abundancia y lo derrochan, pero la situación de quienes viajaban en business resultaba, se dijo, bastante más confusa. Casi nunca sacaban ellos sus billetes, sino sus empresas. Ellos quedaban al margen de la ostentación o del derroche. Estaban allí porque alguien había juzgado conveniente que viajaran en mejores condiciones que la mayoría, o al menos así podían creerlo. Marta podía recordar a los pasajeros de clase turista sin sentirse incómoda por la atención especial de las azafatas, los bombones, las bebidas, la holgura de los asientos. Si hubiera ido en primera sería diferente. De nuevo habría experimentado su mala conciencia de niña rica, su vergüenza ante la arbitrariedad de los destinos. Pero en business la arbitrariedad había sido teóricamente reemplazada por el mérito o, siquiera, por una autoridad con nombre propio. Aparte de esas teorías reaccionarias sobre la reencarnación, se dijo, no había ningún argumento al que acudir para explicar por qué ella había nacido en una familia de la burguesía media alta y no en un pueblo de carretera. En cambio, en alguna parte, alguien podía aclarar por qué su billete de avión no era de clase turista. De algún modo, y aun contando con el funcionamiento tantas veces inepto o disparatado de empresas y ministerios, alguien que no era Marta resolvía gastar en ella un dinero extra. Sin embargo, la falacia del mérito siempre evitaba contar que por cada limpiabotas propietario de un imperio, había una élite entera de propietarios reproduciéndose con naturalidad. Marta recordó una discusión en el ateneo: «¿A partir de cuándo —había preguntado ella—, se empieza a contar el mérito, a partir de la universidad, de los veranos en Inglaterra, de una infancia con libros?». Era cuando Santiago iba por allí y en esa ocasión había intervenido furioso, preguntando a su vez: «¿A partir de cuándo puede uno librarse de la mala conciencia de los señoritos, cuándo voy a poder reírme de su pasado y sus ventajas?». No era el mérito, no. Lo que de verdad originaba que a ella le dieran una cena mejor que al otro grupo de pasajeros era la titularidad del billete. Quien paga tiene derecho, ésa era la premisa que había aceptado sin cuestionarla, se dijo acurrucándose de lado.

Miró al hombre alto, de fino bigote canoso y gafas de concha que estaba en la fila de delante. ¿Por qué no habría de pensar él que era mejor que los pasajeros de clase turista si tenía derecho a unos sillones más amplios, a una cuota superior de azafatas por número de viajeros? Y a lo mejor ese hombre ni siquiera lo pensaba. Se había acostumbrado. Lo que para Marta era una tentación, la tentación de creer que el mejor trato recibido había de ser por algo, a causa de algo que ella hubiera hecho y otros valorasen, para ese hombre que no habría ido cinco veces como ella en business class, sino tal vez doscientas sería una condición de su existencia, una capa sutil que llevaría adherida al blanco planchado de la camisa, al anillo de matrimonio. Marta tomó el vino con los trozos de queso de la bandeja. No tocó el resto. Volvió a ver en el periódico la noticia, leída ya por la mañana y conocida días atrás, de que las elecciones serían en marzo. Tenía garantizados seis meses viajando en business, ganando trescientas sesenta mil pesetas. Después, lo probable era que los socialistas perdieran las elecciones y ella su puesto de trabajo. Pronto debería empezar a moverse, pero se había propuesto esperar al menos hasta diciembre y, por una vez, no actuar con antelación.

Se llevó un cigarrillo a los labios. No encontraba el mechero. Estaba revolviendo los bolsillos de la chaqueta cuando, desde la fila contigua, un hombre le ofreció fuego. Marta lo aceptó para retirarse enseguida. No quería hablar con nadie. El hombre se parecía un poco a Manuel Soto. Con Manuel, pensó, se habría divertido discutiendo sobre la business class. No era, sin embargo, a Manuel a quien estaba echando de menos. Notaba un halo frío junto a la pared del avión y en los pies. Cuando le recogieron la bandeja, Marta pidió con educación una manta. Miró por la ventanilla hacia atrás, buscaba las luces de posición. Echaba de menos sus manos anchas, su pelo rizado del color de los lápices de madera, sus ojos tranquilos. Le trajeron la manta. Por fuera, la carcasa del avión debía de estar helada. Sin embargo, creía percibir algo acogedor en toda esa atmósfera densa, nocturna, que sostenía el avión en su vuelo. Pensó que cuando aterrizaran a ella no la sostendría nadie. Saldría del aeropuerto y nadie la aguardaría, y nadie sabría en parte alguna lo que estaba siendo de Marta. Qué transparente y fría era la libertad.

En casa de Carlos y Ainhoa no funcionaba medio portero automático: se oía el timbre, pero no la voz; tampoco hacía contacto con la puerta. Eran las nueve de la noche del sábado 14 de octubre. Llamaron. Ainhoa dijo que sería Guillermo; Carlos apostó por Alberto y Susan y fue a abrir. Una vez abajo, la luz del viejo ascensor de madera y cristal se proyectó sobre el suelo del portal apagado. Carlos se dirigió hacia el interruptor señalizado con un neón naranja; al apretarlo, todo el portal se encendió. Detrás de la puerta de rejas distinguía la figura alta de Santiago, y alguien a su lado. Cuando, por teléfono, Santiago les advirtió que iría acompañado, Carlos pensó en Sol. Sin embargo, Santiago había añadido: «Se llama Leticia». Carlos abrió la puerta y besó a Leticia con decisión, cohibido por su propia curiosidad.

—Adelante —dijo—. Sois los primeros.

Subieron apretados en el ascensor. A la pregunta de Santiago por Diego, Carlos respondió que esa noche el niño dormía en casa de sus primos. Ainhoa besó primero a Leticia y después a Santiago. Él dijo:

—Menos mal que nos vemos. Ha pasado un montón de tiempo.

El telefonillo volvió a sonar. Carlos bajó otra vez. En el

espejo del ascensor, jugaba a dar a su rostro aniñado una expresión fiera. Marta y Guillermo esperaban hablando.

—Bienvenidos —dijo Carlos—. Id subiendo, creo que Alberto y Susan son esos dos de ahí al fondo, no cabemos en el ascensor.

Aunque desde tan lejos no podía saberse quién venía, le obedecieron y Carlos agradeció el intervalo de libertad. Estaba contento pero nervioso. Después de la comida en el chino había intentado no pensar en Alberto. Sin embargo, en septiembre, cuando Alberto le confirmó la fecha de su nuevo viaje a Madrid, Jard había vendido ya dieciséis fuentes del modelo más caro y eso cambiaba bastante su perspectiva. Ahora le enorgullecía poder ofrecerle a Alberto una noche con todos. Aunque Alberto fuera a Madrid unas dos veces al año, sus viajes duraban poco y en muchos de ellos no coincidían los seis, los ocho contando con Alberto y Susan. En esta ocasión, Carlos se había ocupado de avisar a todo el mundo con tiempo. Le gustaba que la cita fuera en su casa y le gustaba, sobre todo, que hubiese una cita. Cierto que resultaba algo forzado juntar a Guillermo y Marta justo cuando ellos querían estar separados, o que Santiago les presentara a su nueva novia en un momento así. Sin embargo, vivir consistía también en forzar situaciones. Alberto forzó sus planes y adelantó su viaje a Madrid cuando él inauguró Jard para darle una sorpresa. Ahora, él forzaba una noche con todos para decir: no reneguemos del presente, de lo que cada uno estamos haciendo.

Alberto y Susan avanzaban cogidos del costado como llevándose en vilo el uno al otro. Carlos salió fuera para recibirles y ellos le saludaron con el brazo a unos metros de distancia. Besó entre bromas la mano de Susan y abrazó a Alberto.

Leticia hablaba con Marta, Guillermo se había sentado con Ainhoa, Santiago se puso a mirar los cedés. En cuanto entraron Alberto y Susan, Santiago les presentó a Leticia. Luego Leticia volvió con Marta y él siguió con la música. Los cedés ocupaban dos estantes de una librería de obra colocada a ambos lados del sofá. Santiago los repasaba con la cabeza en ángulo, el perfil apoyado en la escayola. De vez en cuando se le iba la mirada hacia el suelo de parquet y hacia el grupo arremolinado en torno al sofá. Al otro lado de la habitación, dos balcones altos y estrechos estaban envueltos por la luz de una lámpara metálica de color gris. Mucho más cerca, Santiago veía las cabezas de todos. En medio, entre el sofá y los balcones, había un tramo despejado con sólo una mesa plegada junto a la pared. La moverían, pensó, para las comidas. Luego la volverían a mover para que Diego tuviera espacio. Se preguntó si a Irene le gustaría Diego.

Ainhoa siguió con la mirada a Carlos, quien se había levantado por más bebidas. Quería decirle que se acordara de traer el pan cortado pero vio su andar bamboleante, signo de que estaba alegre, y se entregó a una emoción nueva, una mezcla de ternura y lejanía como si Carlos fuera su amigo de otro tiempo. Le pareció que Guillermo había notado algo y no quiso disimular improvisando un comentario. Se mantuvo callada. A los pocos segundos, él le preguntó por el hospital. ¿Qué diría Guillermo si supiera que Pablo existía? De todas las personas que estaban ahí, Guillermo era la única a quien podría contárselo, pensó. No había hablado mucho a solas con él pero sabía que mediaba entre los dos una simpatía instintiva, una especie de acuerdo en las cosas a las que cada uno daba importancia. Arropada por la música que acababa de poner Santiago y por el tono alto de las voces de los otros, Ainhoa dijo:

—Pasé un momento malo porque tengo un contrato en comisión de servicios y estuvieron a punto de rescindírmelo. Pero al final lo han mantenido. Lo que todavía no he conseguido es distanciarme por completo de las cosas que veo. Sólo puedo hacerlo delante de los enfermos. Cuando me quedo sola me vienen todavía fogonazos con escenas horribles. En esos ratos, si me gustara beber supongo que me emborracharía.

Carlos trajo una bandeja con vasos, dos botellas de vino, pan cortado, lomo y jamón.

Santiago se puso a abrir una botella. Tiró con fuerza del sacacorchos sin mirar a nadie. Sirvió primero a Susan, después a Alberto y a Carlos. Llenó los vasos de los otros y al acercarse a Leticia y a Marta oyó que los padres de ambas se conocían. Claro, pensó, debieron de estudiar química juntos en Barcelona. No se le había ocurrido hasta ese momento y sin embargo era lógico. Se sentía perdido con la botella en la mano, los vasos llenos, la música sonando. Cayó en la cuenta de que su vaso aún estaba vacío, lo llenó y arrimó una silla al grupo formado por Carlos, Susan y Alberto.

—No he elegido —estaba diciendo Alberto— a Orwell y a Kafka para atacarlos. Los he elegido porque trabajaron con rigor. Eso es lo que hace interesante averiguar a qué responden los malentendidos en su literatura.

—¿Malentendidos? —preguntó Santiago.

Alberto asintió mirándole.

—Sé que suena irreverente, pero mi punto de vista es que no entendieron bien lo que pretendían hacer con sus obras. Y ese no entenderlo hizo posible que se leyeran, y se utilizaran, y sigan utilizándose, precisamente para alimentar lo que a ellos les atormentaba.

Santiago cogió un trozo de jamón del plato que le había acercado Susan. Le atraía la propuesta de Alberto, habría querido preguntarle más, discutir con él, pero no iba a hacerlo. Se encontraba incómodo, tal vez, se dijo, por estar él «alimentando precisamente lo que le atormentaba»: situaciones tensas, una posición tensa para toda la vida. Llevaba cinco meses saliendo con Leticia, quien a su vez había terminado de tramitar su divorcio, y ya la idea de casarse con ella no sólo había dejado de parecerle improbable, sino que se la representaba como una proposición lógica, como el efecto de alguna causa que ni siquiera llamaba su atención. Pero ¿y si estaba completamente equivocado? Si se casaba con ella, entraría en un laberinto. Nunca podría considerar que había salido adelante. Nunca, se dijo, podría empezar a preocuparse por algo exterior a él. Lo importante no era sólo tener relieve. También debía valorar cuánto le costaría ese relieve. Él era ambicioso, muchos lo habían notado, y ahora le daba miedo reducir su ambición a la necesidad de estar a la altura. Hacía un año que Carlos les había pedido los millones. Recordó que entonces se encontraba bien, se sentía tranquilo, a gusto con lo que tenía. Cierto que vivía como esperando algo, pero se trataba de un algo abierto, que hasta hubiera podido ser noble. Podría haber dado un salto a través de sus publicaciones.

—Gracias —le dijo a Carlos, y le acercó el vaso. Hizo como que atendía a la conversación aunque sin esforzarse mucho. Pensaba en su ambición. Al terminar la carrera se había especializado en los orígenes del capitalismo. Quería acumular prestigio y conocimientos y relieve, pero lo quería para algo. Esperaba ser capaz de descargar, un día, un golpe en favor de su abuela Joaquina, de todos los que habían sido y eran como su abuela. ¿Un golpe junto a quién? Y miró el sofá de colores sufridos donde estaban sentados Guillermo y Ainhoa diciéndose que no sentía ninguna mala conciencia por la casa de Leticia, como tampoco Carlos debería sentirla por esa casa vieja, tal vez, y alquilada, pero más agradable y amplia que la suya de Vázquez de Mella, con balcones a la calle y una hermosa torre de iglesia casi enfrente. Tal vez Carlos y él se habían entregado a la única cara de la luna, pero nadie se lo iba a recordar. Leticia estaba mirándole. Él se había dado cuenta y trataba de no mostrarse ensimismado sin forzar, tampoco, una sonrisa. Cogió un plato con queso, se lo acercó a Susan.

Marta había seguido la mirada de Leticia. En el camino de vuelta sus ojos chocaron con los de Guillermo.

—Después de haber creído durante muchos años —le dijo Carlos a Alberto— que deseamos lo que no tenemos y que ese principio mueve tanto el mundo de la seducción como el de la economía, ahora empiezo a reconocer la potencia de otro principio complementario, el deseo de lo que tenemos. —Carlos iba a referirse a Jard, pero percibió el cese de las otras conversaciones y se calló también.

Santiago habló para todos:

—Alberto —dijo—, ¿qué te han parecido los últimos cambios? Me refiero a nuestro paso en pleno a la banca privada.

Como había previsto, estallaron las risas. Aunque sabía que estaba bien nombrar el tema tabú, temía haberse arriesgado demasiado. Al ver que Carlos también reía, se tranquilizó.

—Lo admito, me habéis impresionado —dijo Alberto—. Y he estado celoso. Pero ya lo he asumido. De todas formas, espero que en la próxima operación financiera me aviséis.

Ainhoa entró con una fuente de empanada y hubo que apartar vasos y platos de la mesa para hacer sitio. Entonces Marta le preguntó a Alberto qué pensaba de las próximas elecciones.

—Ponme un poco al día —pidió él—. ¿Es seguro que las convocan en marzo?

Marta se fijó en sus pantalones gastados pero elegantes.

—Prácticamente seguro —contestó tratando de imaginar cómo sería el armario de Alberto, cómo el armario de quien se había marchado voluntariamente de su país y había elegido vivir en Edimburgo, vestirse cada día para salir a unas calles separadas por el mar de las calles donde se había formado.

—Tal como están las cosas, me imagino —dijo Alberto— que ganará la derecha. A largo plazo puede que sea bueno.

—¿Cuando dices la derecha, te refieres sólo al Partido Popular? —preguntó Carlos.

—Sí. Aunque los del PSOE hayan actuado como un partido de derechas, todavía la gente les llama socialistas. Parte de su capital consiste en eso. Y, en mi opinión, es una de las cosas más reprochables de su mandato. Entiendo que en ciertas decisiones estaban sometidos a la presión internacional. Pero han traficado con los valores de la izquierda. Han corrompido las palabras, el significado de la política, y eso sí podían haberlo evitado.

—¿Crees que si pierden volverán a sus orígenes? —preguntó Marta.

—No. Lo que creo es que si el PSOE estuviera separado del poder un mínimo de seis años, algunas cosas quedarían más claras. Quizá hubiera cambios dentro de los sindicatos. Los jóvenes en paro tendrían por lo menos la posibilidad de entender el lenguaje marxista, de Izquierda Unida o de quien sea. Y en general los sectores progresistas, digamos, podrían volver a pensar sin sentirse culpables, analizar por qué la derecha, bajo distintos nombres, ha impuesto su modelo de forma global.

—Yo no soy tan optimista —dijo Carlos, pero no continuó. El vino avivaba un fuego amable y vigoroso en su interior. Tenía chispas de alegría en los ojos, ganas de hablar de Jard y de electrónica.

Marta le había relevado en el uso de la palabra y decía:

—Divide y vencerás. Últimamente me ha dado por pensar que la izquierda, o un tercio o más de la izquierda, ha dejado de responder a ese nombre para convertirse en un montón de oenegés.

Ainhoa se apartó el pelo de la cara y retuvo un instante el tacto limpio y suave entre los dedos. Cuando oyó decir a Susan que entre las oenegés había de todo y que algunas hacían un trabajo interesante y necesario, creyó ver en una sola imagen terminada cómo sería la conversación. Y en vez de echarse hacia atrás y oírla, igual que siempre, desde la conciencia de haber sido la última en llegar al grupo, la que tenía menos años y traía consigo menos conflictos ideológicos y más sentido común, como todos reconocían al parecer honrándola pero, en el fondo, con un deje de paternalismo, en vez de echarse hacia atrás, Ainhoa se colocó en el borde diciéndose que hablaría.

—De acuerdo, algunas hacen un trabajo interesante —aceptó Alberto contestando a Susan—, pero el hecho es que tanto por su teórica independencia como por el carácter local y no de clase de sus proyectos, la labor de las oenegés pasa por aceptar las reglas del juego establecidas. Quieren corregir lo que hay, pero no tienen ningún sitio desde donde proponer un orden distinto. Eso sin contar con las que están directamente al servicio de los gobiernos.

Guillermo había estado observando los zapatos de Marta y de Leticia, mientras recordaba a madame Cézanne. Ahora levantó la cabeza y dijo:

—Creo que lo que nos preocupa de las oenegés es que expresan la orientación de bastantes occidentales progresistas.

Marta fumaba tratando de encontrar un asidero en la unión establecida entre el pitillo, el humo y su respiración. La presencia de Guillermo ahí enfrente actuaba como un silbido interminable y ella lo oía, y oía cómo se despertaban los perros, los gallos, cómo se despertaba su memoria.

—Pero ¿por qué os preocupa? —preguntó Ainhoa.

Marta no la miró a ella ni a Guillermo a pesar de que estaban delante. Se dirigió en cambio a Susan y contestó:

—Nos preocupan porque dividen a la gente. Imagino que la necesidad de colaborar con una oenegé nace de percibir la misma contradicción que percibe mucha gente que se considera de izquierdas. Pero al meterse en una oenegé cada uno resuelve la contradicción de manera aislada, sin ir contra las causas reales, ocupándose sólo de paliar los efectos.

—¿De qué contradicción hablas? —volvió a preguntar Ainhoa.

Carlos no había depuesto su buen humor. Se le había ocurrido una respuesta clara y al ver que Marta tardaba en contestar, dijo:

—Yo lo formularía así: ¿es posible vivir desahogadamente y ser una buena persona?

Ainhoa miró la cara aniñada, contenta aunque ojerosa, de Carlos. Miró luego a Susan y a Alberto, y a Santiago, quien había dejado su silla en una especie de segunda fila. Se fijó en cómo Marta jugaba con la colilla en el cenicero, en la expresión intrigada de Leticia.

—En el fondo —alzó un poco la voz— sois unos moralistas. No estáis hablando de intereses económicos ni de lucha de clases sino de tener la conciencia tranquila. ¿A qué te refieres —le dijo a Carlos— con vivir desahogadamente? ¿A tener un coche, tres coches, dos casas, ninguna casa? ¿Y a qué te refieres con ser una buena persona?

—No lo sé, Ainhoa —dijo Carlos—. ¿Se puede ser injusto y ser feliz?

—Dependerá —respondió ella— de cómo se definan la felicidad o la injusticia en el contexto donde te muevas.

—Pero ese contexto es dinámico —dijo Marta—. Podemos leer, discutir y llegar a la conclusión de que hoy la idea de felicidad que predomina es engañosa y desigual.

Marta se había dirigido a Alberto porque seguía sin querer mirar a Guillermo. Alberto le respondió:

—No basta con la elección individual, con la moral individual. Creemos que elegimos, pero si alguien nos mirase desde fuera, vería que damos los pasos lógicos, los pasos esperables para cualquier individuo como nosotros en un contexto como el que nos rodea. Es algo así, ¿no? —le preguntó a Ainhoa.

—Más o menos —dijo ella—. A lo mejor con nuestros sueldos, teniendo en cuenta que pertenecemos a la minoría que tiene trabajo casi fijo, lo normal es que seamos conservadores. Supongo que si nos quedásemos en paro durante mucho tiempo, o si nuestras familias lo pasaran mal, nuestro punto de vista cambiaría.

Santiago arrimó su silla y dijo:

—Como todo el mundo sabe, la pequeña burguesía vacila en la misma medida en que vacila su posición económica.

—No dejáis ningún margen para el pensamiento racional —dijo Marta.

Guillermo, al contestarle, buscó sus ojos movedizos.

—Yo lo veo de otra forma. Creo que Ainhoa nos ha recordado que ese margen es más pequeño de lo que tendemos a pensar, pero nadie ha dicho que no exista. Precisamente la razón puede ayudarnos a delimitarlo. No se trata de ser progresistas por motivos sentimentales o por un altruismo un poco místico.

—Y es verdad lo que dice Santiago —continuó Carlos—. Nuestra situación aún no está clara. Vacilamos. No estamos todavía en el lado, bastante reducido, de los que nunca, pase lo que pase, van a tener problemas. Nosotros seguramente podríamos pagarnos un buen médico privado si nos hiciera falta, pero en determinadas circunstancias tal vez no podamos. Y lo mismo con los colegios, la casa, etcétera.

—Sin embargo —contestó Marta—, hay gente que sí está en ese lado reducido y sigue teniendo mala conciencia.

—La mala conciencia no significa mucho. —Santiago había puesto en la voz una vehemencia amarga, tal vez desacompasada, ajena al tono en que discurría la conversación—. No significa nada desde el momento en que es uno quien elige tenerla. La mala conciencia sólo cuenta si hay alguien capaz de creártela, y con la fuerza suficiente para impedir que la olvides.

—Pues no parece que haya mucha gente con esa fuerza —dijo Carlos—. No ya para creárnosla a nosotros. Ni siquiera para creársela a quienes han tolerado la corrupción y la guerra sucia.

—Conviene distinguir entre fuerza y voluntad —volvió a corregir Santiago—. No parece que haya mucha gente a quien, de labios para dentro, la corrupción o la guerra sucia le importe lo bastante para mover su voluntad.

Ainhoa puso en un solo plato los restos de embutidos, queso y empanada. Guillermo la ayudaba recogiendo platos y servilletas. Ella preguntó si alguien iba a seguir con el vino o si todos querían una copa. Luego los dos se fueron por vasos nuevos y hielo. Susan les siguió para ayudarles.

El silencio permitía oír cada ruido de la cocina, golpes de platos, hielo contra cristal. Santiago puso un cedé.

—Súbelo —pidió Marta.

Carlos se acercó a Leticia e hizo una pequeña reverencia mientras decía:

—¿Me concede este baile?

Ella miró el tramo vacío del salón.

—No hay nadie más bailando —dijo sonriente.

Al oírla, Alberto se acercó a Marta. Entre los dos recogieron a Santiago y, junto con Leticia y Carlos, formaron un círculo abierto en el centro. Aunque Alberto nunca había bailado bien, sabía hacer reír con sus movimientos patosos. Marta le miraba, luego vio entrar a Susan cargada de botellas y fue a servirse un vodka con naranja. Llevó un gin-tonic a Carlos y otro a Santiago. Leticia quería ron con limón. Alberto, sin dejar de bailar, pidió un whisky. Guillermo, Susan y Ainhoa ya tenían sus vasos. Todos se sumaron al corro. Repetían las payasadas de Alberto aunque, poco a poco, cada uno empezaba a bailar también para sí mismo. Intercambiaban de vez en cuando gestos, miradas, insinuaciones. Santiago rodeaba a Leticia sin tocarla. Ainhoa tenía los ojos semicerrados. Guillermo no había soltado el vaso; de vez en cuando, le decía algo a Carlos y Carlos reía.

Cuando Santiago dijo que iba a cambiar la música, Marta le dio su vaso vacío. Guillermo y Susan salieron del círculo a la vez y se sentaron mientras Marta tomaba de mano de Santiago su segunda copa. Me estoy emborrachando, pensaba, y no voy a parar. Su forma de bailar consistía en no moverse mucho, pero sí moverse bien. Sabía que bailando lograba transmitir una sensación de abandono y dominio. Giró sobre sí misma una vez, dos veces, meciéndose despacio, dejándose mirar. Se encontraba a gusto con su cuerpo y el vodka la volvía temeraria. Pero añoraba la división entre cuerpo y alma. A lo mejor, se dijo, Guillermo estaba en lo cierto y ella seguía apegada a su formación cristiana, y creía que era posible bailar bien, responder con naturalidad a las insinuaciones de los cuerpos y que el alma, más allá del pensamiento, quedase fuera. Adelantó el hombro hacia Carlos. Cuerpos sin alma, y bailaba también con los labios. El alma se había sentado en el sillón, el alma tenía dos brazos morenos y miedo a las despedidas. El alma era una especie de boquete en el fuselaje a mil pies de altura, y en cambio el cuerpo bailaba por separado en un recinto tibio. «Piensa en mí, de vez en cuando, porque soy una especie en extinción», Marta cantaba en voz baja a coro con el disco elegido por Santiago, uno de esos discos que ninguno de ellos escucharía estando solo, pero contagioso porque en la radio lo ponían sin cesar. Carlos, Santiago y Leticia también cantaban. Alberto daba saltos moviendo las manos. Los demás le imitaron excepto Ainhoa, quien fue a sentarse con Guillermo y Susan. No voy a parar, se dijo Marta bebiendo de su vaso con prisa. Se acercó a Leticia y comenzó un baile suave con ella; su pelo corto y negro contrastaba con el rubio de Leticia y las dos parecían divertidas, contentas, pensaba Marta algo mareada aunque no tanto como para dejar de advertir que el disco llegaba a su final. Se dirigió bailando al aparato de música, pero en vez de los boleros que Alberto había pedido, puso música reggae y volvió a un círculo donde ya sólo estaba Carlos. Bailaron uno frente al otro. Poco a poco las conversaciones se fueron apagando.

Todos les miraban. A Guillermo, esos movimientos perfectamente acordados con la música le infundían una especie de optimismo físico. Sin embargo, no estaba alegre. Carlos y Marta hacían muy buena pareja bailando suelto; la baja estatura de Carlos no desentonaba y parecía conferirle un grado de autonomía superior al de Marta, de tal manera que, aun bailando separados, era Carlos quien determinaba el sentido de la música. Marta le devolvía un eco estilizado, a la manera de una segunda voz. Los dos tenían la expresión radiante, como si compartiesen la buena nueva de esas canciones, el retorno a un África libre, el uso sacramental de la marihuana, el triunfo próximo de todos los humillados, sólo que, al fondo, detrás de sus cuerpos, estaban los balcones con visillos en penumbra. Era el escenario, se dijo Guillermo, balcones, sillas y paredes, lo que le impedía creer del todo en ese baile, no en vano las discotecas se ocupaban de hacer desaparecer cualquier rastro realista del entorno. Y sus ojos fueron a dar a la mesa plegada, apoyada contra la pared, en donde estaba el vaso vacío de

Marta. Se vio acompañándola a casa pero sin subir, sin estar a su lado en esos escasos momentos cuando el alcohol la hacía parecer despreocupada y conforme con cada minuto, ni tampoco luego, cuando un sueño compacto la vencía. Susan le había preguntado por la consultora: cuál era el informe más interesante de los últimos que había hecho.

—Realmente interesante, ninguno —dijo Guillermo—. Pero estoy pensando en encargarme uno a mí mismo y acepto sugerencias.

Ella le miró con gesto inquisitivo, acaso preguntando si debía reírse o si debía tomarlo en serio. Por un momento Guillermo descansó, atento sólo a las evoluciones de ese rostro de piel clara, labios anaranjados y ojos de un castaño rojizo igual que el pelo. El extraño sentido del humor de Susan le gustaba por su laboriosidad. Al fin se formó en su boca una sonrisa seria y Susan dijo:

—A mí me interesa el subempleo.

Guillermo prometió tenerlo en cuenta, sonriendo a su vez. La oficina interior de Susan no se había equivocado, después de estudiar su comentario había descartado la risa irreflexiva y había elegido una respuesta válida pero distante, que no obligara a continuar la conversación. Porque Guillermo no quería seguir hablando. Miraba a Marta, su paso vacilante. Ya había terminado de bailar.

Santiago y Leticia fueron los primeros en irse. Casi enseguida Guillermo fue a buscar el abrigo de Marta y el suyo. Marta le dio las gracias. Se despidieron. Por el camino, Marta cantaba «piensa en mí, de vez en cuando, porque soy una especie en extinción».

Susan tenía sueño en los ojos. Ainhoa iba a traerle su chaqueta pero Alberto fue a sentarse al lado de Carlos y ella decidió ir por más hielo a la cocina.

—No sé si estamos —dijo Carlos— demasiado preocupados por nuestras contradicciones. Por muy bien que pudieran irnos las cosas, desde luego no pertenecemos a las élites. Nadie pide nuestra opinión antes de hacer grandes inversiones. Como mucho, nosotros seríamos una audiencia de calidad a la que conviene tomarse el trabajo de engañar un poco.

—¿Y el engaño nos molesta? —preguntó Alberto—. Creo que eso es lo que discutíamos antes. En función de qué actitud ante la vida nos podría molestar.

Susan había cerrado los ojos. Alberto rasgueó en su rodilla y le acarició la cara.

—Gracias —dijo mirando el hielo que había traído Ainhoa—, pero nos vamos a ir. Escribe —le pidió a Carlos en el pasillo.

Carlos esperó con ellos a que llegara el ascensor. Luego entró en la casa, despacio. La cocina estaba apagada y el salón también. Le extrañó que Ainhoa se hubiera ido a la cama sin recoger un poco. Iba hacia el dormitorio cuando oyó una risa. Miró otra vez en el salón. Ainhoa había abierto el balcón del fondo y se asomaba. Al acercarse, Carlos vio sobre la barandilla una fila de cubitos de hielo.

—Casi doy a la campana —le dijo ella—. Mira. —Y tiró un cubito contra la iglesia de enfrente. El cubo cayó en la otra acera.

—Delante del farol parecía un ovni —dijo Carlos.

—Es un proyectil. ¡Abajo los curas! —gritó Ainhoa en voz baja, y tiró otro que esta vez alcanzó el ladrillo de la iglesia.

—Pero si ya casi no hay curas —dijo Carlos.

—¡Abajo las religiones! —La piedra de hielo se rompió contra la torre.

Carlos cogió otro proyectil; lo tiró diciendo:

—¡Abajo la mala conciencia!

—¡Abajo la buena! —dijo Ainhoa. Los dos cubitos de

hielo cayeron sobre el techo de un coche. El ruido les intimidó. Cerraron la ventana deprisa, riéndose.

—¡Vivan las contradicciones! —dijo Carlos, y tiró el último cubito contra un plato vacío.

—¡Abajo las aceitunas, y los huesos, y los vasos de cristal, y los limpios de corazón! —Y Ainhoa amontonaba los restos de la noche sin orden sobre la bandeja.

—¡Que se mueran los héroes! —dijo Carlos recogiendo una botella mientras Ainhoa le desabrochaba el cinturón.

El despacho de la facultad de Santiago era un cuadrado perfecto. Una ráfaga de sol atravesó los listones de la persiana graduable azul marino. Luego volvió a nublarse. Pese a ser por la mañana, Santiago encendió la lámpara de su mesa. Hojeó sin convicción el primer tomo de una investigación histórica. En teoría el tema le interesaba. Le habían enviado los dos volúmenes desde Cáceres porque él los había solicitado. Repasó el índice y la mirada se le fue a la página contigua: «Este trabajo ha sido realizado con una beca del Fondo para la Investigación Económica y Social de la Confederación Española de Cajas de Ahorros». Eso le deprimía. Llamó a Leticia, pero le dijeron que estaba hablando por teléfono. «Volveré a llamar», replicó sin dar su nombre. Mejor, pensaba. No tenía nada concreto que decirle. Estaba malhumorado. No quería fumar porque, en las últimas semanas, se había embalado con los cigarrillos. Concentrarse, trabajar durante media hora seguida, no conocía otra fórmula para mitigar el descontento. Santiago miró el teléfono de plástico negro, el cielo oscurecido. Faltaba una semana para el día de Todos los Santos. Sólo una semana y él seguía haciéndose el loco, dejando que se acercaran los días sin hablar. Aún confiaba en que se produjera un equívoco, en que Leticia aceptara alguna invitación y, en el último momento, él le dijese: ve tú, yo no puedo, he de ir a Alguazas. Pero no era probable. Leticia desharía los planes para ir con él; siempre le preguntaba por su madre.

Santiago había cubierto medio folio de caras con sombrero de vaquero y pañuelo en el cuello. Lo rompió, aburruñó los trozos, los tiró a la papelera y encendió un cigarrillo. Podía explicárselo: prefiero ir solo, ya conocerás a mi madre en Navidad. Le dejaría creer que él se avergonzaba de su familia, permitiría que Leticia siguiera alimentando la leyenda de su breve pero tormentoso ascenso social, leyenda que él había cultivado durante años. Como siempre, le horrorizó la idea de haber querido utilizar a su familia. Porque no le preocupaba llevar a Leticia a casa de su madre, que conociera a su hermana, a su cuñado, a su sobrino, que viese la foto de su abuela Joaquina y a su tío Clemente. No se avergonzaba de ellos, sino de sí mismo, de que me vean contigo, Leticia, eso es lo que estoy postergando, qué canalla soy. Pensó en Irene; a su madre le gustaría la niña. Y a él le hacía especial ilusión ver a Irene corriendo por los alrededores de la casa, llevarla a la estación, enseñarle los sitios donde jugaba de crío, aunque Irene fuese todavía muy pequeña. Su madre aceptaría que Leticia estuviera divorciada pues él la había elegido y su madre estaba dispuesta a aceptar muchas más cosas siempre que él las quisiera. Las quiero. Quiero un futuro contigo, Leticia, pero si vienes a Alguazas demasiado pronto quizá no sepa defenderte. No a ti, sino a mí mismo en ti. Tenía la impresión de que fueran las ocho de la noche. Miró hacia la ventana; de un momento a otro, se dijo, empezaría a llover.

«Crédito y ahorro en Extremadura en el siglo XIX.» Volvió a abrir el primer tomo. He cometido traición, aunque a quién puede importarle si ya no hay bandos, si no hay clases y es lo mismo medrar con un negocio de pueblo que con una plaza de profesor titular. Se han llevado los bandos a otros países; ahora somos nosotros, todos nosotros, mi cuñado y yo mismo y Marta y Leticia, y el ex marido de Leticia y Carlos y mi hermana, nosotros contra ellos, contra las masas de asiáticos, africanos y latinoamericanos y contra las dispersas masas de occidentales desahuciados, nosotros contra la humanidad sometida. Santiago bajó la cabeza para mirar su jersey gris oscuro, su pantalón vaquero e imaginarse luego sentado en el despacho, esperando la lluvia en la mesa negra. Se dijo que estaban todos en el mismo bando, todos los civilizados, sí, pero por qué con Sol no le había dado vergüenza ir a su pueblo y con Leticia la sentía.

Claro que aún seguía habiendo bandos. En cada ciudad unos cuantos tipos como él creían haberse infiltrado en las instituciones, creían estar ocupando puestos interesantes mientras mantenían la cabeza clara y hacían barridos con la luz de su entendimiento para, a continuación, dar cuenta a los suyos de los puntos débiles. Pero no era así, los infiltrados no mantenían la cabeza clara. Medrar por algo, se repetía. Triunfar para devolver riqueza al bando del sufrimiento. Él nunca puso en duda ese principio. Sus trabajos académicos tenían un norte, sus seminarios, sus planes; su ambición tenía siempre un último norte aun cuando, por pudor, no se lo recordara mucho a sí mismo. Pero si hoy se lo recordaba, si tomaba el mapa y la brújula y su itinerario, veía que el norte se había difuminado. Había desaparecido, bajo tantas otras caras, la cara de su abuela. Cómo iba a ser capaz de no cambiar, se dijo, cuando se rodeaba de y era pagado por y llevaba el sueldo a los del otro bando. Los infiltrados no existían, Robin Hood no existía, traicionar para después volver al punto de partida no existía. Nadie, se dijo, que de verdad hubiera traicionado había vuelto nunca, sólo había fingido volver cargado de regalos, igual que él volvería a su pueblo cada Navidad con Leticia, cargado de regalos. Robin Hood no era un rico que robase a los ricos para dárselo a los pobres: era un sajón que robaba a los normandos. Robin Hood nunca traicionó a los suyos, a los sajones ricos nunca les traicionó y si lo hubiera hecho entonces no habría querido volver. A la verdadera traición seguía siempre el olvido, el olvido real y la nostalgia ficticia: todos los traidores cantaban a menudo alabanzas de lo que habían dejado. También él se sorprendía recordando más a su abuela Joaquina, y hablando más cada vez de su familia de Alguazas porque pronto Leticia sería su familia, Madrid sería su ciudad; pronto su labor intelectual consistiría en hacer que la rueda siguiera girando en la misma dirección.

«Pero quién nos paga», dijo, y levantó uno de los tomos de la investigación y lo dejó caer. Las entidades financieras pagaban estudios sobre la función social de la banca y, en ese caso, de qué valían las buenas intenciones del investigador. Tenía ahí, bajo sus manos, un documento que si bien revelaba errores, poniendo al descubierto los mecanismos que habían condicionado la actuación bancaria, lo hacía en el marco del estímulo, de la mejora. Normal, se dijo. Nadie pagaba para ser desmantelado sino para imponer a quien cobraba la realidad de que sus intereses coincidían. Lo había visto en demasiados investigadores, periodistas, intelectuales. Mientras tanto la izquierda, la comunidad de espíritus críticos, fuera cual fuese su nombre, reinaba sin reino, ejercía una vana autoridad sin extensión. De vez en cuando y por un encadenamiento de circunstancias fortuitas, algunos textos alcanzaban no ya sólo una tribuna sino el modo y el medio de persistir ocupando espacios invadidos. Y era como un penoso vislumbre de lo que podría darse si la conciencia crítica no tuviese que empezar siempre desde el principio, si la razón no hubiera carecido de una infraestructura productiva sino dispuesto en todo momento de recursos, si hubiera podido apoyarse en instituciones propias y en sus propios medios de difusión. La izquierda, en cambio, estaba siempre en el lugar restante, vivía de excepciones y sus conocimientos rara vez se sumaban unos a otros porque, entre unos y otros, había años y kilómetros de un vacío ni siquiera respetado, años y kilómetros de un silencio mancillado por el croar incesante del orden. Santiago se vio a sí mismo con ojos de rana, sus piernas largas y fuertes convertidas en ancas de rana, coreando como todos, aplaudiendo y croando al compás de todos, más congresos, más artículos, nuevas tesis y tribunales, más intervenciones para transmitir que la actualidad era un bello dibujo: bien, acaso conviniera retocar un poco el sombreado de arriba, hoy por ejemplo el crespón negro de la muerte en la antigua Yugoslavia, tal vez mañana el rojo lágrima de la prostitución infantil.

Pero lee, se dijo. Buscó en el índice los capítulos dedicados al ahorro popular y al préstamo de subsistencia: montes de piedad, ahorro escolar, sociedades para la instrucción y el mejoramiento de las clases trabajadoras, círculos católicos de obreros, usura, casas de empeño. Al minucioso trabajo de hemeroteca se unía la investigación en los archivos de las sociedades. Algo incompleto y sesgado como lo fueron, sin duda, las informaciones aparecidas en la prensa, y como fue sesgada e incompleta la gestión de los archivos. Lee, se repitió. El recuento de los hechos estaba ahí y también quedaría un resto de la voluntad de ser veraz por parte de quien lo hizo; el que pagaba, pensó, nunca podía pagar por todo. Lee y el recuento de los hechos se adherirá a tu inteligencia, tal un organismo vivo, fecundándola. Como una urbe edificada con teorías, interpretaciones, aseveraciones, era el conocimiento. Él se consideraba uno de sus habitantes, veía en perspectiva el trazado de sus calles y aspiraba a contribuir al crecimiento armónico de esa creación humana. Por qué motivo, se preguntó. Por un prurito de vanidad, por ansia de dominio, por el deseo de formar parte de una casta. Y si el porqué no bastaba, entonces para quién, a quién beneficiaría su conocimiento. A ninguna institución que él pudiese admirar. Una vez convertido en sueldo, beneficiaba a personas concretas. A Carlos, a Leticia y a Irene, a su sobrino si le regalaba un verano en Brighton, a su madre, todos reconciliados al fin. Iría con las dos a Alguazas, las presentaría. ¿Acaso no formaban parte del presente torrencial que azotaba la ventana y su pecho? El presente desapacible, lluvioso que, noche a noche, y mañana a mañana, él se estaba ganando.

En el parque del Oeste atardecía. Ainhoa apoyó el hombro izquierdo en el tronco de un árbol. Pablo, a su lado, la rodeó con el brazo y empezó a besarla junto al oído, en el oído. Ainhoa cerró los ojos, se mareaba con dulzura. Luego se apretó contra Pablo. Aunque iba abrigada, sentía frío. Era el miércoles 15 de noviembre. A su alrededor se multiplicaban las sombras de los árboles, el silencio, los últimos tonos rojos del cielo. Pablo se puso detrás de ella, la cogía cruzando los brazos en torno a su cuello y ella tenía la sensación de que estaban en otro mundo. Hasta cuándo. Había aparcado el coche a unos doscientos metros de ahí. Se veía sola con Diego en el coche. Imaginaba los meses y los años siguientes de maneras muy distintas. Separó con sus manos el círculo de los brazos de Pablo y echaron a andar hacia su portal. Los dos médicos con quienes vivía Pablo estaban fuera, uno tenía guardia y el otro había quedado a las siete. Ella había preferido esperar hasta y media por si acaso.

En la casa, fueron directamente al cuarto de Pablo, aunque Ainhoa no dejó de mirar, desde las puertas abiertas, el salón, la cocina. Reinaba siempre en ellos un desorden limpio, o tal vez la escasez de muebles y objetos le producía esa impresión, y le gustaba. El cuarto de Pablo no era una excepción.

Tenía una mesa de madera sin cajones, lisa, una silla, una cama no muy ancha, dos flexos rojos, un armario empotrado y una estantería por todo mobiliario. Pablo abrió el armario y colgó el anorak de Ainhoa.

—¿Un café? —dijo.

Ainhoa asintió.

—Me he quedado helada.

—Yo lo traigo —dijo Pablo.

Mientras él lo preparaba, Ainhoa encendió el flexo y se sentó en la mesa de estudio de Pablo. Libros, papeles, revistas se distribuían sobre la superficie con una rara mesura. Desde que estaban juntos, Ainhoa había empezado a fijarse en la forma de estudiar de Pablo, quien ya se había ganado en el hospital un prestigio de médico serio y fiable pese a tener sólo un año más que ella. Pablo salía poco, estudiaba muchas horas y, no obstante, lo hacía sin avaricia. Al principio, cuando él la buscaba, tenaz, Ainhoa no entendía por qué a ella, qué quería de ella. Ahora se daba cuenta de que, si por él fuera, podrían seguir igual durante meses, durante años.

Se levantó al oírle venir, cogió la taza que le ofrecía y fue a sentarse con él a la cama. Hombro con hombro, cadera con cadera. Luego dejaron las tazas en el suelo. Pablo apartó el pelo de la cara de Ainhoa y la besó. Fueron quitándose la ropa. Casi desnudo, Pablo salió del cuarto y volvió con un convector de aire caliente. El aparato sonaba como si trajera un rumor agitado de vida, voces y pasos fundidos, menguados. Pablo besaba el cuerpo de Ainhoa levantando a cada poco la cabeza para mirarla; parecía decir es tu cuerpo, estoy besando tu cuerpo y tu cuerpo eres tú. Ella cerró los ojos y le oyó romper el envoltorio del condón. Ya no había distancia, el placer se embalsaba, ella también iba a correrse y no había avaricia ni desesperación. Al temblor de Ainhoa se unía la exclamación de Pablo. Poco después se soltaron, aunque mantuvieron las piernas enlazadas. Y el convector sonaba como una caracola pero no había océanos, estallidos, fugas ni acantilados, no había avaricia ni desesperación. Pablo, se dijo, follaba sin avaricia, estudiaba sin avaricia y la había buscado sin avaricia. «Quiero quererte», le había dicho y no hasta cuándo. Después del primer día febril, Pablo había sabido calmarla. «Sé que podemos tratarnos bien», respondía con seguridad cuando ella vacilaba. Ahora le pasaba una mano por la espalda, sin cesar, estoy aquí, estoy aquí. Pablo habló de sus entrevistas con dos becarios de psicología que estaban haciendo una investigación sobre el sesgo en los diagnósticos. Todas sus preguntas, dijo, iban dirigidas a lograr algo así como que él observara su pensamiento. La mano no abandonaba el recorrido por la espalda. Estuvieron un rato comentando las distintas formas de hacer diagnósticos, se contaron historias de pacientes que preparaban coartadas frente a la enfermedad. Luego la mano se detuvo, Pablo dormía.

Ainhoa cerró los ojos y se le apareció el mismo cuarto con la misma cama, la mesa y los dos flexos rojos. Volvió a pensar que Pablo la quería igual que estudiaba, sin avaricia, sin creer que había una materia que dominar y una necesidad de hacerlo en el menor tiempo posible. Abordaba los problemas médicos como diciendo «Ahora tengo facultades para resolverlos y por qué no utilizarlas si nos conviene a los enfermos y a mí». Del mismo modo se habría dado cuenta de que tenía la facultad de quererla disponible, y por qué no ejercerla si los dos iban a tratarse bien. Ainhoa se incorporó para coger su reloj del suelo. Podían seguir así meses, mientras ella no diera el alto de algún modo, mientras no dijera me siento demasiado culpable o lo contrario, sufro por no poder vivir contigo. Saltó por encima de él y fue a la ducha. Le agradó verse desnuda en el espejo. Al volver encontró a Pablo despierto y vestido. Él le iba acercando su ropa y la miraba mientras se vestía.

Camino del coche, aunque Ainhoa trataba de no pensar, se preguntó por qué no se sentía culpable. Tampoco tenía la sensación de estar equilibrando la balanza, tomándose la revancha después de cuatro años. Arrancó. El cristal estaba algo empañado, veía las luces del freno del coche de delante como una nube roja. Nadie, se dijo, debe sentirse culpable por querer un poco de sitio. Era lo que ella estaba haciendo, moverse, atravesar la montaña de recuerdos silenciados y objetivos secretos que Carlos ponía delante de ella. Como si vaciara un cuarto atiborrado de trastos y de muebles para dejarlo accesible. No iba a tirar los muebles, no iba a tirar a Carlos, pero necesitaba espacio, imaginar por delante unos años libres de ansiedad, despejados de justificaciones. Aún no sabía si quería vivir esos años sola o junto a Carlos, o junto a Pablo. Pero quizá, pensó al abrir la ventanilla, no se le habría ocurrido creer en ellos si no hubiera visto la mesa de Pablo, la posibilidad de un orden no amontonado en donde ir a tomar un objeto no supusiera siempre correr el riesgo de romper o volcar otro, o bien la tentación de darlo, antes de tiempo, por perdido. Llevaba cinco meses con Pablo y no se sentía culpable. El volante estaba frío; puso la calefacción.

El jueves 7 de diciembre, cuando Carlos llegó a Jard encontró ocupado el lugar donde solía dejar la moto. La furgoneta de Electra estaba allí, con las puertas traseras abiertas. Dos hombres cargaban las fuentes de alimentación. No era extraño, formaba parte del trato con Electra y así lo habían estado haciendo desde septiembre. Sin embargo, Carlos sólo había coincidido con ellos otra mañana, justo cuando se iban. Saludó al hombre mayor y al chico que iba con él. Ambos parecían profesionales, manejaban el material con cuidado suficiente. Entró en el despacho, lo cerró y al momento tuvo la tentación de salir para supervisar el trabajo de los dos hombres. No había nada que supervisar pero le exasperaba estar dentro del despacho y oír los pasos a través de la puerta. Se dirigió a la nave. Lucas no había llegado aún. Esteban y Rodrigo soldaban sentados en la mesa de montaje; le saludaron sin levantar la vista y Carlos creyó percibir en ellos el mismo malestar que él sentía. Fue al tablero, se sentó, se levantó. ¿Por qué no llegaba Lucas? Encendió el ordenador y buscó el pedido de fuentes para centralitas telefónicas. Cincuenta y cuatro fuentes iguales pero diferentes. Imprimió el circuito estándar, trabajó con él dos minutos y lo dejó. Al ver que los hombres estaban terminando, se acercó a la mesa de Rodrigo y Esteban.

—¿Tomáis un café en el bar?

Dijeron que sí mirando al chico que empaquetaba las últimas fuentes. En la calle, esperaron a que el hombre mayor cerrara las puertas de atrás y arrancase la furgoneta.

—Me gustaba más antes —dijo Esteban en el bar.

Quizá delante de Lucas, Carlos no hubiera asentido. Por algún lado juzgaba innecesario e irresponsable hacer público su estado de ánimo aunque, por otro, quisiera manifestarlo. Le dijo a Esteban que lo entendía. Rodrigo preguntó qué querían tomar y Esteban fue con él a la barra.

Antes, pensaba Carlos, la distribución se hacía de forma irregular. Contrataban sin fecha fija a un amigo de Rodrigo que tenía una furgoneta. Ellos le ayudaban a cargar parte de las fuentes. Además, Rodrigo repartía algunas en el Simca de Lucas; Esteban se encargaba de entregarlas, mientras Rodrigo esperaba en segunda fila. También Lucas y él mismo habían repartido fuentes por diversas circunstancias de urgencia u oportunidad. Un sistema falible, anómalo y no mucho más barato si se contaban las horas de trabajo perdidas, el número de viajes y el pago a empresas de reparto nacional. Era absurdo preferirlo a la distribución de Electra; en el fondo, él no lo prefería, ni tampoco Lucas. Pero en el fondo había realismo, el anhelo de una cierta tranquilidad económica. Quizá también visión de futuro, de qué futuro. O acaso hubiera resignación.

Cuando Esteban dejó en la mesa dos tazas de café, Carlos dijo:

—Al ver a esos tipos tiene uno la sensación de que Jard no es más que una sucursal.

—Parece que nos roban y que nos dejamos —dijo Esteban. Su cráneo pelado estaba ahora cubierto por una pelusa erizada. No se había quitado el chaquetón azul verdoso con capucha, y Carlos dio en imaginar a un campesino de la Edad Media separando parte de su cosecha para los nobles, pensaba en el pago en especie. Antes, se dijo, con el Simca y la furgoneta alquilada, experimentaban siquiera una ilusión de autonomía.

Esteban revolvía el azúcar en el café, callado, cuando Rodrigo llegó con el té de Carlos, quien lo tomó distraído. En la mesa contigua desayunaban dos mujeres junto a sus carros de la compra y detrás de la columna de aluminio, un viejo fumaba en la mesa donde él y Daniel hablaron la última vez. Daniel era el único que no había aceptado el pacto. Sus padres le pagaban un año en una escuela especializada en Barcelona; luego, seguramente, se pasaría al software. Carlos lo entendió. Además, Daniel no les dejaba colgados sino que había trabajado, y mucho, hasta el final de octubre. El último día le hicieron una cena de despedida, pero antes, por la tarde, Carlos fue con él a la mesa tras la columna y ambos habían hablado con triste sinceridad. Sonaba la máquina tragaperras.

Rodrigo sacó su caja de juanolas. Mientras ofrecía dijo que estaba buscando casa, que si se enteraban de un alquiler barato en el centro le avisaran. Carlos se preguntó a qué llamaría Rodrigo «barato». Pensó en el sueldo de Rodrigo, que no rebasaba las ciento diez mil pesetas, y en que él ganaba el doble.

—¿Para ti solo? —preguntó.

—Voy a intentarlo. Si no encuentro nada asequible, buscaré gente para compartir.

A Carlos se le había ocurrido que a lo mejor Santiago dejaba pronto su piso. Iba a decírselo, pero se dio cuenta de que no sabía nada de la relación de Leticia con Santiago. De repente le dolía imaginarse a Santiago en otro barrio y en otra casa. Empezó a oírse la melodía de *El tercer hombre*. Carlos acariciaba el borde mordido de la formica en la mesa; había vuelto a acordarse de su conversación con Daniel y se sentía mal. Aunque, por el momento, Jard estuviera remontando la crisis, no había nada seguro. Necesitaban demasiado a Electra. Se decía que antes del verano, si no surgían nuevos imprevistos, podría devolver como mínimo un millón a Santiago y otro a Marta. ¿Y qué? Tal vez a Santiago ahora le diese igual. En cuanto a Marta, eso no iba a conseguir que las cosas cambiasen entre Guillermo y ella, por no pensar en su propia relación con Ainhoa. Después seguiría sin poder pagarle un sueldo digno a Rodrigo. La máquina tragaperras simulaba algarabía; al viejo le habían tocado algunas monedas. En cualquier caso, se dijo, no creía que Electra fuera a mantener mucho tiempo su colaboración tal cual, sin reclamar su dinero o exigir nuevas compensaciones. Rodrigo y Esteban llevaban un buen rato hablando de los pisos. Él fue a la barra a pagar los cafés, pero ya estaban pagados.

Sobre la calle flotaba una bruma gris. Carlos se colocó en un extremo del trío, pegado a Esteban. La altura de Rodrigo a su lado le achantaba. Junto al semáforo, otra vez las palabras dichas a Daniel apareciéndosele. Que hacía bien en irse, él lo comprendía. Que lo razonable para una empresa no era tener criterios; lo razonable era tener beneficios. Así, delante de un chico de veintitrés años había negado a Jard. Cuando el semáforo cambió, los tres cruzaron como debían, en verde, y no como él le había contado a Daniel que estaban haciendo. Daniel, yo quisiera que el rojo en mi comunidad significara vía libre. Quiero cambiar el uso de los semáforos pero, en vez de tomar medidas para conseguirlo, me limito a hacer caso omiso de la convención vigente, cruzo en rojo y me atropellan. Estamos cruzando en rojo, Daniel, siempre hubo mártires, gente que se negó a respetar el juego. El problema es que un mártir sin un movimiento detrás no merece consideración. Si el Rick de Casablanca sólo hubiera perdido a una mujer, habría sido un tonto, un desgraciado sin más. Rick y la película necesitaban la resistencia francesa.

Entraron en Jard. La cazadora negra de Lucas colgaba ya del perchero, pero Carlos no fue a saludarle. Se encerró en el despacho. Que hacía bien en irse, le había dicho a Daniel. Que seguramente si los otros, incluido él mismo, pudieran, lo imitarían, porque cuando Jard empezase a cruzar en verde no iba a ser nada del otro mundo. Carlos abrió un cajón y sacó el balance de la empresa. Buscó entre papeles y carpetas un calendario del año siguiente. Calculaba que dentro de uno o dos meses Electra les haría una oferta de compra. Se había acostumbrado a revisar el balance a menudo para no estar desprevenido cuando pasara. Comprar Jard era lo lógico. Electra no lo propuso al principio para no provocar una crisis con la consiguiente pérdida de los intangibles de Jard, ni un movimiento de orgullo que habría perjudicado a todos. Pero ahora Jard funcionaba de nuevo. Pronto Electra querría servirse de los modelos de fuentes ya probados y aumentar la producción aprovechando, al mismo tiempo, la voluntad suya y de Lucas de no condenarse otra vez a la incertidumbre. Electra haría la oferta; ellos la aceptarían. Estaba seguro de que Lucas también lo había pensado. Miró el calendario colgado de la pared. En diciembre el cuadro era una estación de tren desdibujada, intuida entre manchas de luz. Si les compraban se irían del local. No vería más los grumos grises de pintura. No volvería a oír al otro lado de la ventana interior tenedores, alimentos friéndose, el zumbido de la olla a presión. Y tal vez lo deseaba, se dijo.

Trabajar para otro, alquilarse por un buen precio y desentenderse. Dejar de aguantar y de temer. Rechazar el riesgo como valor; el riesgo era una imposición, una trampa para pobres. Alquilarse. Delegar las consecuencias de sus actos, los fines, los criterios. Y vivir fuera del trabajo conquistando la identidad con una casa de pueblo, con viajes, con la lectura. Así pasaría el tiempo. Una mañana, tarde o temprano, tendría que contarle a su hijo la diferencia entre elegir y tomar decisiones. Elegir, le diría, significaba determinar los fines de acuerdo con la razón. Tomar decisiones era sólo escoger entre los deseos de un muestrario concebido por el apetito propio o ajeno, casi siempre ajeno. Le contaría que en eso había consistido su vida: decidir sin elegir, componer discursos para imitar a la razón, fingiendo que cada individuo en solitario tenía la insólita capacidad de convertir en racional el acto de haber comprado aquella chaqueta, de haber enviado a su hijo a este colegio, de haber vendido una pequeña empresa. Pero leeremos junto a la chimenea, hijo, y visitaremos países tan extraños. Si nos van bien las cosas, tu madre y yo decidiremos qué piso comprar para que tú lo heredes y dejaremos de pensar en quién vas a ser tú. Dejaremos de creer que eso puede elegirse un poco. Tal vez había una escala de valores que transmitirte, pero eso, hijo, no nos preocupará. Estaremos en casa, daremos paseos, veremos una película de Disney los tres. Luego tú crecerás oyendo lo que te digan en clase, irás a los conciertos de moda, hablarás de lo que hablen tus amigos en paro o tus amigos hijos de padres que puedan enchufarles, y yo trataré de ser uno de esos padres, Diego. Entre tu madre y yo ganaremos dinero para llevarte a un colegio que te proporcione los contactos suficientes, me situaré bien. No lo he elegido, pero estoy decidiéndolo, así es como funciona, hijo, y el resto, la historia, el sentido de la historia, el sentido de ser hombres y poder juzgar, el resto existe, Diego, es un espejo sin luz.

II

Lo primero que Marta aprendió de la nieve fue que hacía ruido. Había caído durante toda la noche. Desde la ventana se estuvieron viendo zonas de luz que proyectaban la lentitud de los copos. Eran las ocho de la mañana del jueves 14 de diciembre; Marta había adelantado el despertador para ir andando a la reunión, andando por la gran avenida blanca. Cuando se levantó, oyó chorros de agua y creyó que llovía. Temió entonces que la lluvia hubiera deshecho la nieve impidiéndola cuajar. Pero Bonn no era Madrid, por la ventana vio los tejados, las aceras y los pequeños árboles completamente blancos. El sol se abría paso a través del cielo cubierto; el ruido del agua vendría, se dijo, de los canalones. Se duchó, se vistió deprisa y desayunó un café y un yogur con muesli en el comedor del hotel. El ruido persistía detrás de las grandes cristaleras. Abajo, la recepcionista le entregó un fax doblado. Antes de leerlo se fijó en el membrete de la cadena de televisión. «He sabido a través de mis agentes que los días 26 y 27 de diciembre coincidiremos en Bruselas. ¿Puedo pedirte que reserves la noche del 27 para cenar conmigo? A las ocho en el bar del Metropol. Sueño con ello.» Marta volvió a doblarlo y lo guardó en el bolsillo interior del abrigo.

Se colgó el maletín del hombro, se puso los guantes, un

gorro blanco de lana y salió fuera. El ruido la envolvió. Era nieve derretida vertiéndose desde los aleros, cayendo también de los árboles y de las marquesinas y de cada saliente. Un ruido sin armonía, apresurado, insistente. A cada paso ella misma producía un crujido de bombillas machacadas. No quiso abandonar el propósito de ir andando, pero llevaba la mirada fija en sus botas para no resbalarse ni pisar charcos. Había soñado con Guillermo y ahora le parecía que iba a encontrarle en el camino, que él la saludaría con la ilógica naturalidad de lo onírico y le diría: «He encontrado un sitio sin ti. No es un sitio maravilloso; no es el mejor de los sitios pero no es el peor. La gente respira, la comida caliente huele bien, en las tardes de lluvia dan ganas de hacer el amor, las verduras son grandes y baratas; algunas noches me doy cuenta de cómo llega el sueño, entonces pienso que sería bien triste no volver a despertarme. La vida, sí, la vida hubiera estado mejor contigo, pero el que nos hayamos alejado no puede hacer que la vida esté mal».

Levantó la vista de la nieve para mirar la avenida: alejarse, se habían alejado. Dio un paso y se le clavaron bombillas rotas en las suelas. Guillermo la había dejado sola con su nieve. O quizá ella había querido que la dejara sola. Con un fax de Manuel Soto en el abrigo.

Marta se fijó en la ristra de agua que había levantado un coche. Reanudó la marcha. Pisaba, y aquel desmenuzarse de cristales finos. Hay algo bueno en mezclarse, Guillermo, en respirar, en vivir junto a los otros; en que las naranjas sean redondas, las personas tengan brazos y manos, en ver una película, tomar café. Pero es distinto vivir y estar de acuerdo. Dentro de diez años todas las películas pueden ser como series de televisión, y a lo mejor hay que tomar café en cafeterías vigiladas por guardias de seguridad. ¿Qué hacer con el desacuerdo? Recordó la discusión sobre las oenegés en casa de Carlos y tuvo ganas de repetirla empezando por otro sitio:

quizá las oenegés fuesen una caridad sin fronteras; quizá canalizaran, sí, las contradicciones de los grupos privilegiados, su miedo a la revuelta y su necesidad de controlar y dividir a la población explotada. Pero eso venía luego, diría. Las contradicciones y, en cierto modo, la buena voluntad venían después. Las oenegés tenían sobre todo que ver con el paro y con los trabajos mal remunerados, eventuales y frustrantes. Montones de individuos se resignaban a una oenegé porque les proporcionaba si no siempre un complemento económico, sí al menos un incremento de sentido. Las oenegés no nacían de un malestar moral, sino físico y psicológico. No en vano, en las últimas reuniones había oído definir la solidaridad como un producto de consumo de gran valor para los ciudadanos.

Decidió coger un autobús, estaba cansada. Miraría por las ventanas, se quedaría de pie y viajaría sobre una plataforma encima de la nieve. Ahí venía el gran cajón verde pálido. El fax crujió en el bolsillo cuando metió la mano para sacar la cartera. Pagó el billete y se quedó en el centro, en su sitio, pensó con ironía. Ella quería pertenecer al contingente de personas que concebían un destino distinto del destino un poco mezquino, un poco satisfecho, bastante entretenido, de cualquier miembro bien situado de la clase media. Quería no entregarse, pero lo quería por sus lecturas, por unos brazos morenos, lejanos, por un esfuerzo de la razón voluntaria mientras que la reunión era inminente. Allí hablarían de la «racionalidad» del gasto público quienes previamente habían definido un modelo «racional» de presupuesto haciendo gala de su exquisita desfachatez a la hora de alterar el concepto de lo racional hasta desfigurarlo por completo. Desfigurado o no, ellos esgrimían ese concepto. Francia, se dijo. En Francia sí parecía haberse despertado la población. Claro que en Francia había una tradición de defensa de lo público y, a pesar de todo, Marta no acababa de creerse que las manifestaciones y protestas fuesen a conseguir alguna modificación sustancial. Si en vez de Francia fuera toda Europa. Si ella pudiera respaldar sus argumentos amparándose en una defensa masiva de la Seguridad Social que recorriera la Unión Europea. Porque, en última instancia, ella sólo podía hablar de medidas eficaces y no de medidas buenas. Los fines los fijaban otros; ella se ganaba un sueldo y cualquier pretensión de estar por encima de eso no era más que un iluso sentimentalismo cargado de ideología, o al menos le parecía tan fácil darse cuenta cuando hablaba con Manuel Soto. Bajó del autobús.

En adelante, se dijo a punto ya de llegar, renegaría de esos alegatos de adolescente que desea descubrir el modo de acabar con el hambre en el mundo. Como aquel otro deseo de jugar a repetirse: «A las ocho en el bar del Metropol. Sueño con ello». Pero ya no tenía quince años.

Marta depositó el tabaco y el mechero junto al arco metálico y lo atravesó. El guardián de la puerta miraba el interior de su maletín. Ella se quitó el gorro, regalo de Guillermo. Siempre su moral cristiana. Siempre empeñada en salvarse y en creer que no hacía exactamente lo que hacía: espíritu y cuerpo. Pues bien, se había acabado. Que se salvaran otros. Carlos con su empresa, Santiago por haber sido pobre.

Ahora ella iba a entrar en el aula de puertas metálicas y sillas de madera nórdicas. Se fundiría con los demás elementos del escenario, las luces graduables en la larguísima mesa, las cabinas de cristal con traductores, los delicados micrófonos. Deja, pensó, el bibliotecario de discutir qué libros quiere para la biblioteca; acepta que su única función es clasificarlos y renuncia así a su cuota de sentido pero, en cambio, se convierte en el gestor de una biblioteca ordenada en los límites de la excelencia. Nunca más estará disgustado, molesto por haber tenido que encajar una remesa de morralla editorial, o afligido por no haber logrado presupuesto para aquella otra remesa que sí juzgaba interesante; y nunca, nunca más volverá a casa sintiendo frustración ni alegría sino la constante satisfacción del trabajo bien hecho. Así ella, se dijo saliendo del ascensor, iba a renunciar esa mañana a las discusiones, a los fines, y entraría en la reunión con la cara relajada. Mediante ágiles intervenciones, distendidas, brillantes, sabría adivinar qué fórmula estaba requiriendo la cuestión planteada por unos y por otros. Abrió la puerta del aula, saludó con serena sonrisa a quienes ya habían llegado, colgó el abrigo del perchero y tomó asiento.

El sábado 30 de diciembre, al anochecer, Santiago decidió que no saldría a cenar con los primos de Leticia. Se encontraba un poco mal del estómago y, sobre todo, las Navidades le estaban consumiendo el ánimo. Al día siguiente tendría que ir a Barcelona a la cena de Nochevieja en casa de los abuelos de Leticia donde se esperaba de él que ofreciera una imagen de seguridad no exenta del toque humilde. Debería combinar el mensaje de «sé bien lo que quiero» con el de «aunque estaría dispuesto a ser flexible si estuviera en juego la felicidad de Leticia». Ya lo había hecho otras veces y no le asustaba, pero tampoco le divertía. Y aún le quemaba el recuerdo de la Nochebuena en Alguazas. Allí no tuvo que estar pendiente de adelantarse a las expectativas de «los Tineo». Pero tampoco había estado pendiente de su madre, o de Leticia e Irene, sino que ellas, su madre y Leticia, habían estado pendientes de él.

Miró la figura de Leticia, medio oculta tras el periódico. Mejor contarle su decisión más tarde para evitar que suspendiera la cena. Le apetecía que Leticia saliera y quedarse en el salón, con una sola luz encendida, mientras Irene dormía en su cuarto. Al poco, Leticia se fue para bañar a Irene. Él hizo un filete a la plancha. Cuando estaban dándoselo a la niña, dijo:

—Voy a llamar a la canguro para que no venga. Tengo el estómago revuelto y estoy bastante cansado. Lo mejor es que vayas tú a la cena y yo me quede con Irene.

Leticia, con ojos de enfado, se mordió las mejillas hacia dentro. Luego cambió.

—Vale, llama —dijo casi alegre.

Acostaron a Irene. Leticia ya se había hecho a la idea y le preguntaba por su estómago. En la puerta, él sostuvo a su espalda el abrigo.

—Cuídate —dijo ella.

—Y tú.

Leticia había llamado al ascensor. Él la vio meterse, luego volvió al salón, lo dejó a oscuras y apoyó la frente en un cristal. Miraba los castaños de la calle, el horizonte oscuro del Retiro. Fue a tientas hasta uno de los sillones. Sentado, encendió una lámpara de lectura que iluminaba sólo la superficie del libro. Sin embargo, no pensaba seguir leyendo *La muerte del pasado* de Plumb. Echó de menos el resto de los libros de Vázquez de Mella. Tenía que terminar el traslado si es que seguía con la idea de deshacerse del piso. Ya veremos, se dijo, y apartó, una vez más, la insidiosa cadena de preguntas que se agolpaba detrás de esa cuestión. Volvió a pensar en las palabras que le gustaría leer. Píndaro acaso. Un nuevo Píndaro que celebrara otro triunfo: el suyo. No habría banquetes ni comitivas. No habría trofeos ni condecoraciones porque su triunfo iba a remontarse más allá de cualquier contingencia. El relieve, la casa, la cátedra, el instituto para la investigación histórica y social se le antojaban irrelevantes. Su triunfo sería de otra especie.

Apagó la luz y puso las manos en los brazos del sillón. Vencer y vencerse. Dominar. Quería saber que algo suyo permanecería idéntico y poderoso al margen de cuanto dijeran de él, al margen de los trajes que tuviera que ponerse, de sus artículos, del Rover 623. Al margen de su estómago revuelto habría algo suyo esencial, así el rayo que taladra una piedra, algo vivo y eléctrico que permanecería. Tal su triunfo. Como el eje de un astro él habría mantenido su estructura interior. Intocada y, si alguna vez tocada, inalterable. Algunos minerales cristalizaban siempre de acuerdo con ciertos planos de simetría porque entre cada uno de sus átomos regía una distancia fijada con antelación. Y así él, como la estructura del cuarzo, permanecería. Aunque a veces errara en las palabras dichas o se viera en el centro de penosas ceremonias, algo suyo, esencial y fuerte, permanecería. Él era Santiago Álvarez. De acuerdo, muchos otros individuos podían llamarse igual. Pero él era Santiago Álvarez, él tenía un secreto que no iba a desvanecerse porque estaba hecho con los millones de minutos de su existencia, con una persistente hilera de palabras nunca pronunciadas. Durante años, en tardes de rencor y rutina él había defendido la forma cristalográfica de su personalidad. Luego llegaba la noche. Se vio tendido en cada una de las camas de su vida. Se acordó de Irene.

Sorteando muebles en lo oscuro salió del salón hacia el cuarto de la niña. Dormía boca abajo, la almohada en un lateral, la cabeza apoyada y como empujando el cabecero almohadillado. La piel, muy clara, casi resplandecía en la penumbra del cuarto. Qué poca cosa era un niño. Esa niña, sin carne apenas, sus huesos debían de ser blandos, cartilaginosos. Y Santiago pensó que la niña flotaba. No tenía peso, no era sólida; por eso necesitaba sujetarse con el cabecero y apretar en el puño la sábana de abajo. Su cuerpo le recordaba al algodón en rama, cabeza, tronco y extremidades unidos como hebras que no precisan ser cortadas. Un cuerpo no trabado, no cerrado todavía. Él debía guardarlo, ser su centinela. Pero quién era él. Se inclinó y puso la mano sobre la espalda de la niña, sus dedos largos en el hombro minúsculo. Luego salió del cuarto sin cerrar la puerta.

Notaba aún el estómago revuelto. Leería un rato y enseguida se acostaría. Qué centinela, se dijo. Su estructura interior y su secreto, la gran tentación, mierda, la tentación de dejarle la realidad a otros. Y había estado a punto de caer, y cómo lo había deseado. Pensar que podría entregarles el hábito, el entorno, la cuenta bancaria y, no obstante, permanecer. Santiago se tumbó en el sofá. La estructura del cuarzo: un corazón puro; una inteligencia afilada. Capacidad para distinguir el arte y la belleza dondequiera que se encuentren. Cenicienta y el zapato de cristal. Obedecer, cumplir con cada una de las exigencias pero seguir manteniendo la fe en el diamante puro, en el filamento eléctrico. Algo que brillaría al ser reconocido. Se incorporó, inquieto; necesitaba estar ocupado. Pensó en preparar las clases.

Enero de 1996 trajo lluvias intermitentes que humedecieron los campos. Se reabrían investigaciones. Se preparaban listas electorales. El miércoles día 9 un comando checheno amenazó de muerte a más de dos mil rehenes en un hospital ruso. El viernes 12 el Banco de España bajó por sorpresa el precio del dinero. En Madrid había niebla y los dedos y las caras notaban, en la calle, un contacto húmedo, junto a la piel la carne de una manzana abierta.

Por la mañana, Carlos habló por teléfono con la secretaria inglesa de Claudio Robles. La imaginaba alta y sin ropa de secretaria, una hija de buena familia inglesa que completaba su formación trabajando en la empresa española de un amigo de los padres. Claudio Robles quería cancelar la cita del lunes 15 de enero y proponía adelantarla a una comida este mismo viernes pues salía de viaje por dos semanas. Carlos rehusó aunque no por orgullo ni para hacerse valer. Prefería el despacho de Claudio Robles a un restaurante. No podía, se dijo al colgar, darle la ventaja de una carta y un maître y elegir y cortar y beber: multitud de pequeñas acciones que dispersarían su atención. Pensó con afecto en Sol y en el hermano de su amigo, aquel primer contacto con Electra cuando aún no había secretarias. Pero el hermano se había limitado a hacer de mensajero. Luego el nivel de los interlocutores fue subiendo en la misma medida que el interés de Electra por Jard. Eso tendría que satisfacerle. Claudio Robles representaba la cúspide del interés, se dijo, el máximo y el último momento de esplendor. Pero incluso en el pico del gráfico, cuando podía siquiera parecer que combatían dos contrincantes igualados, que Jard necesitaba de Electra y que Electra estaba encaprichada con algo que Jard tenía, incluso en ese momento de gloria la secretaria alargaba los silencios o subrayaba su origen inglés y Carlos reincidía en la sensación de estar siendo evaluado. Aun así, eliminaron el restaurante. Las nuevas condiciones eran una cita en el despacho de Claudio Robles a las seis de ese mismo viernes 12 de enero. Carlos dio su aprobación.

Se fue a comer solo por los alrededores de Jard. Guisantes con jamón y cinta de lomo adobado. A Lucas le había dicho que tenía la entrevista por la tarde. Pero no le contó, ni tampoco a Esteban ni a Rodrigo, que iba a quedarse a comer por la zona. Había eludido los dos restaurantes habituales: para pensar. Le trajeron el flan en una copa de acero mísera como sus ganas de esconderse.

A las cinco menos cuarto, Carlos llegaba a la estación de Atocha. Dejó la vespa en el aparcamiento para que no le robaran el casco. Electra estaba en Fuencarral Pueblo y él seguía empeñado en marcar algunas reglas. Había rehusado una cita con maître y llegaría en tren. Nadie le vería entrar en la vespa naranja pálido. Tampoco le obligarían a presentarse en el hospital para pedirle el coche a Ainhoa. Iba a llegar en tren a

Fuencarral y después iría andando. El hombre feliz no tenía camisa; moraleja: el dinero no daba la felicidad. Hasta que llegó al ateneo y alguien le dijo que el hombre feliz no tenía camisa para que no se la quitaran, y él lo creyó porque aún no había cumplido diecinueve años y podía creerlo, exaltarse, predicar la buena nueva. Ahora, a punto de cumplir los treinta y cuatro, había perdido la fe en el orgullo y en la dignidad del hombre sin camisa.

Pagó el billete, la ranura metálica se lo tragó y se abrieron las puertas con cantos de goma y se cerraron. Escaleras abajo le esperaba un largo andén con pasajeros vestidos. Se sentó en un banco de rejilla, él, el hombre con camisa pero sin vehículo personal. Y se dijo que él ya sólo creía en el orgullo y en la dignidad cuando iban acompañados de la fuerza, cuando eran colectivos. Colectivo no designaba a una empresa con más de un trabajador ni a un ateneo con más de treinta personas. Ya no. Colectivo habría sido reunir la presión necesaria para contrarrestar la presión de Claudio Robles. Un hombre sin camisa y aislado es un cero a la izquierda, pensó. Un cero sin fuerza, condenado al juego del doble sentido, a la ironía de llegar andando a las instalaciones de Electra, S. A. Y atravesar andando la entrada, sin maletín, sin siquiera la provocadora bolsa de lona, ligero, sin adminículos.

El tren que se acercaba parecía un chorro de arena y nieve. Luego, al pararse bajo el andén ya era sólo semejante a una fila de pantallas de ordenador.

No había mucha gente dentro. Eligió un asiento junto a la ventanilla y, cuando apenas llevaban tres minutos de marcha, el revisor le pidió su billete. Él lo entregó con presteza, sintiendo una mezquina satisfacción de buen ciudadano que siempre le avergonzaba pues provenía, a partes iguales, del miedo y de una especie de infame corporativismo, una disposición a corroborar la creencia de que comprar un billete es posible y, por tanto, quien no lo paga debiera ser expulsado. Había visto a muchos empezar así y acabar pidiendo más policía para que no roben nuestros coches ni atraquen nuestras casas. Nuestras, de nosotros. Convenía no quedarse fuera de ese nosotros. Sin embargo, cuando terminara de hablar con Claudio Robles no podría decir que le habían echado fuera ni tampoco que le habían dejado entrar; seguiría ahí, una vez más junto a la verja, dentro de la casa pero fuera, en lo alto de la colina, apuntando con la ametralladora pero con las peores botas y falta de sueño.

En Chamartín, el tren salió a la superficie. El cielo se hacía gris más allá de las casas, y Carlos pensó que llevaba demasiado tiempo sin irse de la ciudad. Se acordó de la Pedriza, muchos años antes de conocer a Ainhoa, cuando iba al monte y dormía en refugios. Se levantaba muy temprano el sábado por la mañana y cogía un autobús. Regresaba el domingo por la noche, con ganas de ducharse y una congoja callada. El revisor pasó de nuevo, ahora en dirección contraria a la marcha del tren. Carlos volvió a pensar en su gesto de sumisión cómplice al entregarle el billete. En los viajes en autobús, recordó, no había revisores, era el propio conductor quien vendía los billetes a la entrada. No obstante, por estar los billetes numerados, muchas veces los pasajeros terminaban convertidos en sus propios revisores. Cada uno tenía su asiento, pero a menudo alguien se equivocaba de número o, simplemente, hacía caso omiso del número en cuestión. Entonces aparecía otro viajero, con frecuencia un hombre mayor o un matrimonio, se acercaba al viajero distraído y le mostraba su billete, su propiedad, exigiendo ver el otro. Ese momento, pensaba Carlos, esa satisfacción anunciada, las glándulas debían de segregar saliva, pero ¿por qué?, ¿dónde estaba el manjar suculento? No había tal manjar, el botín sería sólo un asiento corriente en el coche de línea, ni más cómodo ni más nuevo ni mejor situado. Y resultaba desagradable asistir a la escena por cuanto tenía de espejo, porque a él no le era ajeno ese placer. Alguna vez, para justificarse, había querido pensar que el placer consistía en restaurar el orden lógico: si yo dejo que sigas en mi asiento habré de sentarme a mi vez en el asiento de otro y al final se generará la confusión, un caos molesto para todos. No era un buen argumento, se dijo ahora. Uno puede sentirse obligado a restaurar el orden, pero eso nunca procura placer. Y era el placer lo que le avergonzaba. Él había sentido ese placer. En una ocasión dejó que un chico que iba medio dormido ocupara su asiento. Sin embargo, cuando un hombre le exigió a él que se levantara porque Carlos estaba a su vez ocupando su sitio, Carlos sintió placer al pensar que ahora sí iba a despertar al otro, no le quedaba más remedio, ahora sí haría que el otro se cambiara. Tal el manjar, el botín: no un asiento concreto sino la experiencia de mover a otro. Yo hablo y tú te mueves, tal el poder con su halo de seguridad: yo te cambio de sitio y, por supuesto, tú no puedes hacer lo mismo conmigo.

La próxima parada era ya Fuencarral. Por la ventanilla se veía la carretera y el fluir de los coches. En el interior de alguno, alguien diría: mira el tren. No había pensado en la conversación porque el pensamiento tenía poco que ver con lo que le esperaba. ¡Dadme mi gorra!, gritó una vez a los tres chicos de cursos superiores que se la habían quitado. Los chicos se la tiraban por encima de su cabeza entre ellos, medían más que él y eso no era una cuestión de pensamiento. Pedir no era una cuestión de pensamiento, sólo exigir o comprar; sólo el intercambio. Y él se negaba a representar una escena de falso intercambio. Por eso iba sin moto, sin casco, sin coche, sin maletín, sin herramientas, solo.

Bajó del tren. Luego tuvo que andar más de quince minutos por calles inexpresivas hasta ver las grandes letras de Electra, S. A. Después, el aparcamiento de la entrada, el vigilante, el portero. La secretaria inglesa le miró de abajo arriba.

—Claudio le atenderá pronto —dijo.

Claudio y no el señor Robles. Carlos apenas se molestó en valorar su ropa informal, el jersey azul celeste calado, los pantalones vaqueros. El tío Claudio, pensó dolido. En lugar de sentarse, se acercó a una ventana custodiada por dos troncos de Brasil. Iba a apartar la cortina cuando la secretaria dijo:

—Ya puede pasar.

Ella misma le abrió la puerta. Claudio Robles apareció muy al fondo. Levantó despacio la cara.

—Bienvenido —le dijo a Carlos saliendo de detrás de su escritorio. Con una mirada le condujo a una mesa despejada.

Se sentaron en ángulo. Claudio Robles de nuevo frente a la puerta y Carlos de espaldas al ventanal. Carlos le había visto otra vez, pero no a solas. La cara de Claudio Robles debía de ser varios centímetros más ancha que la suya y tenía aspecto de estar ligeramente hinchada, como si despidiera un exceso de salud. El traje de lana ligero, beige claro, parecía plegarse con veneración sobre aquel cuerpo expansivo. Si Carlos no lo miraba, si mantenía la vista al frente, veía un tresillo de cuero. Encima del sofá había un cuadro abstracto si bien también podría ser figurativo y estar representando un paisaje difuso.

—¿Qué te parece marzo? —fue lo primero que oyó en serio, la primera frase que no exigía de él una réplica de peloteo sino ser memorizada, la primera orden.

Estiró el silencio porque estaban hablando de que el transbordador, el submarino, la chalupa se iba a desvanecer en marzo. Veinte segundos, treinta tal vez y luego convenir diciendo:

—Yo también había pensado en esa fecha.

Claudio Robles pasó a las grandes declaraciones sobre el futuro del sector. Entremedias, le impartió instrucciones concretas referentes al aumento previsto para la producción de Jard y al uso de las patentes. Reanudó enseguida su discurso sobre los equipamientos del futuro: electromedicina, defensa, robótica, instrumentación y, por supuesto, comunicación. Carlos se mantenía atento a un nuevo cambio de voz, a nuevas instrucciones. Si te compran es porque tienes algo que ellos no tienen, se había dicho a sí mismo en las últimas semanas sabiendo que era sólo media verdad. Él tenía algo que a Electra le faltaba, pero si Electra decidía no comprarle entonces él no podría hacer nada con lo que tenía y ahí estaba el poder de Claudio Robles. Electra poseía solvencia, el mercado exterior y varios proyectos en marcha en los que él y Lucas podrían trabajar. A Jard le quedaban algunas patentes y un fondo de comercio español que Electra estaba ya invadiendo. Pero si Electra no les compraba, malvivirían unos cuantos meses sin esperanza, pues habían agotado sus recursos.

—La comunicación es, posiblemente, la única necesidad humana que parece no tener fin —decía Claudio Robles—. En mil novecientos noventa y cinco el volumen de llamadas telefónicas internacionales ha alcanzado los sesenta billones de minutos.

Carlos asintió. Quizá se esperaba de él que introdujera una fisura en el tópico. No lo hizo sino que calculaba cuánto se demoraría la segunda parte: los compromisos respectivos. Estaba seguro de que Electra no iba a aceptar los suyos sin más. Puesta a cero con respecto a la financiación llevada a cabo por Electra, y ocho millones limpios que irían a parar a Santiago y a Marta. Dos contratos indefinidos para Rodrigo y Esteban, y dos contratos con indemnización firmada para Lucas y para él manteniendo, en todos los casos, la antigüedad. A Lucas, pensó, le diría que la indemnización nacía del pacto de no concurrencia. En cierto modo Electra les obligaba a permanecer cuatro años en la empresa; a cambio, en caso de despido establecía una indemnización superior. Era la verdad, quizá no toda la verdad, pero tan verdad como que habría sido un suicidio ridículo exigir la indemnización también para Esteban y Rodrigo. Solo contra todos, escondiéndole a Lucas los privilegios y a Claudio Robles la debilidad. Porque, de cualquier manera, las cuentas no cuadraban. Él y Lucas sabían ya que los beneficios del trimestre anterior habían sido sobre todo un anzuelo. La zanahoria que antecede al palo: mirad cómo os podrían ir las cosas. Eran beneficios «siempre y cuando» el trato no se prolongara demasiado. Marzo.

—Disculpa un momento —dijo Claudio Robles, y fue hacia su mesa.

Carlos le oyó abrir cajones pero siguió mirando el paisaje difuso. Electra compraba algo que en manos de Carlos valía cinco y en manos de Electra, treinta y cinco. Ésas eran las auténticas cuentas. Algunas tardes en el bar, él y Lucas habían jugado a la épica diciéndose que Electra quería comprar posibilidades para anularlas. La posibilidad de un tejido industrial de pequeñas empresas y talleres auxiliares. La ligereza, la autonomía, la imagen de una red de pequeñas estructuras libres, radicales libres. La idea de que el mercado pudiera ser un ente vivo y complejo y no un asunto bobo, simple, un problema de aritmética para tontos, una burda cuestión de cantidad.

—Calidad —dijo ya de vuelta Claudio Robles. La secretaria inglesa entró en ese momento. Claudio le entregó un disquete. La secretaria salió sin despedirse—. Es preciso —continuó— convertir el trabajo rutinario en un reto intelectual. Quiero que todos mis directivos se involucren en la organización de círculos de calidad.

—Entiendo —dijo Carlos.

Añoraba el tresillo de cuero de enfrente o cualquier otra cosa, el cuadro abstracto podría ser un terreno baldío, rojo y ocre. Así pues, ahora lo llamaban círculos de calidad.

—Ya sabes de qué hablo. Se trata de inculcar a los empleados la pasión por el trabajo bien hecho que tenían los artesanos y los gremios preindustriales.

Carlos se mordió la lengua. Quizá fue su silencio lo que dio entrada a la segunda parte.

Por supuesto, dijo Claudio Robles, habían estudiado el peculiar reparto de las participaciones sociales en Jard. Aunque podían comprender las dificultades que obligaron a Carlos a tomar esa medida, en adelante debía quedar garantizada la ausencia de conflictos.

—Queremos el máximo posible de participaciones. Tu treinta y cinco por ciento y el treinta y cinco de Lucas Miranda. Con los otros dos trabajadores no voy a ser inflexible. Sé que en estos casos el amor propio puede generar tensiones y hacer que se alarguen inútilmente.

Carlos dijo:

—Voy a necesitar tiempo. Ya os había dicho que Lucas sólo quiere vender el dieciséis.

—Algo he oído. Casa con dos puertas, en fin, como comprenderás no tenemos el menor interés en comprar un problema. A efectos prácticos, por ahora nos conviene que Jard perviva como sociedad aparte. He dicho por ahora.

—Voy a necesitar tiempo —repitió Carlos saboreando el lujo de repetir. No tenía que buscar otra frase, había venido sin papeles, sin coche, sin adminículos. Aunque ejercer ese lujo era, se dijo, como ejercer el lujo de dejarse caer. Después habrá que levantarse e irse pues yo no ocupo el sitio legal en el autobús sino el sitio de otro, el sitio de un otro que me deja quedarme porque quiere y puede, y porque quiere y puede ahora me dirá: el sitio es mío, vas a moverte de aquí.

Claudio Robles sonreía.

—Tendrás que hablar con Juan Antonio Vega. Él es quien lleva este asunto. Como creo que ya te dije, tiene dificultades con el valor teórico contable de Jard. Carlos —añadió paternal—, Electra tiene otros socios. Aunque a mí me divirtiese jugar al ratón y al gato con tu empresa no podría. Bien entendido que no me divierte. Te lo voy a dejar muy claro. Queremos una mayoría reforzada para poder ir a una ampliación de capital en cualquier momento. Y otra cosa: hoy nos interesa Jard. Es posible que dentro de tres meses tengamos nuevas preocupaciones.

Carlos se levantó sin intentar eludir la vaharada de displicencia que emanaba de Claudio Robles. Dejó que le diera en la cara, la respiró entera. No sabía dónde estaba su orgullo pero sabía que no estaba en lo que Claudio Robles había llamado jugar al gato y al ratón. Le estrechó la mano con normalidad.

—Espero verte pronto por aquí —dijo Claudio cordial y admonitorio al mismo tiempo.

Salió diciéndose que ya no necesitaba pensar en la secretaria. La miró, le dio las buenas tardes. Tampoco necesitaba pensar que había venido sin medio de transporte propio, excepto para acordarse de que debía coger el tren. Desde la estación llamó a Jard y habló con Lucas.

—Lo esperable —dijo—. Nada urgente. El lunes te cuento.

Empezaba a anochecer. En el tren, la ventanilla le devolvía su imagen. Trató de pensar en un fin de semana tranquilo, en una vida tranquila trabajando en Electra y buscando fuera eso que habría de ser suyo, su destino, tal vez, el propósito de su existencia. A Electra llegaría en mejores condiciones que a su primer trabajo. Carlos Maceda era alguien que había fundado una empresa aunque después la hubiera vendido. El panorama no se le antojaba tan oscuro como unos días atrás. Una vida en Electra, con Ainhoa y con Diego, y con sus padres. Recordó que a su madre llevaba quince días doliéndole la espalda. Y al pensar en su madre pensó en Marta. Años atrás había encontrado en *El espía perfecto* una frase: «El dolor es democrático». La había comentado con Marta, quien siempre decía que el dolor era arbitrario y por eso mismo ajeno a cualquier sistema ético o moral. «Es arbitrario», insistió ella tras oír la frase, «carece de principios mientras que la democracia sí los tiene». Casi llegaron a enfadarse con aquella discusión. Porque él había contraatacado. Le había dicho: «Marta, lo que te molesta del dolor es que tu posición social no te sirve para librarte de él. El dolor es democrático porque se salta la educación, la cultura, no tiene en cuenta el barrio donde se vive».

De vez en cuando las luces rojas de los coches en la carretera atravesaban el reflejo del vagón iluminado y su cara. Democrático pero según y cómo. Recordaba que ante Marta se había sentido identificado con el espía checoslovaco del libro. Hoy, ante su madre, se veía como un idiota. A su madre le dolía la espalda porque su trabajo la había obligado a estar de pie ocho horas diarias durante cuarenta años. Y él lo pensaba ahora. Porque Claudio Robles le había movido, afloraba en él una conciencia dramática de sus raíces. Claudio Robles le estaba convirtiendo en Santiago mientras que a Santiago, se dijo, Leticia debía de estar convirtiéndole en Marta.

El tren se sumergió. No sigas pensando. Cálmate. Fíjate en algo concreto. En la fila contigua iba sentada una pareja de la edad de sus padres: él, ni gordo ni flaco, con bigote; ella, gruesa y con el pelo teñido; parecían estar los dos defendiéndose de la vida, pero imaginar cómo habrían llegado a ese estado le suscitaba sólo misericordia. Era viernes; mañana, sábado. Se preguntó qué iba a hacer de ahora en adelante. Le daba miedo pensar en Lucas. No quería volver a casa. El mito, se dijo. El mito y suponer que llevaría a cabo una acción necesaria. Solo contra todos la llevaría a cabo y, en la balanza, esa acción tendría un peso idéntico al peso de su porvenir. Una acción o una tarea. Fundar un Jard oculto y clandestino. Sumarse a la revuelta en un país latinoamericano. O retirarse, herido, y conocer el daño que hace la conducta, cada gesto y cada acto que ya no podría rectificar. El mito y suponer un bálsamo en el pecho, una mujer que dice nuestro nombre y no sufre, y nos hace libres. El mito, Ainhoa, y la mentira.

Sintió ganas de estar con Diego, de jugar a pelearse con él, y de cogerle. Notaba cómo se le iba formando la ternura en los dedos, pero la rechazó, recelaba del consuelo de quien busca ser consolado. Si pudiera hablar a solas con Santiago, le contaría la entrevista. Quería contársela a alguien. Podía probar con Ainhoa. Debería hacerlo: contársela y no discutir. Contársela y evitar que ella, después, guardara silencio. Era demasiado arriesgado. Si hablaban, él no iba a ser capaz de contenerse. Le diría: sé que tienes una historia, ¿no ves que es imposible que no me haya dado cuenta?

Bajo el sol del invierno un bloque de diez pisos se anclaba en el vértice de dos calles de la zona norte de Madrid. En el octavo, sentado en el salón, Guillermo tomaba café con los padres de Marta, con Marta y con su hermano Bruno. Era el domingo 21 de enero, Guillermo había pasado la Navidad en Sevilla, con parte de la familia. En Nochevieja, se había acercado a Cádiz para estar con Jorge y Concha. Cuando volvió a Madrid, Marta le llamó. Sus padres querían invitarle a comer, aprovechando que Bruno estaba en Madrid hasta finales de enero. Guillermo no había encontrado un motivo para negarse.

—Sin valores —le dijo al hermano de Marta—, no hay exactitud.

Marta hablaba con su madre en alemán y tomaba notas en un cuaderno de tela escocesa. Su padre había sacado unas copas del mueble bar. Guillermo aceptó el coñac, acusando a la vez el afecto de aquellos ojos grises. El sol entraba por la terraza y aclaraba la habitación.

—Quiero enseñaros un libro —explicó Bruno, quien se había levantado.

Marta y su madre siguieron hablando en alemán. El padre encendió un cigarrillo y miró a Guillermo como si dijera: no temas, no debes darme conversación, yo tampoco voy a dártela; esperaremos tranquilamente a que vuelva Bruno. Él pensó que había estado muchas veces en esa casa y siempre se había sentido a gusto. En cierto modo, era coherente que los padres de Marta le hubieran invitado pese a conocer la separación provisional. Bruno estaba en Madrid, él veía a Marta de vez en cuando, ¿por qué no habría de ver a su familia una vez en el intervalo de varios meses? La comida había sido relajada. La sobremesa también estaba siéndolo. Oyó los pasos de Bruno y miró a Jaime Timoner.

—Veamos el libro —dijo Jaime mientras sacaba de la funda unas gafas de cerca y se las ponía.

—La matemática. Su contenido, métodos y significado —leyó en voz alta.

Bruno empezó a contarles por qué el libro les interesaría. Guillermo pidió un papel y anotó las referencias. Cuando Jaime hizo una pregunta, Guillermo se dijo que no estaba ahí porque los padres de Marta fuesen gente liberal y quisieran transmitirle que le apreciaban viviera o no con su hija. Tampoco se había sentido a gusto desde el principio en esa casa debido al lado liberal de Berta Hahn y Jaime Timoner, sino más bien por lo que ese lado no mostraba, por el empeño que ese lado atemperaba y escondía. Un empeño sin destinatario. El abuelo de Marta y padre de Jaime Timoner había muerto en la Guerra Civil. Jaime, de joven, recogió su antorcha entrando en contacto con gente del PSUC. Malos pasos para la carrera de un químico brillante, novio de la hija de una familia austríaca muy bien relacionada con el régimen. La joven pareja recibió pronto la sugerencia de irse a Madrid y empezar una vida de recién casados con un buen puesto de trabajo para Jaime en una empresa pública. Además, les pagaron la entrada de un piso en la zona noble de la capital. Y ellos habían aceptado porque eran jóvenes, porque les parecía bien librarse del ambiente opresivo de la Barcelona familiar, porque pensaban que llevarían sus ideales allí donde fueran. Pero el ambiente en Madrid era aún más opresivo. Jaime había perdido sus contactos, el trabajo le ocupaba mucho tiempo, las letras que seguían a la entrada del piso eran altas y se hicieron más altas todavía cuando el padre de Berta empezó a tener problemas con sus empresas y sus acciones. Berta se puso a dar clases de alemán, nació Marta, la juventud antifranquista de Jaime quedó relegada a una estantería, a una cierta apertura de mente, al íntimo aislamiento en que había vivido ese matrimonio austríaco-catalán en Madrid y a cierta deliberada persistencia en la honradez.

Bruno ya había contestado al padre de Marta. Ahora, éste intervenía a favor de Guillermo.

—Las matemáticas —dijo— no pueden ser el fundamento de la economía porque la economía no es formal. En la economía no hay hipótesis.

—La economía —corroboró Guillermo— es una ciencia de lo existente, y la exactitud de la existencia sólo puede medirse según unos valores previos.

Todos miraron a Marta, pero ella seguía apuntando vocablos alemanes en el cuaderno de tela escocesa. Fue su madre quien intervino. Berta Hahn llevaba puesto un traje de chaqueta del azul vidriado de la porcelana, que anunciaba a la vista un tacto agradable.

—¿Por qué dices —preguntó dirigiéndose a su marido— que en la economía no hay hipótesis?

Algunos mechones se le habían desprendido del moño. A Guillermo le gustaba aquel descuido juvenil, excepción pura en el conjunto sereno del rostro, la indumentaria y la voz.

—Es ley de vida, Berta —contestó Jaime Timoner—. No hay una biografía condicional del tipo «si tu familia hubiera sido republicana». Sólo podemos vivir hacia delante, hacia la ideología que recibirán de nosotros nuestros hijos.

—Queréis decir que el tiempo de la vida es irreversible y el matemático no, pero eso está cambiando —dijo Bruno, y miró la hora—. ¡Ostras! Había quedado a y media —añadió poniéndose de pie entre las risas de los demás.

—El tiempo y las circunstancias históricas —dijo su padre cuando Bruno había salido. Al poco, Bruno volvió a entrar ya con la chaqueta, dio la mano a Guillermo y se marchó deprisa.

La madre de Marta dijo que iba a traer más café y el padre preguntó si les apetecía oír algo de música. Marta, advirtió Guillermo, empezaba a ponerse nerviosa. No debía de haber previsto el segundo café ni la ausencia de Bruno. Y como tantas veces cuando alguien le lanzaba un envite, Marta reaccionó envidando a su vez.

—¿Por qué no cambiaste de opinión al venirte a Madrid? —le preguntó a su padre de repente—. ¿Por qué nunca llegaste a colaborar con el franquismo?

—¿Quién dice que no colaboré?

—He conocido a la hija de Jorge Tineo; tú me habías hablado de él. Estudiasteis juntos y luego, bueno, él sí que colaboró. O, por lo menos, dejó que el franquismo colaborara con su empresa de exportación.

—Hay grados, es cierto. Tu madre y yo procuramos hacer las cosas a nuestra manera. En la vieja disputa de fines y medios estaba claro que ellos, la familia de tu madre, los que vencieron a mi padre, los que decidieron que cuarenta años de nuestra historia se llamaran franquismo, ellos tenían los fines. No había discusión política posible para la gente corriente, para la clase media que no estaba dispuesta a jugarse la vida. Así que intentamos que no nos quitaran las convicciones.

—¿Pero cómo conseguisteis que vuestra forma de pensar no cambiara? —insistió ella.

—No lo conseguimos. Se piensa con un juego de café, Marta, con un garaje. Mamá y yo sabíamos que lo que os dijéramos a Bruno y a ti tendría siempre menos fuerza que esta casa, y lo aceptamos.

—Tuvimos nuestras dudas —dijo Berta Hahn depositando la bandeja en la mesa—. Cuando murieron mis padres estuvimos a punto de vender esta casa y mudarnos a otro barrio. Tú tenías quince años. Acababa de aprobarse la Constitución.

—¿Y qué pasó? —dijo Marta.

—No nos atrevimos. Nos parecía una chiquillada. Y tampoco teníamos con quién compartir una decisión de esa índole. Además, siempre surgían cosas. Problemas en el trabajo de tu padre. La hepatitis de Bruno. Mi examen para ser profesora oficial.

—Recuerdo —se sumó Jaime Timoner— que a mí me preocupaba incurrir en un exceso de dramatismo, y en éstas vino la operación de oído de Berta. Entonces pensé que la vida era ya bastante dramática. Y me di cuenta de que ya me habían ganado. La resignación consiste en no tirar nunca la primera piedra. Yo no podía arriesgarme a que os pasara algo y a mí me cogiera sin medios suficientes para reaccionar. Es cierto que seguí trabajando a mi manera. Ya no tenía edad ni habilidad para moverme como Jorge Tineo. Me faltaba costumbre.

Guillermo había olvidado echar azúcar en el café. Lo notó al momento pero siguió bebiendo. La madre de Marta le recordaba a su padre. Era como si su padre hubiese venido al mundo con un juego de porcelana de Sèvres debajo del brazo. Tener o ser. Él quería tener una casa y Marta quería ser de izquierdas. Pero ¿no era al revés? Marta tenía una casa, Marta tenía ya la casa de sus padres y él no podía quitársela. No podía quitarle las tazas azules con líneas doradas a Berta Hahn para que Berta fuese del todo como su padre, como Yáñez el Portugués. Tener o ser, pero ser padre era tener un hijo, ser licenciado tener un título, ser hombre tener manos, pies, cerebro, lengua, corazón. Aunque pudiera quitarle a la madre de Marta el juego de porcelana nunca podría quitarle la experiencia de haberlo tenido. Vivir hacia delante, se dijo, tomando la existencia no como un axioma, sino como aquello que nos constituye.

Marta se despedía de su madre. Guillermo dejó la taza dorada y azul sobre la mesa.

—Me ha alegrado mucho verte —dijo el padre de Marta.

Guillermo le apretó el codo. Vio que Marta les miraba.

—Lo mismo digo —contestó.

Después fueron los cuatro al recibimiento. Había allí una talla de piedra y un banco recto color caliza. La madre sacó la chaqueta de Guillermo del armario, mientras Marta se ponía el abrigo.

En el ascensor, ella cogió un pitillo y lo sostuvo entre los dedos sin encenderlo.

—¿Cómo has venido? —le preguntó a Guillermo.

—En autobús y luego andando.

—Si quieres te llevo.

Guillermo la siguió hasta el coche. Sentado en el asiento del copiloto intentaba averiguar qué habían querido decirle los padres de Marta, pero más que las palabras podía la imagen de ambos en soledad, sus dos cuerpos ni grandes ni pequeños, su indumentaria grata a la vista aunque no llamativa, y les veía allí, Jaime Timoner y Berta Hahn, dignos como si les hubieran desterrado a la altura de aquel octavo piso.

Marta se metió por la calle Lope de Vega. Hacía tiempo que sabía dónde estaba el apartamento de Guillermo, aunque no había subido aún. Si veía un sitio, pensó, aparcaría y le pediría a Guillermo que se lo enseñara. Habían hecho casi todo el viaje en silencio, pero no tenía la impresión de que fuera un silencio tenso. Más bien al contrario, se dijo. Por eso quería subir; se recostaría en Guillermo y tampoco tendría que preguntar nada ni explicar nada. Ya estaban muy cerca.

—No hace falta que tuerzas —dijo él—. Déjame aquí.

Marta apagó el motor. En su lenguaje ese gesto significaba espera un poco. Miró a Guillermo, el pelo rizado, el jersey verde oscuro de cuello alto asomando bajo su vieja chaqueta de ante, las manos en los bolsillos. Quería sacárselas y que él la abrazara. En ese momento el sonido de su voz le sorprendió tanto como que Guillermo le hiciera precisamente esa pregunta.

—¿Qué sabes de Carlos?

—Nada —dijo ella—. Desde el día que estuvimos en su casa no he vuelto a verle. Hemos hablado alguna vez por teléfono, pero no cuenta mucho.

—No le resultará fácil —dijo Guillermo mirando hacia atrás. Sin transición añadió—: Viene un coche. Me bajo. Apoyó su mano grande en el asiento de Marta al besarla. Ella no se atrevió a retenerle.

Marta quería subir, lo habría hecho si él le hubiera dado una oportunidad, se dijo Guillermo por la escalera. Al entrar recordó que había ropa mojada en la lavadora. Se quitó la chaqueta y cogió un barreño de plástico rojo. No, Marta, no. Seis meses y luego volver a empezar, y la ternura. Seis meses y los mismos dilemas, no. Rebuscó primero los calcetines, negros, azules, verde oscuro, tendiéndolos de dos en dos. Tendió los calzoncillos con finas rayas rojas, verdes, azul claro. Y un trapo de cocina en donde estaba dibujada una cebolla gigante. Una camisa de pana. Una toalla. Sólo los pasos dados, Marta, nos dirán quiénes fuimos. Dos camisas aún. En la cuerda del piso de abajo ondeaba una colcha. Los pasos dados, Marta, no nos dirán quiénes fuimos, se lo dirán a otros. Luego estiró los brazos sujetando una sábana y la dobló antes de tenderla. Quedaba una más, un nuevo abrazo partido. Cerró la ventana y fue al dormitorio.

Había pensado dedicar la tarde al informe titulado «Sanidad y política, tipologías y representaciones». De los tres que tenía entre manos era el único que le interesaba.

En los últimos meses estaba trabajando mucho. Al principio porque se había empeñado en seguir pagando la mitad del alquiler de Bailén. Luego, cuando Marta le pidió por favor que no lo hiciera, continuó pasando en la consultora todo el tiempo que le dejaba libre su puesto de ayudante de meteorólogo. Confiaba en que alguien les encargaría un informe que le permitiera reflexionar. Pero no había sido así. Y en noviembre, recordando la broma que le había gastado a Susan, decidió encargarse algo a sí mismo. Visitó a compañeros suyos, ahora profesores de la facultad. Ellos le hablaron de un equipo de gente joven que intentaba crear su propia fundación: ganarse la vida fuera y, en la fundación, hacer estudios orientados a la acción política.

Guillermo fue a ver. El equipo tenía un piso pequeño en la calle Tetuán, amueblado con mesas y estanterías blancas. «Vamos a disolvernos», le dijeron en torno a unos vasos de café americano. Una de las chicas había conseguido una plaza de profesora en Asturias. Otra tenía un contrato de colaboradora en una empresa donde, sin embargo, trabajaba nueve o diez horas diarias. Un chico había decidido presentarse a unas oposiciones. Quedaban dos chicos y una chica más, pero iban a constituirse en empresa. De todas formas, le dijeron, habían empezado un informe sobre la sanidad y no querían abandonarlo; Guillermo podía ayudarles. Él aceptó, aunque ahora miraba las carpetas, el ordenador portátil, los documentos apilados y maldecía el voluntarismo condenado al fracaso, condenado a valerse de los flecos del tiempo. Y se decía «Tristes de nosotros, intelectuales por horas sometidos a una profesión, tipificados en secciones censales con un hábitat, un estatus, un estilo de consumo, un perfil». Se buscó en uno de los análisis tipológicos que debía consultar: «Son de los que más leen diarios de información general, tanto en días laborables como en fines de semana. Escuchan algo de radio convencional y de fórmula. Son buenos usuarios de tarjetas. Por su ritmo de vida valoran la comodidad en la alimentación. Es un grupo que viaja bastante, tanto por España como por el extranjero. No les gusta estar sujetos a créditos. Tienen cierta cultura de la inversión y así es como pueden considerar la contratación de planes de pensiones. Les preocupa la salud: son clientes potenciales de seguros». La ficha le parecía correcta, los gráficos lo eran, y el texto descriptivo, aunque escaso y torpemente redactado, colmaba los intereses del cliente habitual de esos análisis. «Son de los que más leen diarios de información general», pero qué pronto, se dijo, renunciamos a ser sujetos activos de la evolución histórica.

El jueves 1 de febrero, a las siete de la tarde, la vespa naranja claro de Carlos seguía al Simca gris metalizado de Lucas. Enfilaron una cuesta abajo. Al final, justo encima de los edificios, el cielo azul pálido cambiaba al rosa y en ambas franjas había una suavidad artificial de jabón líquido.

«Llévame a uno de tus bares», había dicho Carlos. Lucas dijo que era muy temprano pero Carlos había insistido. Aunque la vista no alcanzaba el horizonte, estratos sucesivos de cemento y luz le hicieron pensar en una transición cauta de la ciudad a la tierra cultivada. Sólo cuando llegaron a la plaza de España, bajó la visera del casco. Subieron por la Gran Vía y Carlos repitió el doble giro del Simca. En una calle estrecha, Lucas sacó la cabeza por la ventanilla.

—Deja la moto donde quieras, yo voy a buscar sitio.

Carlos dedujo que aquella puerta de color negro mate pertenecía al bar elegido por Lucas. Aparcó allí. Quizá porque se había tomado dos gin-tonics antes, ya no estaba preocupado. Llevaba más de dos semanas dando largas a Lucas, ofreciéndole resúmenes de su encuentro con Claudio Robles, pero sin decir nada referente a la venta de participaciones. El Simca pasó por delante. «Espérame dentro», dijo Lucas señalando la puerta. Sin embargo, Carlos se apoyó en la moto, ya no estaba preocupado, le había perdido el miedo a la situación. No se puede tener miedo a lo irremediable, se dijo como si hubiera descubierto algo, como si al formular esa idea hubiese resuelto sus próximos meses de vida. Bueno, algunas personas temían a la muerte pese a ser irremediable. Recordó cuando, de pequeño, sabía que iban a ponerle una inyección, estaba seguro, era irremediable pero él tenía miedo hasta el último segundo e incluso después que todo había pasado y el médico se había ido del cuarto. Aunque, pensó, lo peor de las inyecciones era no ver, era presentir la aguja afilada, dañina, era la actitud de sus padres, su afán por tranquilizarle, pero, sobre todo, no ver, imaginar, yacer vuelto de espaldas medio desnudo, temiendo. También lo malo de la muerte debía de ser no ver.

Yo ahora lo veo todo, se dijo. Y veía en la calzada papeles de propaganda pisados por los coches, una lata roja de Coca-Cola abollada, la sucia voluta de un clínex. Veía un trozo de cáscara de naranja en la acera de enfrente, colillas y, en perpendicular, el cielo de un azul reflectante iluminado por las luces del anochecer. Veía el Simca gris, cómo maniobraba Lucas en el tramo siguiente de la calle. Le iba a hablar sin rodeos. «Ahora ya lo sabes, Lucas —le diría—, no me justifico, no intento convencerte.» Se lo diría y después veía todo: un cabreo; una negativa; la locura, no vendo, no vendemos, mejor la deuda que ceder. Lo veía todo. También la indiferencia y el «allá tú». Y se veía dentro de tres meses sin trabajo, sin Jard y sin Ainhoa. Sin patetismo. O dentro de tres meses con un trabajo igual al que dejó, con el silencio de Ainhoa, con el recuerdo de Jard edulcorándose semana a semana. Lo veo todo. Lo veo todo. Lucas se aproximaba y Carlos veía su tercer gin-tonic.

La puerta negra daba a un pasillo que luego se abría como un abanico sembrado de asientos. Al fondo, en el suelo, había una trampilla abierta.

—Mejor nos quedamos arriba —dijo Lucas—. Abajo hay actuaciones, pero más tarde.

La barra estaba en medio del abanico, enmarcada por dos finas columnas cuadradas, negras. Pequeños sofás rectos formaban un laberinto negro también, al que se superponía el color rojo y naranja de los almohadones.

—Quieren mi treinta y cinco por ciento y el tuyo —dijo Carlos—. Antes de que acabe febrero.

—¿Nos ofrecen al menos cinco duros simbólicos por cada participación?

—El dinero cubre el préstamo. No están dispuestos a pagar más. Lucas, esto ya lo habíamos hablado.

—Lo sé, lo sé —dijo Lucas—. ¿Y qué más te han pedido?

—Nada más. Quieren tu consentimiento antes de marzo. Quieren que el primero de abril estemos allí.

Un camarero de pelo rubio y castaño trajo las bebidas. Lucas abrió un pistacho con las yemas de los dedos y se lo comió sin decir nada.

—Entonces ha funcionado —murmuró al poco, y miró a Carlos—. Se han preocupado por las participaciones y han aceptado el resto. Contratos indefinidos para todos, actividad de cada uno en la empresa, antigüedad, dinero para el préstamo. Eso me habías dicho, ¿no?

Carlos miraba en el jersey azul de Lucas una cenefa de dibujos blancos, especie de estrellas con la estructura de los copos de nieve. Asintió con la cabeza. Más adelante tendría que explicar a Lucas que los contratos indefinidos no eran iguales para todos. Más adelante. Lucas había usado un truco y eso le daba derecho a usar otro, ambos bienintencionados. Más adelante le hablaría de la obligación de permanecer cuatro años en Electra a modo de justificación. Le haría entender que Electra tenía fórmulas para asumir un contrato de alta dirección con ellos dos pero no con Rodrigo y Esteban. Otro día, se dijo. Ahora no estaba en condiciones de soportar una discusión sobre privilegios. Más adelante.

—Puedes contar con mi treinta y cinco por ciento —dijo Lucas—. No he querido regalarlo, eso es todo. Cuando les des mi consentimiento pensarán que tienen lo que pretendían.

—¿Y yo? —preguntó Carlos—. Creí que ibas a negarte, me esperaba cualquier barbaridad.

—Lo siento. Estoy mayor, Carlos, y cansado. No te avisé porque ellos habrían notado que jugabas de farol.

—A lo mejor tengo que darte las gracias. De todas formas, han pasado más de dos semanas desde que estuve en Electra.

—Ya he dicho que lo siento. Todos tenemos nuestra historia. Supongo que alguno de estos días me lo he creído. He pensado que en el último momento no venderíamos, que intentaríamos resistir.

—¿Con otro préstamo? —Carlos le mostró al camarero su vaso casi vacío.

—Debemos felicitarnos —dijo Lucas suavemente—. Después de la gran multinacional y de Jard, entramos en el tercer período.

—¿Qué te pasa? —preguntó Carlos—. ¿Por qué no me dices que es una putada? Salió mal y ahora nos hemos bajado los pantalones. Dilo. Luego nos ponemos ciegos de alcohol y ya está. Nadie nos pide que seamos héroes.

Lucas se echó hacia atrás mientras el camarero cambiaba la copa de Carlos. Carlos, en cambio, se echó hacia delante. Buscaba el derrame en el ojo derecho de Lucas, algo conocido, familiar.

—Salió mal —repitió Carlos—. Calculamos mal. El orden establecido pudo más que nuestros principios, la barca del amor se estrelló contra la cuenta de resultados. Dilo, Lucas. Es una historia sabida. Transigimos. ¿Por qué me miras así? ¿No te basta? De acuerdo, fue peor: nos permitimos el lujo de ser descuidados. Somos responsables de haber medido mal, lo sé. Equivocarse no garantiza la inocencia. —Carlos hablaba cada vez más alto—. Dímelo. He jugado con dos barajas, la empresa y nuestros propósitos ideológicos, y he quemado las dos. Puede que ahora sientas cansancio, pero en alguna parte de ti sigue estando el militante, el que sabía que no basta con tener razón, que uno debe tenerla en el momento oportuno, que uno no sólo es víctima sino también culpable de sus errores.

—No estoy seguro —dijo Lucas.

Carlos retiró los brazos de la mesa y se apoyó en el respaldo para frenar el incipiente bamboleo de sus músculos. Lucas, sin embargo, estaba tenso, apenas había probado su ginebra.

—¿No estás seguro de qué? —preguntó Carlos mirándole a la boca.

—Sería demasiado bonito que nos hubiera salido mal. ¿Y si nos ha salido bien?

—Por qué dices eso.

—Estaremos mejor que antes —dijo Lucas—. A ti y a mí nos habían jodido bastante en la multinacional.

—A mí.

—Y a mí, Carlos. Tengo cuarenta y tres años. ¿No te habrás creído los discursos que nos soltaban? Si a un tío de treinta y nueve le quitan de investigación, ¿tú crees que eso es sólo un cambio de área? ¿Cuándo iban a ponerme otra vez, a los cincuenta?

—Nunca me lo contaste así.

—No te lo conté de ninguna manera. Tú lo sabías.

—Yo pensaba que te metiste en lo de Jard sólo porque te parecía mejor, no porque te hiciera falta —dijo Carlos después de un sorbo largo.

—Alguna vez tuve la impresión de que creías eso. Pero no le di importancia. Tenías los datos, supuse que preferías no verlos para seguir sintiéndote el gran culpable, el único culpable.

—¿Tú te sientes culpable?

—¿Culpable de llegar a Jard rebotado de un sitio donde no me consideraban? En absoluto. Y tú tampoco debieras. Sería una estupidez, si me lo permites. Nunca he entendido por qué el intercambio se ve como algo sucio. El capitalismo nace del excedente, de los criterios en la distribución del excedente, no nace del intercambio. ¿Qué le dices a Ainhoa? Te quiero pero no me hace falta tu cuerpo, ni me conviene tu carácter, ni tu familia, ni me interesa lo que sabes. Yo quiero que me quieran por algo. Luego veré si el motivo me gusta o no.

—En todo esto hay algo que no te gusta.

—Sí, ya te lo he dicho. Sospecho que tú y yo hemos conseguido lo que queríamos —a Lucas le temblaba la voz—, y cuando lo veo así me parece que somos unos cabrones con pintas. No creas que es sólo una expresión graciosa. Lo malo son las pintas, Carlos. La puta retórica que están pagando Rodrigo, Esteban y tus amigos.

Había dos direcciones. Carlos las vio como dos llamaradas en la oscuridad, y se encaminó a la segunda a la vez que seguía mirando la primera. Luego la primera se perdió de vista, pero cuando contestó aún recordaba el resplandor de aquella otra posibilidad.

—Antes —dijo— no acostumbrabas a preocuparte de mis amigos. Ahora es tarde, no les hacemos falta. Con la excusa del préstamo, Santiago y Marta se están haciendo ricos.

Lucas se puso la cazadora negra.

—No voy a emborracharme contigo. Mi hija tiene vacaciones estos días y ha venido a Madrid, la tengo en casa.

Había otra posibilidad, pensaba Carlos. Levantó la mirada hacia Lucas y él se la devolvió desde su altura de hombre de pie.

Carlos no se movió. En el asiento, un almohadón rojo y uno granate. Dos almohadones naranjas en el asiento de enfrente. No iba a pensar en lo que le había dicho Lucas. Primero quería acabarse la copa. Tenía mucho tiempo, toda la noche del jueves. Debería llamar a Ainhoa para avisarla de que se retrasaría. Tampoco ahora. Luego llamaría a Ainhoa y a Marta y a Santiago. Después. Y a Alberto. Podía llamarle de verdad. Se acordó de un bar inglés donde el teléfono estaba junto a la barra. Se vio allí, sentado en un taburete y hablando. Vio el cable en espiral y se rió. Un teléfono de pared de los que tenían el marcador circular. Recordó el ruido del disco cuando volvía a su sitio. Un teléfono *jard*, pensó. Bien sujeto, con cables visibles.

Fue hacia la barra sintiendo que no tropezaría. Se daba cuenta de dónde estaba cada cosa y quizá no podía anticipar la siguiente pero no le hacía falta. Pagó. En la calle el aire fresco, frío, era mejor que lavarse la cara, era un pañuelo mojado en la frente, en las mejillas. Arrancó la vespa y condujo sin casco. El bar inglés no estaba tan lejos. Debían de ser las nueve, pensó. Le había dicho a Ainhoa que iba a tomar algo con Lucas así que no necesitaba llamarla aún. Pero la llamaría. Carlos aparcó la moto con desazón, notaba que se le disipaba la euforia. La puta retórica, la voz nerviosa de Lucas.

Empujó la puerta y avanzó hasta unos escalones flanqueados por una barandilla de madera. Subió a la tarima enmoquetada de la barra. Sentado junto al teléfono en un taburete de cuero con respaldo, pidió su quinto gin-tonic. Cuando lo probó supo que iba a sentarle mal. Había bebido los dos primeros solo, demasiado deprisa. «Por favor, ¿me da línea?» Después de marcar se quedó mirando la moqueta verde del suelo con flores inmensas.

—Ainhoa, voy a llegar tarde.

Ella dijo «Bueno» sin preguntar nada, tranquila. Carlos miraba las flores carnívoras del suelo y una frase subía desde ahí a su garganta, y pasaba como ácido a sus labios.

—Llama a tu amante. Podéis ver juntos una película en el sofá.

Carlos no quiso oír si había respuesta. Así está bien, ¿ves, Lucas?, así no hay puta retórica.

Él era el único cliente de la barra, pero abajo, en los asientos de cuero, había bastante gente.

—¿Me da línea otra vez? —dijo—. Haré varias llamadas.

Sacó su agenda del bolsillo del Barbour y buscó el teléfono de Leticia para llamar a Santiago. Quería decirle a él y a Marta que a finales de marzo tendrían su dinero, que esta vez era seguro. No acabó de marcar. «Se lo devuelvo y punto», dijo en voz alta. Había seguido bebiendo, pero ahora sintió que algo pesado caía de su cabeza al estómago, desestabilizándole. Aguardó a que pasara ese primer embate de la ginebra. Debía llamar a alguien más y decirle que había sido breve y brutal con Ainhoa. Cogió el auricular, hizo girar el disco grasiento muchas veces. Por fortuna, fue Alberto quien descolgó.

—*Hello!*

—¿Es tarde para llamar? —preguntó Carlos.

—Hola, Carlos. No, no es tarde.

Carlos fue a coger el vaso y su mano tropezó con la botella de tónica, aunque no la tiró. Bebió el último trago y pidió otra ginebra.

—Vengo de hablar con Lucas —dijo—. «Siempre que el hombre ha querido hacer del Estado su cielo lo ha convertido en su infierno.» ¿Te acuerdas de esa dichosa frase?

—Me acuerdo, sí.

—Pues está mal. De arriba abajo —dijo, y se paró—. No es el hombre, Alberto, sino «un hombre». Hay un hombre y quiere hacer del Estado su cielo, el suyo, eso sí está bien. No el cielo, «su» cielo. En cambio el segundo «su» está mal. —Como le costaba vocalizar, dijo—: He bebido, pero estoy lúcido. No es «su» infierno, no lo convierte en «su» infierno, ni tampoco en «el» infierno porque a él no le toca: lo convierte en el infierno de otros. —Tuvo que pararse otra vez, hasta que el sentido final de lo que iba a decir reapareció triunfante—. Escucha, va a servirte para tus paradojas: «Siempre que un hombre ha querido hacer del Estado su cielo, lo ha convertido en el infierno de otros hombres». —Hizo otra pausa—. Podemos cambiar Estado por mundo, hombre por reyezuelo o reinazuela.

—Carlos, ¿qué pasa?

Carlos miraba el nuevo vaso de ginebra sin tocarlo.

—Joder, Lucas tiene razón. Al final, las cosas salen bien. Casi nadie llega al mundo cargado de nobles ideales y se topa con una realidad más fuerte y entonces se resigna. —Asintió con la cabeza y hubiera querido preguntarle a Alberto si se le entendía, si pronunciaba con la suficiente claridad, pero le dio vergüenza—. Alberto, el mundo nos parece bien, ésa es la cuestión. Este asco de mundo lleno de reyezuelos ensoberbecidos, injusto, desigual, nos parece bien. Actuamos según sus reglas procurando que nos favorezcan, que nos toque una parcela de cielo a cambio de un trozo de infierno para unos cuantos. —Carlos se atropellaba. Respiró hondo y dijo—: Por eso nada cambia.

—Vas muy rápido, Carlos. Aunque podría aceptar la descripción que haces, ¿a cuántos «nos» parece bien, en qué circunstancias? Luego está el broche último: «Nada cambia». Demasiado fácil, no exige un gran esfuerzo de análisis, ¿verdad?

—No mucho, pero así están las cosas —dijo Carlos.

—Ya. Han caído imperios, se han promulgado declaraciones de derechos, hace trescientos años alguien como tú o como yo jamás habría podido acceder al conocimiento de la razón escrita, pero nada cambia. No hay avances ni retrocesos. Pericles no es mejor que Alcibíades, una jornada laboral máxima de treinta y ocho horas semanales, igual que una de sesenta, díselo a los que trabajan en Indonesia, diles que nada cambia. Carlos, puedo imaginar adónde nos lleva esa visión del mundo. Pero bueno, deja todo eso ahora, cuéntame qué es de ti.

Al beber, un nuevo embate de algo duro e invisible rompió contra su estómago. El camarero se había alejado unos metros. Es discreto, pensaba Carlos. Tenía hielo en la frente.

—Te escribiré —le dijo a Alberto—. Recuerdos a Susan. Corto y cierro.

Apoyó ambos codos en la barra y bajó la cabeza. Ahora se encontraba un poco mejor. Pero sentía deseos de abrigarse con la chaqueta negra del camarero. Se imaginó en la cama y llamó al camarero. Se fijó en él. Quería memorizar esa presencia: el abundante pelo gris, los labios finos de un granate apagado, la nariz, algo gruesa, sujetando unas gafas doradas y detrás de los cristales dos ojos marrones cargados de aburrimiento. La camisa blanca. La pajarita negra. Le vio poner despacio un papel en una bandeja minúscula. Sin mirarlo, dejó un billete en la bandeja y el camarero se fue. Otra vez el sudor frío; golpes en el estómago. Cómo quería tumbarse en la cama y que pasara la noche, que su cuerpo volviera a ser el mismo.

Tres semanas después, el jueves 22 de febrero, Guillermo se apeaba del autobús en la parada de la clínica de Puerta de Hierro para ver a Ainhoa. Eran las cuatro de la tarde. En la entrada, se detuvo a mirar un tenderete con semanarios sensacionalistas y revistas del corazón. Titulares blancos, rojos, amarillos, tatuados sobre grandes rostros de famosos. La renuncia al orden, pensaba Guillermo, el comienzo de la disgregación. Él también le llevó a su padre una revista satinada un día, porque su padre depositaba con mansedumbre los libros en la repisa de la ventana, se los agradecía con mansedumbre, pero no los tocaba. Su padre nunca le confesó que ya no estaba en disposición de leer, pero una mañana, desde el hueco de la puerta entornada de la habitación, le había descubierto hojeando una revista de moda. Cómo borrar esa imagen, sobre la repisa cada uno de los títulos que Guillermo había elegido a conciencia, desde la *Odisea* a *Los Tigres de Mompracem*, cartas de Spinoza, la poesía de Rilke, cuentos de Flaubert y de Tolstói, Jenofonte, y comprender en un segundo que su padre no los había tocado ni los tocaría ya. Mientras aguardaba su turno ante el mostrador de la entrada, Guillermo veía en cada hombre vestido de paisano su propia figura claudicando junto a la puerta entornada, comprendiendo, abandonando sin hacer ruido el umbral de la habitación de su padre. Aquella mañana guardó *Trabajar cansa* en su cartera, retrocedió hasta el ascensor y bajó al puesto de revistas a comprar una. No miró nombres ni titulares, cualquiera servía.

—Quiero llamar a la doctora Ainhoa Amuriza —le explicó al hombre del mostrador siguiendo las instrucciones de Ainhoa.

Marcó su extensión y ella dijo:

—Enseguida voy a buscarte.

Le impresionó verla en bata blanca, tan adulta y serena parecía. Subieron y bajaron escalones, atravesaron pasillos lóbregos pese al tono claro del suelo y las paredes; el temor en las caras de las personas que aguardaban, se dijo Guillermo, desabastecía de luz cada metro cuadrado.

Detrás de una puerta blanca había una habitación circular con nuevas puertas.

—Es aquí —le dijo Ainhoa.

El despacho le recordaba un camarote de barco: una litera, una mesa con silla y nada más. Luego Guillermo reparó en una cortina blanca colgada de una barra semicircular.

Detrás se cambiarían los enfermos. Y se fijó también en la otra silla, la silla que, delante de la mesa, introducía la presencia de un extraño en aquel espacio reducido.

—No es un lugar muy agradable, pero estaremos más tranquilos que en el bar —dijo Ainhoa.

Guillermo pasó directamente a hablarle de su informe, como si la gravedad de los hechos que se dirimían en toda la clínica le impusieran un comportamiento solemne, profesional.

Pretendía, le contó a Ainhoa, fabricar un arma contra la demagogia de los hechos, estaba harto de que los sermones de los personajes públicos se dedicaran a promover la bondad intencional ocultando que la auténtica demagogia estaba en los hechos, en el crecimiento continuo de una sanidad privada, seguros y hospitales pagados para quien pudiera permitírselo y beneficencia para el resto. Le expuso los puntos que debía analizar, tipologías, representaciones, uso real y potencial de la sanidad pública. Aludió luego a las próximas elecciones pero, dijo, ojalá fuera un problema de alternancia en el poder. Había un único proyecto, si es que podía llamarse proyecto a la avidez con que el capital rebañaba cualquier sobra de cuanto había entregado en otros tiempos.

Guillermo acercó la silla hasta la mesa y extendió allí sus manos.

—Lo que ese proyecto pretende no va a ser atemperado mediante variaciones en la gestión económica.

—Nunca te había oído hablar así —dijo Ainhoa—. En general, estoy de acuerdo con lo que dices —añadió, y empezó a copiar de su agenda nombres y teléfonos de médicos y médicas con quienes Guillermo pudiera entrevistarse. Luego fue explicándole cómo eran y en qué campos trabajaban—. Hoy puedo irme antes —dijo al final—. A las seis y media tengo que recoger a Diego. Si quieres te acerco al centro y tomamos un café.

Colgó la bata detrás de la cortina, se puso un anorak malva y los dos salieron. Guillermo la seguía de nuevo por los pasillos. Llegaron al tenderete de las revistas. Unos metros más allá estaba el Fiat verde de Ainhoa. Entraron. Ella tenía un brazo en el respaldo del asiento y la cabeza y el torso vueltos hacia atrás mientras, con el otro brazo, hacía girar el volante para sacar el coche.

—Voy a separarme de Carlos.

No dejó de maniobrar. El coche estaba ya fuera del aparcamiento. Salieron del hospital, doblaron una curva pronunciada. Unos cinco minutos después, Guillermo preguntó si había ocurrido algo. Ainhoa le miró un segundo, luego volvió a mirar el coche de delante. Hacía una semana había ocurrido algo, pensó. El sábado anterior Carlos le había contado con todo detalle, con casi todas las causas y casi todos los efectos, la venta de Jard. Y cada vez que añadía un detalle más, respondiendo a una pregunta que ella no había hecho, Ainhoa se desesperaba. Ahora no, justo ahora no. Carlos, ahora que la has vendido, ahora que ya no es tuya me la entregas. Pararon en un semáforo y Ainhoa dijo en voz alta:

—Nada excepcional.

No había ocurrido Pablo, pensaba. No podía contestar «Me he enamorado de un médico» porque no se había enamorado ni quería irse a vivir con él. Quizá quisiera vivir con Diego y desprenderse del futuro con Carlos. Pero no había ocurrido Pablo, ni la llamada de Carlos borracho el otro día, ni la venta de Jard. Ni había ocurrido el préstamo, ver cómo Carlos la iba dejando fuera. En el fondo, se dijo Ainhoa, y no pudo evitar una mueca, Carlos era un auténtico empresario, había llevado hasta el final la estrategia de diversificar los riesgos. Por si acaso Jard se hundía, Carlos la había puesto a ella en otro barco.

—A lo mejor —le dijo a Guillermo— todo pasó al principio. Yo quería ser una buena médica y pensaba que Carlos aportaría lo demás, eso que a todos nos gusta de él. La intensidad, la resistencia. A pesar de lo que os dije la última vez en casa, creo que Carlos tiene razón cuando se resiste a aceptar que pensamiento y vida vayan tan separados.

—Yo también lo creo —dijo Guillermo.

—Lo que pasa es que Carlos tiene razón solo. Y eso es como no tenerla. Como tener una moneda de oro en una isla donde la gente paga con montoncitos de sal. Tiene razón solo, se equivoca solo, todo lo hace solo.

—Y a ti, ahora, ¿no te preocupa que pueda pasarte algo parecido? —preguntó Guillermo.

Estaban cerca del parque del Oeste, al lado de la casa de Pablo.

—Conozco una cafetería tranquila. ¿Tienes tiempo? ¿Te viene bien esta zona?

A Guillermo le venía bien, luego había quedado a dos estaciones de metro de allí.

Ya sentados en la barra, Ainhoa le contestó:

—Quiero vivir sola, pero no ser sola. Y aunque parezca una contradicción, es Carlos quien me lo ha enseñado. No basta con ser una buena médica o una buena madre. Cuando le conocí yo quería vivir acompañada, pero ser sola. ¿Lo entiendes?

—Perfectamente —dijo Guillermo.

Ainhoa pidió una Coca-Cola y él un agua con gas.

—¿Cómo estáis vosotros?

De la parte alta del mostrador, Guillermo fue cogiendo los dos vasos, las dos botellas.

—No lo sé —dijo.

Ainhoa jugaba a echar en el vaso la Coca-Cola a golpes cortos y rápidos. Así la espuma subía casi hasta el borde pero sin salirse.

—No es que no quiera contártelo —añadió Guillermo—. Tú dices que a lo mejor todo pasó al principio, y yo tengo la impresión de que Marta y yo no hemos tenido principio.

Ainhoa le apretó la muñeca. Sorbos de Coca-Cola, helados y diminutos, bajaron por su garganta. Habría sido mejor, se dijo, pedir algo caliente. Hizo girar el taburete. Ahora tenía enfrente el perfil de Guillermo. Tres señoras mayores estaban sentadas en una mesa al fondo. Una sujetaba su bolso con las dos manos y hablaba. Detrás, los ventanales ahumados acentuaban el color tormentoso del cielo. Ainhoa se estremeció. Estaba destemplada y temía que entre sus explicaciones y su cuerpo mediaran años de diferencia. Sus explicaciones contenían un programa de vida, acciones y movimientos y encuentros bajo el sol. En cambio su cuerpo le hacía pensar en fosos y empalizadas, en el miedo, la enfermedad, las noches en una cama vacía. Sin volver el taburete hacia la barra, mirando la cabeza rizada de Guillermo, Ainhoa dijo:

—Carlos ha vendido Jard. Pero no se lo digas a Marta y a Santiago. Sé que quiere decírselo él.

—Claro.

—Parece el colmo, ¿no? Que yo me vaya justo cuando Carlos se queda sin nada. Bueno, va a tener un buen puesto en la empresa que les compra. Sin nada «suyo», ya sabes.

—Yo lo encuentro lógico —dijo Guillermo.

Ainhoa no respondió. Podía contar que no se sentía culpable por irse justo en ese momento, a condición de añadir que sí le pesaba haberse quedado esperando a Carlos, esperando, Dios santo, una equivocación. Algunas gotas chocaron contra los cristales. También había llovido por la mañana. Ainhoa imaginó la lluvia vista desde la ventana del cuarto de Pablo, la luz de la lluvia entrando en la clase de Diego. Llovería también en el caserío de sus padres. Hacía meses que no iba a verles, pensó, y olía el calor de los animales, las vacas en hilera. Sus padres nunca se habían movido de sitio; era una suerte saberlo ahora que la lluvia mojaba el ventanal de la cafetería. La gente apresuraba el paso mientras ella y Guillermo seguían dentro y llovía también sobre el parque del Oeste, agua en cada uno de los árboles, ablandando la tierra. En la ciudad, la lluvia golpeaba los escaparates de las zapaterías, encharcaba las aceras, rebotaba contra el tejado de la iglesia en su calle y yo, se dijo, pronto dejaré de vivir ahí.

Tras el cristal había oscuridad. Marta abrió con prisa la puerta de la terraza de Manuel Soto. Cuando se vio fuera, al aire libre, sola, respiró lentamente, apoyados los codos en la barandilla. Llevaba un jersey de pico sobre la carne desnuda, una falda corta, medias finas y unos escotados zapatos de piel. No era la indumentaria ideal para quedarse quieta a la intemperie, pensó. Se apretó el cuerpo con las manos, despacio. Con diez años menos, se dijo, en vez de salir a la terraza habría salido a la calle, se habría marchado. Ahora, sin embargo, seguía en la terraza, de espaldas al cristal. Se fijó en un banco de madera vacío. Allí al lado estaba el Golf negro de Manuel, aparcado en batería a tres coches del suyo. No pasaba nadie y se le ocurrió que en esa calle había una atmósfera privada, como si no fuera un lugar de tránsito sino un recinto hecho para los habitantes de los distintos pisos. Presentía la mirada de Manuel Soto desde el interior y no quería volverse aunque estaba segura de que cuando lo hiciera, comprobaría que no había nadie.

La noche fresca le hacía bien, pensó en el verbo «purificar». Después del fax de Manuel no había pasado nada. Se vieron en el hotel Metropol y tal vez ella hizo más confidencias de las debidas pero, a mitad de la segunda copa, se despidió como si jamás en esos meses ni tampoco durante medio segundo a lo largo de la cena se le hubiera ocurrido la posibilidad de dormir con Manuel. Luego habían hablado varias veces, y habían comido juntos en Madrid un día. Hasta que el jueves 7 de marzo, por la noche, Manuel la llamó a su casa y no al trabajo para invitarla a su apartamento el sábado, a tomar algo y a comentar los resultados de las elecciones. Marta se frotó los brazos. Purificarse de nada, pensaba, de una frase: «No te des tanta importancia». Primero había creído que Manuel se lo decía sin intención, casi como un niño se lo diría a otro en el colegio. Y sintió que se enojaba también como los niños. Alguien la provocaba en su amor propio, negándose a admirar sus lápices o la casa donde vivía. Pero no era elegante enojarse por eso. Dispuesta a sonreír, Marta miró a Manuel y se dio cuenta de que él había soltado su mano; tampoco le pasaba la otra por el cuello, parecía esperar una respuesta. Entonces fue como si la empujaran. Ella se levantó y, sin pensarlo, concentrada en dominarse y no ser brusca, se dirigió a la terraza olvidando la chaqueta y el tabaco dentro. Ahora se decía que era como haber empezado a leer una novela policíaca por el final: ya no había intriga, la noche en el apartamento de Manuel se había resuelto y si ella se quedaba, si seguía leyendo sería para averiguar otra cosa. Cruzó las dos manos detrás de la nuca, un foulard, una bufanda, las manos grandes de Guillermo. Marta, se dijo, deberías entrar.

No había nadie en el salón. Manuel le había facilitado la tarea: irse ahora, pensó, dejando a lo mejor una nota de disculpa. Abrió, no obstante, la puerta y vio a menos de un metro otra puerta abierta y la luz blanca de la cocina. Manuel volcaba en un plato el contenido de una lata de foie.

—¿Te ayudo? —le preguntó.

—Mira en ese botellero —dijo él— y elige el vino.

Sonó el timbre del horno. Manuel sacó rebanadas de pan caliente, las envolvió en un paño blanco y las puso en una cesta. Sobre una bandeja había otro plato con foie y una tabla con varios quesos.

—Las copas están ahí. —Señalaba una estantería con la barbilla.

Cuando estuvo todo listo, Manuel cogió la bandeja y le indicó a Marta que pasara delante. El rostro guapo y serio de Manuel, su camisa moderna pero discreta, de botones cubiertos y un blanco contenido, los pantalones vaqueros rectos y duros, los zapatos ingleses le atraían por semejantes, se dijo, por no distintos y no contradictorios. Y a la vez, y por distinto, y por contradictorio le atraía que Manuel practicara una suerte de ateísmo sentimental. La noche había quedado decidida antes, al final de la novela policíaca Manuel se había negado a subir con ella en uno de sus caballos imaginarios. Ahora, se dijo, besar ese cuerpo apenas sería una continuación del otro plano suyo en la terraza.

Manuel abrió la botella.

—Yo no soy tu amigo Carlos —dijo sirviendo las copas—. No te he pedido cuatro millones así que no tengo la obligación de creerme que ese dinero va a cambiarte la vida. Acostarte conmigo tampoco —añadió en el mismo tono despreocupado.

—Seguramente —dijo Marta—. Pero casi nadie quiere renunciar a esa posibilidad. Aunque sepamos que la probabilidad debe de ser del orden del uno por mil.

Manuel puso un trozo de queso en un pan de centeno alemán y se lo tendió diciendo:

—Yo he renunciado. Vivo en prosa, ya te lo dije hace tiempo. No me siento llamado a cometer hazañas. Sé que el mundo no cambiará de un día para otro, igual que yo. Me parece que tú llamas ser de izquierdas a vivir sin saberlo.

—¿A ver?

—Nadie parte de cero. Cada uno tiene una posición de salida y yo lo asumo. Acepto que la pensión de mis padres es escasa. En consecuencia, acepto que ellos estarán mejor si yo gano bastante dinero. Acepto que me gusta el buen vino y que tengo que comprarlo.

Marta untaba foie sobre una de las rebanadas de pan caliente y se la ofrecía.

—No seamos demagogos —dijo—. Una cosa es aceptarlo y otra estar de acuerdo.

—¿Te parece tan sencillo separar las dos cosas? —dijo él—. Yo acepto que debo hacer mi trabajo si quiero comprarme vino. Lo acepto aun sabiendo que al final estoy trabajando para satisfacer el interés de unos propietarios a los que no respeto. Pero si mi secretaria se pasa una hora tomando café y no me coge las llamadas, me cabreo, al margen de que ella y yo podamos convenir en la escasa catadura de nuestros jefes últimos. —Manuel correspondió a Marta con otro canapé—. Supongo que uno de izquierdas no se cabrearía.

—Sigues con la demagogia —contestó Marta—. Yo no le pido a nadie que sea un santo. Lo que sí me parece interesante es que uno se pregunte qué es lo que le cabrea de verdad.

Manuel sirvió más vino.

—Disponemos de poco tiempo, Marta. Unos cuarenta y cinco años si descontamos la infancia y la vejez. Hay que estudiar, conseguir una casa, un trabajo, dinero, darle alegrías al cuerpo, conocer algunas cosas. Conviene no perderse pensando que lo que te pasa no es «de verdad» lo que te pasa, que este mundo no es «de verdad» el mundo.

—A lo mejor es que hay que ser muy fuerte para aceptar en todo momento que este mundo es el mundo.

—No me digas que tú no eres fuerte. Me parece que eres bastante más fuerte que yo.

—Pero me he visto usar la fuerza, con Carlos, con Guillermo, y no me ha gustado. —Marta sintió una insólita gratitud hacia Manuel por haberle permitido decir eso—. Tú tienes tanta fuerza como yo. —Ahora le sostenía la mirada—. Lo que pasa es que todavía la necesitas, la gastas en tus padres o donde sea. El peligro vendrá cuando empiece a sobrarte.

—Entonces te llamaré para que me digas que no me dé tanta importancia.

Marta rozó con las yemas de los dedos el tallo de la copa.

—Llega un momento —dijo mirándole a la cara otra vez— en que la cuestión no es que te lo digan, sino que te la quiten.

Tomaron algo de queso, en silencio, y después Manuel se levantó. «Qué bien hueles», dijo cogiendo el jersey de Marta con las manos. Ella alzó los brazos para ayudarle y se levantó a su vez. Vio el roce de sus pezones erectos en el algodón de la camisa de Manuel, el jersey tirado, la falda subida. Dos cuerpos ganados para el placer, para un placer entre iguales, y Marta pensaba en Guillermo, cómo se aprende, el respaldo de la silla en la carne desnuda y el gesto de Manuel al llevarse la mano al pantalón; luego Marta notó que sus caderas se conmovían.

En el dormitorio, después de las convulsiones y de un vaivén intenso al vaciarse, Marta permaneció con los ojos abiertos. A su derecha tenía la puerta entreabierta de un cuarto de baño. A la izquierda, más allá del cuerpo de Manuel, una ventana daba a una terraza contigua a la terraza del salón. Manuel debía de haberse dormido. Una posibilidad entre mil; quedaban aún novecientas noventa y nueve y Marta pensaba en el dislocamiento, en ser sacada de quicio por una pasión que la rompiera y la recompusiera según un orden contrario. Luego cerró los ojos, concentrándose en la oscuridad. Empezaba a parecerle que su existencia no estaba puesta en las novecientas noventa y nueve posibilidades. No estaba puesta en ser arrastrada sino quizá, se dijo, en ir.

A las once los dos fumaban tumbados en la cama.

—¿Cómo te va a afectar en el trabajo la victoria del PP?

—Tendré que irme, supongo. Aunque el PSOE y el PP se parezcan bastante, en el PSOE había algún resquicio. A veces se sentían obligados a hacer un discurso progresista. Ahora gente como yo dejaremos de hacer falta.

—No veo por qué. Los discursos progresistas son útiles para cualquier político. Es mucho más fácil decir «Hago esto por el bien de todos» que «Lo hago por el bien de unos pocos». Lo segundo conduce al enfrentamiento.

—Quieres decir que podría trabajar para el PP sin problemas.

—Dado que se parecen bastante. Bueno, esto es algo que solías decir tú.

Marta apagó el cigarrillo y se incorporó a la altura de Manuel poniendo la almohada en vertical. Aunque no hacía frío en el cuarto, tiró de la sábana para cubrirse. Estaba desnuda y se daba cuenta de que lo estaba, de que ambos lo estaban sin que ello comportase un cambio radical, la pérdida del paraíso, pero sin que tampoco fuera un hecho irrelevante. Al discutir de política estando desnudos, un sentimiento de melancolía no triste parecía unirles. Las frases eran las mismas que ambos se dirían con la ropa puesta, pero tal vez el acento había cambiado. Manuel tenía medio torso y los brazos fuera de las sábanas, y un cenicero entre las manos. Marta se encendió otro pitillo. En realidad, Manuel tenía razón; ella no había estado moviéndose en busca de un trabajo porque intuía que no la iban a quitar.

—Voy a hacerte una pregunta —dijo entonces Manuel—. Imagínate que el cuello largo de las jirafas fuera su conciencia. Llega un día en que se acaban los alimentos de los árboles. Las jirafas sólo pueden comer alimentos a ras del suelo, para lo cual el cuello largo es francamente incómodo. Los animales de cuello corto, y no digamos los reptiles, son más rápidos, se comen los mejores alimentos. Entonces alguien ofrece a las jirafas la posibilidad de operarse: una especie de ablación de la conciencia. ¿Qué deberían contestar?

—Depende de en qué animal vayan a convertirse si sólo comen alimentos a ras del suelo. ¿El valor supremo es la vida o es la vida buena?

—Me lo pones fácil. El valor supremo, hoy, es la buena vida.

Marta se hundió un poco en las sábanas.

—¿Dónde nos meterías? —le preguntó a Manuel—. ¿Somos jirafas, lo fuimos, o en el fondo nunca nos interesó la conciencia?

—Verás, yo creo que los dos tenemos agudeza visual y nos hemos dado cuenta de que en los árboles altos todavía quedan alimentos.

—Es un piropo envenenado.

—Contesta tú.

Retrepándose hacia arriba otra vez, Marta dijo:

—El ejemplo de la jirafa confunde, la conciencia no es un órgano, está fuera. —Como tantas veces en los últimos años oía la voz de Santiago, el tono respetuoso de sus padres, y veía a Carlos, a Guillermo—. Distintos Pepitos Grillos por ahí diseminados —añadió.

—Pero según tu conciencia haces más caso de unos o de otros.

—Según la gente que te hayas encontrado, lo que hayas leído, contra quién hayas crecido. Según cómo razones y lo que quieras hacer.

—¿Y nosotros dónde estamos, qué queremos hacer? —dijo Manuel levantándose porque había empezado a sonar el teléfono.

—Nosotros estamos hechos un lío.

Marta se fue vistiendo. Supuso que volvería a quedar con Manuel, pero deseaba que fuera dentro de bastante tiempo. Él volvió y empezó a vestirse también mientras le contaba:

—El sobrecargo del consejero delegado quiere que vaya mañana a revisar la oferta que vamos a hacer el lunes.

—Mañana es domingo —dijo Marta—. No parece que estés rodeado de jirafas.

—Son serpientes —contestó Manuel riendo, y le dio un beso rápido en la boca.

Marta se puso el reloj.

—Gracias —dijo—. Por la cena y por haberme dicho lo de la importancia.

Manuel se abrochaba los puños de la camisa.

—Si hubiera un camino seguro para alcanzar la sabiduría —dijo—, empezaría con un mandamiento difícil de cumplir. —Puso la mano en la espalda de Marta. Ambos echaron a andar—. Éste es mi mandamiento: sé responsable con los demás y frívolo contigo mismo.

El sábado siguente, el ex marido de Leticia tocó el telefonillo a las once para recoger a Irene. Leticia bajó con ella, como solía, en el ascensor y Santiago fue a terminar de vestirse. Estaba lavándose los dientes cuando oyó la voz endurecida de Leticia.

—¿Vas a comprar los periódicos?

Siempre era igual. A las apariciones del joven filósofo y padre de Irene sucedía un período de irritación en Leticia de una media hora. Santiago fue al quiosco más cercano. Hacía buen día. El sol de mediados de marzo desplegaba sobre la acera un celofán transparente como si el suelo fuera un paquete de cigarrillos. Pensaba que ya no tenía celos del joven filósofo, un profesor tres años mayor que él que, sin embargo, no había sabido embridar su ambición, entrenarla y mantenerla a la espera con los ojos vendados. La ambición del joven filósofo correteaba por la pista desde hacía dos años, desinflada y sumisa, ingeniosa y servil. No tenía celos, se repitió. A veces incluso le admiraba por ser el padre de Irene, y sobrellevaba los períodos de irritación de Leticia porque cada vez eran más cortos. Le conmovía verla debatirse con su pasado y ver cómo cada semana ella le llamaba antes, se disculpaba antes de su malhumor. La puerta se abrió cuando él estaba metiendo la llave. Leticia sonreía y le invitaba a entrar.

Leyeron el periódico con calma. Cerca de la una, ella dijo que había estado mirando en el armario y que necesitaban chaquetas ligeras.

—Sé de una tienda muy buena.

Santiago condujo Castellana arriba a la plaza de Emilio Castelar. Leticia le guió por calles pequeñas y se bajó en la tienda para ir mirando mientras él aparcaba. Cuando Santiago llegó, ella estaba en la puerta con una bolsa en cada mano. El contenido era, dijo, sorpresa. Llevaron las bolsas al maletero del coche y Leticia agregó:

—Ya sé lo que vamos a hacer. ¿Tienes hambre?

Santiago hizo un gesto ambiguo. Guardaba todavía una visión fugaz del escaparate con un antiguo baúl de viaje, jerséis claros y camisas oscuras. Habría querido entrar en la tienda. Memorizó la calle y decidió volver un día sin Leticia. Ella cogió su mano. Llevaba puestos unos pantalones de montar a caballo y, encima, una chaqueta de piel. Parecía más alta.

—¿Cruzamos? —preguntó Leticia mostrándole el semáforo en verde. Los dos corrieron hasta alcanzar la orilla de la Castellana, y más sol, y los árboles con hojas incipientes. Cruzaron otra vez y anduvieron por el bulevar.

—Estás muy guapa —dijo Santiago, y pasó la mano por la cabeza rubia.

—Es ahí. —Leticia señalaba una puerta sin rótulo al otro lado del bulevar—. Podemos comer ahí.

Bajaron las escaleras que iban a dar a una barra de madera estilo inglés con taburetes altos también de madera. Leticia dejó su chaqueta en el guardarropa y fue hacia el restaurante.

Santiago había imaginado un local mortecino por su condición de semisótano, sin embargo, las ventanas lindantes con la acera recogían la suficiente cantidad de luz y ésta se difundía por el blanco de los manteles y entre las copas.

—¿Tomarán el *brunch*? —preguntó el camarero.

—Sí, por favor. Vino tinto, ¿no? —dijo Leticia mirando a Santiago.

Él encendió un pitillo. El humo trepaba muy despacio por los haces de sol. Al fondo había una mesa alargada, mantel blanco, claveles rojos y varias fuentes. Delante, dos mesas más pequeñas con fuentes cubiertas. En el centro, un carro de madera con los postres. Los otros comensales hablaban y se movían como si el local fuera suyo y se conociesen; levantaban las tapas de las fuentes, comentaban sus elecciones, se servían con lo que su madre habría llamado descaro y él, pensó, quizá llamaba desenvoltura.

—¿Vamos? —dijo Leticia.

Remolacha con manzana, pasta con canónigos, maíz con pimiento, pulpo en vinagreta. Lonchas de roast-beef. Salmón. Cada uno compuso su plato. Tomaron los cubiertos de un mueble de madera forrado con fieltro granate.

—Entonces, ¿qué has pensado? —le dijo Leticia cuando ambos estaban comiendo.

—¿Qué he pensado de qué?

—De la oferta para el año que viene. ¿Vas a aceptarla?

—No creo. No me gusta que me paguen como si diera conferencias cuando en realidad yo sería un profesor más. Y no me interesa ser el toque exótico-radical de una universidad privada. Tendrían que dejarme organizar el área de conocimiento, pero tampoco allí dentro hay gente interesante con quien trabajar.

—Habrá que empezar por algún sitio. Además, de buenas a primeras nadie va a ofrecerte justo lo que tú quieres.

—Puede ser, de todas formas la universidad privada no me interesa como horizonte.

El tenedor de Leticia se clavó en el último trozo de pasta.

—Pero diste un máster.

—En ese momento necesitaba dinero.

—Como cuando el libro de texto. —Ella había dejado los cubiertos sobre el plato.

—Algo parecido —contestó Santiago abandonando a la mitad su loncha de roast-beef.

—Ahora ya no lo necesitas. —Lo dijo despacio, y en su tono de voz había tanta recriminación como desprecio.

Santiago tardó en reaccionar. Los cubiertos de Leticia aguardaban tendidos sobre el plato, pero él era ya incapaz de ver elegancia o delicadeza en ademán alguno. Leticia esperaba con impaciencia a que el camarero retirase el plato, sus ojos miraban voraces en dirección a las fuentes de comida caliente. Como en una pesadilla se le aparecieron todos los gestos hambrunos de Leticia, su forma de mirar el recipiente del queso parmesano cuando quedaba poco, la rapidez con que cogía no el trozo de la vergüenza sino el anterior, el penúltimo. No había en ella contención sino apariencia de contención. Es como yo, pensaba, igual que yo cuando marco un territorio animal y me molesta que ella deje su ropa en mi silla, que ocupe mi sitio en el sofá, como cuando en el cine me exaspera que ponga el codo en el brazo común de la butaca, y a veces consigo no manifestar mi impaciencia pero casi nunca logro no sentirla. Animales humanos. La glotonería indecorosa de su abuela no era distinta de la exquisita moderación de Leticia, sólo eran distintas, se dijo, las necesidades. Desde el principio le había gustado que Leticia se mantuviera alejada de la grosería: esas veces en que él estaba diciendo algo y ella esperaba a que terminara de decirlo para llevarse la copa o el tenedor a los labios. Le había gustado la educación de Leticia porque comportaba un desapego real hacia los propios apetitos. Mentira. Pura comedia. Cuando Leticia de verdad quería algo se abalanzaba como cualquiera. Como yo, como la abuela Joaquina, como todos nosotros, pensó, y porque la veía semejante a todos podía compadecerla pero no la justificaba. Ahora ella aparentaba haberse dado cuenta de su error y miraba su servilleta. Santiago indicó al camarero que él también había terminado.

Fueron por el segundo plato. Había carne asada con una guarnición de arroz y soja, y callos. Leticia estuvo a punto de elegirlos, pero no lo hizo. Estás asustada de tu frase, pensaba

Santiago. Y yo te acuso, sin placer, y me humilla decirte que tienes más culpa que los demás, pero la tienes, no porque te enseñaran buenos modales, sino por el poder que has heredado, porque una frase tuya da en un blanco más extenso que mil gestos perdidos de mi abuela.

—¿Y en la facultad qué vas a hacer? —preguntó Leticia cuando se sentaron. Su tono de voz se había vuelto hospitalario, cariñoso.

—De momento nada especial. Seguiré con el tema que presenté en Budapest, el retorno a Mandeville. Volveré a dar mi seminario sobre los orígenes del capitalismo, lo de siempre.

—¡Pero algo tendrás que hacer! —La voz de Leticia vibró descontrolada en las últimas sílabas. Cómo se podían cometer dos errores tan seguidos; cómo, se dijo Santiago, podía haberse disuelto tan pronto el arrepentimiento de segundos antes, el horror a su frase y todo el esfuerzo para darle un vuelco a la situación. Santiago comía despacio. De vez en cuando levantaba la mirada y veía el carrito con tartas, trufas de chocolate y pasteles. Él había pensado que los problemas vendrían por su memoria: por Alguazas, por el bando traicionado. Y había sido tan torpe como para imaginar que en el otro bando su presencia bastaba. Qué estúpido. Del traidor siempre se desconfía, al traidor se le exigen pruebas, ofrendas. Cuántas habría de dar él en garantía de su buena disposición y durante cuántos años.

—No voy a dormirme —dijo al terminar la carne—. Pero tampoco querrás que me convierta en un divulgador de pensamientos precocinados —añadió en clara alusión al joven filósofo. Lo había dicho sin premeditación y ahora, al oírse, comprendía que iba a serles difícil evitar una discusión sórdida, aunque se propuso intentarlo. No me acorrales, pensaba mirando a Leticia.

Ella dejó que el camarero le retirase el plato.

—No hacía falta caer tan bajo —dijo.

—Puede ser. Lo siento pero, por favor, no creas que es tan fácil saber qué necesita el otro.

Leticia le cogió la mano. Miraba hacia los postres como si le pidiera anda, disfrutemos del lugar y de la compañía. Santiago ya se había topado otras veces con ese empeño de Leticia por olvidar al instante.

—Esas trufas tienen muy buena pinta —dijo para complacerla.

Durante unos momentos disfrutaron partiendo trozos minúsculos de todas las tartas. Pero él quería continuar, hacerse fuerte en algún sitio. Comía mirando el suelo de rombos blancos y negros. Leticia propuso ir al cine más tarde. Santiago dejó de comer y encendió un cigarrillo.

—¿Sabes de qué tengo necesidad, Leticia? Lo que la gente como yo necesita es un poco de rectitud. Supongo que tus padres pueden permitirse prescindir de la rectitud. Cuando comes a menudo en buenos restaurantes y tienes dinero invertido y un patrimonio respetable, y puedes comprarle a tu hija un piso de ciento treinta metros cuadrados, ¿qué falta te hace la rectitud?

—Pero es una contradicción ser recto por necesidad. La moral debe ser como el arte por el arte; si buscas recompensa en la bondad, ya no hay bondad.

—Uno es bueno —dijo Santiago— porque lo necesita. Porque si no le gusta la casa en donde vive ni la ropa que se compra ni el menú, el olor y la vajilla del restaurante donde come, entonces se consuela pensando que le gustan sus actos, que se mira en el espejo y no se cae mal.

—Exageras —dijo Leticia llamando al camarero. Pidió dos cafés solos y empezó a fumar ella también—. Según eso, si todo el mundo fuera rico, seríamos todos malos.

—No seríamos ni buenos ni malos, quizá fuéramos felices. Uno es bueno, se supone, cuando ofrece la otra mejilla a quien le ha pegado primero, pero le han pegado. Cuando ayuda a un pobre, luego hay alguien pobre. O si no envidia a los que tienen más que él. Después de leer a Mandeville es inevitable preguntarse qué significa lo bueno en una sociedad comercial. Un mundo donde la bondad, tal como hoy se entiende, no fuera necesaria, sería más agradable para la mayoría. Sólo el Mal crea la necesidad del Bien. ¿Te parece que si a Carlos le hubieran sobrado los millones, habría necesitado hacer una empresa especial, razonable, como él dice?

—Me cuesta creer que hables en serio. ¿Cuando intentas dar bien tu seminario, lo haces sólo para consolarte de no tener unos padres más ricos?

—Seguramente. Eso no me lleva a pensar que mi comportamiento sea igual que el de los catedráticos chapuzas y autosatisfechos. Es mejor. Mejor para mí, para los estudiantes y poniéndome estupendo te diría que es mejor para el desarrollo del espíritu humano. Es mejor que yo no quiera aceptar los chanchullos de una universidad privada o que necesite encontrar sentido en mi trabajo dando buenas clases. Claro que es mejor que yo no medre a costa de nadie. Pero no me engaño. Sé el porqué de esa necesidad. Y sé que ahora no puedo permitirme el lujo de renunciar a determinados principios.

Leticia le preguntó si quería una copa y volvió a llamar al camarero. Ella pidió whisky de malta. Santiago dudó un segundo. Luego dijo:

—Chinchón seco sin hielo, por favor.

Terminaron sus cafés en silencio. Cuando trajeron las copas, Santiago bebió con sed. Había abusado, igual que hacía con Marta. Conocía el punto débil de las dos, que era su único punto fuerte. Porque un pobre tenía la posibilidad de dejar de necesitar un día. Podía lograrlo y hacer una bandera con falacias del tipo: «Yo no le debo nada a nadie». Pero quien no necesita, se dijo, está vendido. Quien no necesita depende siempre de otros para llegar a necesitar. Había abusado y eso le hacía sentirse incómodo, y seguía con irritación el ir y venir del pitillo de Leticia a los labios, al aire, de nuevo a los labios. La luz del sol ya no alcanzaba los ventanales, aunque en la calle seguiría siendo de día. Toda la ciudad se le antojó un espacio escaso. Cualquier rincón, la casa de Leticia, su piso medio vacío de Vázquez de Mella, y los parques bulliciosos y los parques solitarios, y el cine. Bebió más chinchón.

Leticia también bebía deprisa. Santiago no sabía cómo mostrarse amable. Acercó su rodilla y luego su mano.

—Si quieres —dijo—, cogemos el coche y nos vamos a ver atardecer desde un puerto de montaña que conozco.

Era un puerto que le había enseñado Sol y era más que eso, era el lugar que les constituía, el sitio de los dos, la memoria de una conjunción que tal vez fue posible.

Leticia asintió sonriente y clara.

—Luego podríamos quedarnos a dormir en un hotel aislado, con chimenea —dijo.

Santiago pidió la cuenta.

Tercera parte

I

El lunes 1 de abril de 1996 a las ocho y media de la mañana un cielo mate en donde el blanco y el negro parecían haber forcejeado hasta yacer entremezclados, sin fuerza, un cielo opaco, carente de profundidad, ocupaba el horizonte en calles y ventanas del centro de Madrid, y era como si el techo del mundo hubiera descendido a muy baja altura.

Marta, asomada al cristal, sentía la opresión de esa atmósfera imprecisa que se balanceaba frente a ella. Cogió su americana de tweed y salió de casa. En el portal, al pasar junto a los buzones distinguió en el suyo una mancha blanca. Tan temprano no podía haber venido el correo.

—Me han dejado este sobre para usted —le dijo el portero a Santiago.

—¿Leticia? —preguntó él, pues los lunes ella salía de casa media hora antes.

El portero negó con la cabeza.

—Un motorista —dijo.

Carlos tomaba té en un bar del pueblo de Fuencarral. Estaba libre, limpio. Tábula rasa. Ahora su sueldo caería en la cuenta corriente sin desaparecer tragado por las deudas. Se había puesto a cero. En lugar de un río con remolinos su cuenta era una pista de tenis, un espacio pequeño pero erigido sobre una superficie sólida, se dijo, tierra roja batida y rayas blancas. La única imagen clara de su vida. Porque si pensaba en Santiago o en Marta entonces la solidez desaparecía. El préstamo devuelto no cerraba nada. Lo cerraba en falso.

A Marta el remite la decepcionó. Había imaginado y querido un mensaje de Guillermo, tal vez un texto encontrado en un libro, una invitación, algo de él. Sin embargo, luego sintió curiosidad. ¿Qué podía decirle Carlos en una carta? Pero no era una carta y la visión del papel estampado del cheque le hizo un daño inesperado. Detrás había media cuartilla: «Hace mucho que no nos vemos. En marzo vendí Jard a una empresa llamada Electra. Ahora trabajo allí junto con los demás: Lucas, Esteban, Rodrigo. Si hemos conseguido sobrevivir y que alguien nos recoja ha sido gracias a Santiago y a ti». Marta dio la vuelta a la nota. Esperaba una frase cómplice, o la mínima expresión de cercanía, «besos», o la firma. Pero Carlos tampoco había firmado. Cuánta carga, se dijo, llevaba ese silencio. Un hombre pasó muy deprisa a su lado y la rozó. Marta miró la hora en su reloj negro, le parecía que nunca había estado triste de esa manera tan seca, tan sin mezcla de cualquier otro sentimiento o impresión.

Está loco, pensaba Santiago en el Rover. Podía haber preguntado antes. Y quería llamarle: «Carlos, estás loco». Aceleró necesitando expulsar a cada coche de su carril y ser el único. El sobre abierto, con la nota y el cheque, estaba en el asiento de al lado.

Carlos iba a llegar tarde. Bueno, no pensaba correr. Terminaría el té, despacio, y despacio quitaría la cadena de la moto para salvar el pequeño tramo que aún le separaba de Electra. Prefería no coincidir con Esteban ni con Rodrigo precisamente esa mañana. No tenía conciencia de haber obrado mal, tampoco la tuvo cuando les explicó las condiciones de la venta, cómo los ocho millones de Electra irían a parar a Santiago y a Marta. Sin embargo, a menudo echaba cuentas: si hubiera repartido el dinero según el porcentaje de participaciones de cada uno, a Lucas y a él les habrían tocado dos millones ochocientas mil, y un millón doscientas mil a Rodrigo y a Esteban. Ni siquiera lo había propuesto; no era lógico. Aunque su deuda fuera, en cierto sentido, personal, era previa y de la empresa. Ni él ni Lucas habían vendido sus participaciones por un dinero que luego hubieran destinado a Santiago y a Marta: las habían vendido a cero. Electra había comprado una empresa sin deudas, ahí acababa todo. Pero Rodrigo había dicho que quería hablar con Lucas y con él, y Carlos estaba seguro de que iba a sacar eso a relucir. «Hablar fuera de aquí, un día a la salida, sin Esteban», había dicho Rodrigo. Sólo esa prometida ausencia de Esteban lo confortaba. No quería tener que defenderse delante de Esteban. Ese chico confiaba en él más de lo que seguramente confiarían nunca Ainhoa, Lucas, Santiago, Marta, Alberto incluso. Carlos preguntó cuánto debía por el té. El camarero, alto y flaco, medio calvo, lavaba unos vasos y Carlos se dijo: «Yo estoy en este lado de la barra».

A las nueve Santiago redujo la velocidad para tomar la desviación de la Autónoma. La suavidad del motor, el volante tapizado de cuero, las incrustaciones de nogal en las puertas del Rover le empalagaban. Pensó que el esfuerzo del préstamo no había servido. En el momento de vender Jard, Carlos había estado solo y toda la explicación, «si hemos conseguido sobrevivir y que alguien nos recoja ha sido gracias a Marta y a ti», sobraba. Dirigió una mirada al cheque depositado en el asiento del copiloto. Vaya, ahora tenía cuatro millones. Si no acabara de dejar definitivamente el piso de Vázquez de Mella, si todavía tuviese que pagar un alquiler, ese ingreso extra, debido al ritmo de vida que imprimía Leticia, cenas, copas, viajes, buenos hoteles, le duraría menos de dos años. Por unos cuantos *brunches* y un par de vacaciones exóticas, por compartir un motor 2,3 litros de 158 caballos de vapor y doble leva, una estantería hecha a medida y unos vasos de whisky de malta pero también, mierda, mierda, por la tranquilidad de no vivir contando las pesetas cada vez que sucedía un imprevisto o, simplemente, cuando quería algo, libros, una gabardina. Por eso, por llevar un cheque en el asiento de al lado, por eso había cometido aquella abyección trivial, no llamar a Carlos, no verle, no contarle nada, y su conducta le parecía tanto más abyecta cuanto más trivial, cuanto más insignificantes sus actos omitidos, haberle dicho a Carlos un día: «Estoy agobiado», o: «Leticia es así», o: «Cómo te va con Jard». Santiago metió el cheque en la guantera, no quería ni pensar en ir a cobrarlo.

A las nueve y cinco Marta entró en el edificio de María de Molina. Secretaría de Estado de Política Exterior y para la Unión Europea. Grandes palabras y ella se miraba los zapatos planos. Subió en el ascensor. El cheque en su bolsillo no era un fax misterioso, era un mensaje claro, ¿así se aprende, Guillermo, lo que se ha vivido? Empujó la puerta de la dirección general de coordinación pensando que ahora sí podía dejar el trabajo. La tristeza había dado paso a un estado de confusión y también sentía vergüenza por no haber sabido comportarse. Algo, sin embargo, una parte mínima siquiera, debían de haber hecho bien los tres. Tenía que hablar con Santiago. En esos días ella viajaba a Ginebra pero, cuando volviese, le llamaría.

Eran las nueve y diez y Carlos seguía sin moverse del bar. A este lado, se repitió, de la barra. Los camareros nunca tenían apellidos y él había antepuesto la turbia aprobación de Santiago Álvarez y Marta Timoner a las necesidades de Rodrigo, de Esteban. Su deuda estaba antes, pero él podría haberla aplazado y seguir debiendo dinero a Santiago y a Marta durante años. Lo sabía igual que sabía que nadie tenía derecho a exigirle semejante magnanimidad. En cambio, Claudio Robles, junto con sus propias circunstancias económicas, le había obligado a tomar partido, y eso le mortificaba. Te será dada una cosa u otra, nunca tendrás las dos, le advirtieron, y él se encontró tomando partido por Santiago y por Marta, pues el reproche de Rodrigo y Esteban no le dolería tanto como la perpetua condescendencia de sus amigos, de sus iguales. Aun cuando tampoco quisiera, pensó, coincidir con Santiago o con Marta ahora, mañana, dentro de dos semanas, en alguna parte.

Marta regresó de Ginebra el jueves 4 de abril, tarde. El viernes por la mañana se dijo que no podía dejar pasar más tiempo sin ingresar el cheque y decidió mandar un mensaje a Santiago por correo electrónico. Tal vez Santiago no estuviera en la facultad, tal vez no viese el mensaje hasta el lunes, pero al menos ella entraría en el fin de semana con la impresión de haber dado el primer paso. Copió la dirección de Santiago y, en el renglón de asunto, puso «Carlos»; luego lo borró y puso «dinero» y, por fin, «dinero de Carlos».

«Santiago —escribió—, supongo que hemos recibido el mismo sobre. Me gustaría que habláramos. Creo que no te he llamado por teléfono porque estoy desconcertada. Te escribo y es como si hubiera algo anterior a la voz, una banda de frecuencias al margen del sonido, un estado silencioso y proclive a la comprensión.»

Una vez enviado el mensaje, se dedicó a revisar dos informes sobre las relaciones entre gasto público y crecimiento económico. Pensaba que también debía quedar con Guillermo: la mitad de ese cheque le pertenecía. Pero le asustaba precipitar un desenlace no querido. Aunque, se dijo, en verdad no podían seguir mucho más tiempo en la indefinición. Esperaría, sin embargo, a sentirse más segura, quizá cuando saliera de esa banda de frecuencias en que había empezado a sumergirse. En silencio, debajo del agua, iba a permanecer atenta a la respuesta de Santiago, atenta al significado del cheque, a la vida que ahora llevaba, a sus imágenes sobre sí misma dentro de diez años, al sonido de su muerte.

Trabajó en el informe imponiéndose concentración si bien de vez en cuando anticipaba el fin de semana, esa noche había quedado para ir al cine y el sábado estaba invitada a una cena, pero ambas actividades no debían hacerla olvidar su inmersión, su voluntad de mantenerse a la escucha. Luego, a las dos del mediodía, le sobresaltó en la pantalla el aviso de que había llegado un mensaje de Santiago. No lo leyó al momento. Por el contrario, bajó a comer a un restaurante cercano con tres compañeros de la secretaría y se quedó con ellos hasta las cinco siendo Marta intensamente, poniendo cuanto estaba de su parte por convertir esa comida en tiempo placentero, festivo, y fue generosa con el vino porque, se dijo, necesitaba retornar de algún sitio animado, enfrentarse con el ordenador revestida de una cierta atmósfera. Ya de vuelta, escribió su contraseña, «brazos», y ahí estaba el aviso del mensaje otra vez. Pulsó para verlo.

> Si Dios no existe es precisamente entonces cuando no todo está permitido. El personaje de Dostoievski se equivocaba. Si Dios no existe, si no hay una última instancia entonces somos responsables de nuestros actos e incluso de las consecuencias de nuestros actos. Si Dios no existe, Marta, tendríamos que poder explicar por qué hoy es viernes y todavía ni yo ni, por lo que deduzco, tú hemos llamado a Carlos. He aceptado tu propuesta de hablarnos mediante estos mensajes, pero sólo para decirte que no creo en la escritura como ese estado silencioso del que hablas. En la escritura no hay silencio, la escritura no es lo anterior a la voz. La escritura es el dios con minúscula de nuestra época y, por ello, la escritura es causa de envilecimiento. Todo lo que detestamos, Marta, la crueldad gratuita, la incontinencia, la mezquindad, cualquier acto ruin podría ser redimido en aras de la interpretación si hay un ojo que todo lo ve. Y eso, Marta, fue Dios. Pero aquel Dios en el que tu creíste al menos había dictado las tablas de la ley. La escritura es un dios sin contraste, blando y adulador. Es el dios que sólo mira allí donde señala nuestro dedo, el dios de lo apuntado, el dios de lo que quisimos registrar.
>
> Sería mejor que nos viéramos, Marta. Aunque tú y yo hemos discutido mucho, es mejor discutir que buscar una salida falsa en el deseo de forjarse dignidades secretas, anteriores a la voz y a cuanto nos avergüenza y degrada. Yo he sentido ese deseo con frecuencia. Pienso que entraré en el despacho y escribiré el artículo definitivo, o aún peor, pienso que en el mensaje tembloroso que haga llegar a nadie, en el apunte, en el má-

gico aforismo o bien en la perseverancia de un decir que excluya la verificación podré labrarme la identidad del cuarzo, una estructura de átomos trabados en perfecta simetría, mi esencia que otras veces imagino como un puzle gigante para niños enfermos, para lo que no somos, Marta. Deberíamos vernos. Llámame.

Marta se quedó mirando la pantalla y volvió a leer el texto. Trataba de colocar a Santiago, una vez más recriminándole, pero, en esta ocasión, vencido, como ella: Santiago en su mismo equipo esta vez. Decidió llamarle y convinieron verse a las seis y media en el monumento a la Constitución. Fue Marta quien propuso el sitio porque no era la casa de ninguno pero sí un lugar familiar, allí quedaban en los últimos tiempos de *A trancas*.

Llegó la primera, subió por el esqueleto del cubo blanco. Sentada en la piedra, veía a sus pies un tibidabo menor, todo esto te daré, la Castellana surcada de coches, una fuente, los Nuevos Ministerios, árboles, los rascacielos de Azca, si, postrándote, me adoras, y se preguntaba qué pensaría Santiago de Satanás. Más cerca pasaban los autobuses y aún más cerca, marcando el final de la llanura urbana, una pendiente de hierba ascendía hasta los alrededores del cubo. Pensó que no iban a aguantar mucho tiempo ahí quietos, la piedra estaba fría, el sol estaba perdiendo fuerza. No obstante el sitio le parecía bien como punto de encuentro. El cubo le gustaba porque podía ser usado al modo de un desnivel en el terreno o un árbol. Los bancos habían sido puestos en las calles para que la gente se sentara y ésa era su función. En cambio el monumento había remontado su condición de adorno para hacerse tierra de la ciudad, así también los puertos de los pueblos pesqueros eran productos humanos y eran naturaleza, así algunos puentes sobre los ríos cumplían su función pero alguien podía sentarse en el pretil con las piernas colgando tal como lo haría en un peñasco. Santiago se retrasaba.

Marta encendió un cigarrillo. Descubría su impaciencia no tanto por ver a Santiago como por haber hablado ya con él, y haber entendido algo y a lo mejor, entonces, llamar a Guillermo.

Una pareja se sentó en el lado del cubo perpendicular al de Marta por su derecha. Estaba mirándoles cuando distinguió la silueta de Santiago.

—Lo siento. No he podido salir antes —dijo él.

—No te preocupes.

Se besaron en la mejilla aunque sin pudor, los labios notando la piel del otro. Luego se sentaron.

—Hace por lo menos ocho años que no venía por aquí —dijo Santiago.

Marta le miró de reojo. Era chocante ver a Santiago sobre aquella especie de bordillo. Se fijó en su chaqueta y sus zapatos. Había una pátina de elegancia que antes Santiago no tenía. Ni ella ni él parecían ya estudiantes, se dijo pensando en la pareja de al lado. No por la forma de vestir, su estilo no había cambiado tanto; lo que sí había cambiado era el precio de las prendas.

—Y hace muchísimo que no quedábamos —contestó—. ¿Cómo estás? Ponme al día.

—He dejado la casa de Vázquez de Mella. Vivo con Leticia. En la facultad las cosas siguen como siempre, aunque estoy bastante contento con un ensayo sobre el regreso del pensamiento de Mandeville. Me gustaría que lo leyeras, cuando lo acabe. ¿Y tú?

—Ahora trabajo más o menos cerca de aquí, en un edificio del Ministerio de Asuntos Exteriores que está en María de Molina. Pero sobre todo trabajo fuera, tengo que viajar bastante, la verdad es que empiezo a estar un poco cansada. No sé si sabes que Guillermo se fue a vivir a otra casa. Seguimos viéndonos, no nos hemos separado. Bueno, estamos intentando averiguar qué quiere cada uno.

—Algo me había comentado Carlos —dijo él.

—Me alegra mucho verte, Santiago.

—Sí, a mí también. Nos conocemos hace demasiado tiempo. Ya sabes, cuando conoces a alguien hace tanto tiempo, es un punto de referencia y, si lo pierdes, cuesta bastante orientarse.

—Hemos estado a punto de perderlo —dijo Marta.

Santiago asintió aunque, en realidad, él temía haberlo perdido ya y suponía que Marta también. Pero aún era pronto para hablar de eso. Se quedó mirando el techo de los autobuses que pasaban.

—Seguro que has llegado puntual —le dijo a Marta—. Deberíamos ir a tomar algo.

Marta le miró sin negar ni asentir.

—Hay un café aquí cerca —dijo Santiago.

—Vamos —dijo Marta, y se puso de pie.

Por el camino sacó un pitillo. Santiago le dio fuego.

—Cuéntame algo de tu ensayo. Mandeville era el que decía que los vicios privados hacen la prosperidad pública, ¿no?

Llegaron a la puerta del café restaurante adonde Santiago y Leticia habían vuelto alguna que otra vez. Mientras bajaban las escaleras, Santiago contestó:

—Sí, eso decía, lo que pasa es que no ocultaba a nadie cuál era su idea de prosperidad pública. No fingía, como se hace ahora, defender la prosperidad universal. El mantenimiento de la sociedad comercial, valga decir capitalista, «exige confinar a la mayoría de la población fuera del intercambio de las satisfacciones reales». Son sus palabras. Mi ensayo estudia cómo los postulados de Mandeville, previo enmascaramiento de algunos, renacen en la teoría económica cada cierto tiempo.

Pidieron dos cervezas. A esa hora no había manteles blancos sobre las mesas y todo el bar tenía un aire más oscuro. Santiago continuó:

—Para Mandeville, la pasión motriz de los individuos en una sociedad comercial es lo que él llama la afición por uno mismo. La nobleza, el recato, la generosidad son estratagemas de esa pasión. Movidos por ella, los individuos nunca renuncian a sus satisfacciones egoístas, sólo las retardan. Lo lees y te va convenciendo. Es bastante triste.

Marta le había dejado a Santiago el sofá pegado a la pared y se había sentado en la silla de enfrente, en la actitud de ser ella quien acudía a solicitar algo.

—Buscar la causa motriz —le dijo—, el último motivo de las cosas siempre es triste porque al final aparece la muerte. Además, qué importa si el móvil es ser felices o ser admirados o cualquier otro. Importan las consecuencias de lo que hacemos para conseguirlo.

—Estoy de acuerdo, Marta. Pero qué pasa cuando comprendes que la mayoría de lo que haces te viene impuesto. Por ejemplo, yo he manipulado tu mala conciencia y ni siquiera creo haberlo hecho por egoísmo. Tal como estaban repartidas las cartas, no tenía elección.

Marta había empezado a comer unas almendras tostadas. Cuando oyó la frase de Santiago notó que la invadía un agotamiento benigno. La palabra manipular no lastimaba su orgullo. Más bien la hacía sentirse fatigada, como si Santiago y ella llevaran años moviéndose de un sitio para otro. Y quizá porque percibía en Santiago una fatiga pareja a la suya, no sentía el impulso de atacarle.

—¿Cómo? —preguntó—. ¿Cómo la manipulabas?

—Nunca contestaba a tus argumentos. O me quedaba callado, o contestaba *ad hominem*, ya sabes, tú decías lo que fuera porque tus padres tenían dinero, tú estabas dispuesta a hacer tal cosa porque tenías tranquilidad económica, un capital acumulado. Etcétera.

—A veces tenías razón.

—Seguramente, pero yo te negaba el derecho a refutar mis razones. Y si alguna vez te lo daba, me encargaba de recordarte que tú apenas eras tú. Marta era menos Marta de lo que Santiago era Santiago, porque Marta era casi todo herencia y yo me había construido solo.

—Supongo que si alguien se deja manipular así, significa que prefiere sentirse superior aunque con mala conciencia, antes que sentirse igual.

Santiago miraba un aplique con dos lamparillas rojas. Llevó la mirada al mueble de madera con cajones forrados de fieltro. Ahí enfrente tenía la cara de Marta, su atrevido pelo corto, su chaqueta ligera y elegante.

—¿Qué vas a hacer con Carlos? —preguntó—. ¿Le vas a llamar?

Marta ofreció un cigarrillo a Santiago, pero él negó con la cabeza. Ella cogió uno.

—Voy a esperar hasta el lunes —dijo después de la primera calada—. He cometido una estupidez. Todavía no he ingresado el cheque. Estuve de viaje y hoy, bueno, pensaba que primero quería hablar contigo.

—Yo lo ingresé ayer, y no he estado de viaje.

—Mala conciencia otra vez —dijo Marta—. ¿Por qué la tenemos?

—Mandeville lo llama el horror a la naturaleza humana desnuda. Yo no lo llamo naturaleza humana, lo llamo posición social. Deberíamos haber permitido que Carlos nos pidiera el dinero. Pedir, tranquilamente. Hemos convertido los cuatro millones en una exigencia suya que a nosotros nos dejaba cargados de derechos. Pero, Marta, ¿podíamos habernos comportado de otra manera?

Marta palpó su cartera en el interior del bolsillo y aguardó apenada a que pasara el camarero. Cuando Carlos les pidió el préstamo ella debía de tener más dinero que Santiago en el banco. Sin embargo, se dijo, su pena no venía de ahí. Más difícil le parecía constatar que las reservas no habían sido suficientes, y descubrirse condicionada, víctima de una especie de indigencia a la vez moral y material que le impedía considerar las consecuencias no deseadas de sus acciones, de su actitud con Carlos y con Guillermo.

—Tienes —dijo Santiago en ese momento— que preguntarle esto a Guillermo. Hay teorías que hablan del sujeto como ser enfrentado a la sociedad, y otras del sujeto como alguien que construye sociedad. Pregúntale qué pasa en una sociedad donde nadie necesita llegar a ser sujeto, amo de sus pasiones, juez de la realidad.

—A mí, a veces —contestó Marta con una media sonrisa—, me gustaría ser artículo indeterminado.

Santiago se estaba levantando para ir al servicio. Despeinó el pelo corto de Marta con la mano.

—Ahora vengo —dijo.

Marta vio por fin al camarero e hizo ese gesto de escribir en el aire que significaba la cuenta, aunque a ella le hizo pensar en el mensaje escrito de Santiago y en que nadie iba a redimirles. Ya había pagado cuando volvió Santiago. Marta le esperaba de pie.

—He hablado demasiado y a lo mejor tenías prisa —dijo Santiago por las escaleras.

—No, qué va. Santiago, entonces, ¿le llamamos el lunes?

Santiago dijo que sí. Ya estaban en la calle, se besaron. Marta cogió la mano de Santiago; él la apretó con fuerza y pensaba es inútil.

Marta dijo:

—Da recuerdos a Leticia.

El lunes 8 de abril a las cuatro y media de la tarde Carlos miraba dos de las notas que le había entregado la telefonista. A las once, una llamada de Santiago Álvarez. A las once y media, una de Marta Timoner. Había estado fuera toda la mañana, luego había comido con uno de los antiguos clientes de Jard. Volvía a Electra sin ganas de hablar con nadie y le enojó la coincidencia de ambas llamadas. Además, él no les había dado el teléfono de Electra. Le llamaban ahí como si quisieran recordarle dónde estaba, se dijo, y le hería imaginarlos buscando en la guía o llamando a información para conseguir el número. Si le hubieran llamado a casa el fin de semana sabrían que Ainhoa se había ido. No devolvería la llamada esa tarde, pensó. Ellos habían dejado pasar una semana; él también se tomaría su tiempo. Se dispuso a contestar las llamadas de trabajo. Iba por la tercera cuando apareció Rodrigo y se quedó esperando en el quicio de la puerta entreabierta, alto, normando, impasible, hasta que él colgó.

—Pasa —dijo Carlos.

—¿Puede ser hoy? —preguntó Rodrigo mientras entraba.

—Por mí sí. ¿Se lo has dicho a Lucas?

—Dice que hoy no le viene bien, pero no me importa. Sobre todo quiero hablar contigo.

—Bueno —dijo Carlos.

—Le diré a Esteban que tengo que quedarme. Podemos vernos a las siete menos cuarto en la puerta.

En cuanto Rodrigo se marchó, Carlos fue a buscar a Lucas al otro extremo de la planta. Le encontró en su mesa.

—No quieres venir —dijo por todo saludo—. Me dejas solo.

Lucas le miró.

—Hoy no has traído la moto, ¿verdad? Voy a llevaros a

Madrid en el coche. Le diré a Rodrigo lo que pienso, no quiero escurrir el bulto. Pero tampoco quiero meterme donde no me llaman.

—Que no te llaman. ¿Y yo qué hago aquí?

—Carlos, decidimos juntos usar el dinero de Electra para pagar el préstamo. Estoy dispuesto a explicárselo a Rodrigo las veces que haga falta. Sin embargo, tu relación de empresario con Rodrigo y Esteban la decidiste tú. Esto tiene algo de pelea matrimonial y no pienso meterme.

Carlos cogió un clip de la mesa de Lucas. Lo desdobló, quería convertir ese alambre en una línea recta.

—De acuerdo —dijo. En la yema del dedo quedaba el surco dejado por el alambre bajo su presión—. Nos vemos en la puerta a las siete menos cuarto.

Por la tarde, no volvió a pensar en Rodrigo, sino en su casa, en si debía seguir viviendo allí o en otra distinta. Pensó también en la moto nueva. Una Suzuki 500 blanca, con una raya roja. El miércoles se la tendrían; mejor así, mejor que no hubiera llegado precisamente hoy con la moto y que Rodrigo la hubiera visto. Aunque, ya, qué más daba. Sentía su indiferencia como un cepo de hierro, se preguntó qué pasaría si dejaba que ese cepo le asfixiara por fin. Terminó su trabajo de forma mecánica.

En el aparcamiento, Carlos hizo que Rodrigo se pusiera delante en el coche debido, dijo, a su mayor envergadura, y se escurrió en el asiento de atrás de tal modo que a través de la ventanilla veía sobre todo cielo y a veces vallas publicitarias, troncos de farolas. Pasados algunos minutos, oyó que Lucas abría el fuego.

—Como no puedo quedarme luego, voy a decir mi postura, Rodrigo. Nadie ha jugado sucio. Mis participaciones y las de Carlos se han pagado a cero pesetas. Por las vuestras es probable que no paguen mucho más, pero todavía las tenéis.

La melena vikinga de Rodrigo asomaba tras el reposacabezas, sólo un poco más oscura que la melena castaña de Ainhoa.

—Lo sé —dijo Rodrigo.

Lucas continuó:

—Yo le dije a Carlos que no repartiera el dinero de Electra. Le dije que tenía que usarlo para pagar el préstamo.

—Es lógico. No digo que no sea lógico ni que sea ilegal.

—A mí me parece justo —dijo Lucas.

—Bueno, de acuerdo, también es justo. Pero Jard muchas veces no ha sido un sitio lógico, ni legal, ni justo.

—Nunca lo dijiste —intervino Carlos.

—Es que algunas injusticias eran comprensibles. Para llegar al equilibrio hay que pasar por el desequilibrio, vale, lo entiendo. Yo creía que ése era el trato que habíamos hecho después de la asamblea.

—El trato era exactamente ése —dijo Carlos—. Pero no salió bien.

Rodrigo callaba y Lucas dijo que podían bajarse en la plaza de Castilla porque él luego iba a coger la M-30. Le obedecieron, aunque Carlos detestaba esa plaza ingente y desmedrada, con sus cuatrocientas paradas de autobuses. Propuso a Rodrigo entrar en un bar y Rodrigo no quiso. Prefería, dijo, ir andando por Bravo Murillo, estaba un poco apurado de tiempo.

Cruzaron. Rodrigo reanudó la conversación.

—Has mezclado lo formal con lo informal. Nos pediste que fuéramos algo más que trabajadores contratados. Ahora te comportas legalmente, vale, pero según tú no bastaba sólo con la legalidad.

Dos hombres andando, pensaba Carlos. Un hombre enorme y uno un poco bajo andando. Los hombres pocas veces hablaban andando. Sólo en las películas de espionaje, ahí hablaban en parques, sin mirarse apenas.

—Salió mal —contestó—. Electra podía haber pagado más, entonces vuestras participaciones habrían valido dinero.

—Sí, Carlos, me acuerdo de tu explicación: lo que tenemos Esteban y yo ahora no vale nada, ellos pueden ampliar capital obligándonos a vender por nada cuando quieran. Lo dices sin más y Esteban se queda contento porque has sido sincero. ¿Pero tú qué has perdido, di?

A mi mujer, a mis amigos, el sueño de tener algo mío, pensaba Carlos y casi gritó ¡a mi mujer! No dejes que se den cuenta.

—En dinero, quieres decir.

Rodrigo asintió.

—Hice una inversión al principio. Era mi indemnización por no aceptar un traslado en la otra empresa, así que no vale mucho. Se podría decir que opté por la indemnización porque existía la posibilidad de montar Jard.

Andaban entre una multitud de gente con bolsas y mochilas y bastones y perros. Una chica muy alta se abrió paso entre los dos. Carlos no pudo ver qué cara ponía Rodrigo.

—De acuerdo —dijo—, no he perdido nada. Pero vosotros tampoco habéis perdido dinero.

—Entonces nos engañaste —respondió Rodrigo con tranquilidad—. La plusvalía financiera, ¿te acuerdas?, todas las horas que hemos trabajado de más para ti ahora no valen dinero.

—Para mí lo valen, pero en el mercado no.

—Eres como todos, Carlos. No eres nadie. Como en el mercado no lo valen, tú estás tranquilo. Pero aquel día en Jard no hablabas del mercado.

—Díselo a los de Electra. No sé si soy como todos, pero no soy un héroe.

—¿Y quieres que yo lo sea?

Carlos se echó hacia Rodrigo para sortear un puesto de

ropa. En la maniobra empujó sin querer a un niño de unos ocho años que le miró con odio.

—¿Qué podía haber hecho? —preguntó.

—Te molesta más deberles dinero a tus amigos, aunque tú mismo dijiste que no lo necesitan, que debérnoslo a nosotros.

—Es diferente. Ese día hablé de plusvalía financiera, pero también hablé de una apuesta. En ningún momento os garanticé que fuera a salir bien.

—Carlos, no estoy diciendo que nos hayas estafado. No voy a demandarte. Pero has mezclado lo legal con lo justo y, en el momento decisivo, lo justo lo has mandado a la mierda.

Carlos no podía más. La altura de Rodrigo, el continuo sortear de peatones y puestos de ropa y cajones de fruta, el ruido de los coches, los frenos chirriantes de los autobuses, todo le parecía un martirio sin objeto. Se paró delante de un bar.

—Tienes razón —le dijo a Rodrigo. Y añadió—: Necesito beber algo.

—Yo me voy. Esta semana estoy de traslado. —Rodrigo sacó la caja de juanolas y le ofreció a Carlos—. No quiero que me des la razón —dijo—. Eres tú quien tenía razón cuando nos hablabas en Jard. Carga tú con ella.

Se dieron la mano y Carlos pensaba que Rodrigo no se había alterado durante la conversación. Le miró alejarse entre la gente. Entonces empujó la puerta del bar y vio que aún tenía en la mano izquierda la caja redonda y roja de juanolas.

Pasó un mes. El viernes 10 de mayo, a las siete y media, Ainhoa abrió la puerta del piso donde había vivido tres años con Carlos. Se acordaba del apartamento que compartieron al principio y del ático adonde se mudaron hasta que Diego cumplió un año. Cuando encontraron ese piso por un precio accesible, no se lo creían: era grande, estaba en el centro, tenía casi tanta luz como el ático pero no hacía tanto calor, había una habitación para Diego y otra para sus mesas de trabajo y hasta una pequeña despensa. Todo les gustaba, el ascensor de madera, los techos altos, el salón largo y profundo, la vista de la torre de ladrillo. Después, al vivirlo, habían ido viendo que los tabiques eran demasiado delgados, y la calle más ruidosa de lo que parecía, que en invierno la calefacción central no bastaba, que la cocina tenía mala ventilación. Pero aun así la casa seguía gustándoles, Ainhoa siempre había contado con que sería su casa hasta que Diego creciera y ellos realizaran el sueño de vivir fuera de Madrid.

Ahora, en unas pocas semanas, la casa había dejado de parecer una casa. Faltaban muebles y cuadros, libros, lámparas, el sofá y el equipo de música. Ainhoa se metió en el cuarto de Diego, el único que permanecía más o menos intacto. Necesitaba echarse diez minutos, descansar. Había tenido varias guardias seguidas, y estaba además su traslado, y el de Carlos, y estaban las pequeñas discusiones descorazonadoras. Era descorazonador comprobar cómo aunque la razón y el buen sentido pusieran de manifiesto que no se odiaban, que se tenían respeto y aprecio, ambos se obstinaban en provocar conflictos. Uno de los dos acababa siempre encontrando pretextos para la indirecta o el sombrío encogimiento de hombros. Buscaban motivos innobles, causas turbias, algo que les permitiera dar un corte a lo que no podía ser cortado, los años, el pasado, el tejido orgánico de cada biografía.

Ainhoa entrecerró los ojos. Desde la cama de Diego veía el futbolín en miniatura, los juguetes de madera y los coches desperdigados. Temían hacerle daño, eso era lo que menos se decían. Sin embargo, ella empezaba a estar asustada. Diego pasaba de la locuacidad al mutismo sin que ninguno de los dos supiera por qué. El mutismo podía durar tres días en los que no lograban arrancarle una palabra a no ser «no vale» o «eso sí vale». Al parecer, Diego estaba reglamentando el mundo, tenía que pasar del no vale que mis padres vivan separados al «eso sí vale». Un pedagogo amigo de su hermana se lo había explicado diciéndole que no debía preocuparse. Ainhoa alargó la mano para coger un conejo de peluche gris. Quizá sí debía preocuparse. En cualquier caso, estaba preocupada y saber que miles de parejas con hijos se separaban y los niños crecían luminosos, serenos, era un dato que tal vez más adelante la aliviaría, un dato que antes, al principio, la había ayudado, pero que ahora parecía salir volando ante la cara seria y dubitativa de Diego.

Eran casi las ocho y Ainhoa se levantó porque tenía que coger las cosas antes de que llegara Carlos. Lo habían acordado entre los dos: ya que no conseguían evitar las discusiones, durante un tiempo evitarían verse, pues aún no habían perdido la razón ni el recuerdo de que no se odiaban. Entró en el cuarto de estudio. Ambos lo habían llenado de cajas de cartón vacías. Cogió una y un periódico y se fue a la cocina. Le había dicho a Carlos que se llevase él todos los aparatos, batidora, cafetera, horno, nevera, lavadora. Ella no se iba a un piso vacío. Una pareja de médicos de reumatología estaba en San Antonio con una beca y le dejaban su casa de mayo a diciembre. Ainhoa terminó de envolver en papel de periódico algunas tazas de desayuno. Sólo se llevaría el exprimidor para hacerle zumos a Diego, y esas tazas. Carlos había insistido en que él tendría los electrodomésticos en depósito hasta que ella estuviera en una casa propia y los repartiesen. Ella le había dado las gracias porque no se atrevía a contarle la verdad. Hoy lo haría, pensó en el pasillo, la caja de cartón entre las manos.

Entró en el salón, escogió unos cuantos libros y los metió en la caja. Luego volvió al cuarto de estudio para cerrarla con papel adhesivo. Le faltaba la ropa, sus revistas médicas y la silla, pero tenía tiempo de sobra. A las nueve, cuando llegase Carlos, ella podía estar camino de su casa. No obstante, infringiendo todas las reglas, iba a esperarle. Era un buen día, Diego se quedaba a dormir con los primos. Llenó dos cajas de revistas y cogió la última para ir al dormitorio.

Sentada en la cama, frente al armario abierto, pensaba que Carlos podía llegar acompañado. Por si acaso ocurría, lo mejor era tener cargado el coche antes y así poder desaparecer discretamente. También podía ser que no llegara o lo hiciera muy tarde. Se dijo que, como máximo, esperaría hasta las diez. Si Carlos no llegaba, o si llegaba solo pero se enfadaba al verla, bueno, entonces tendría que convocarle con antelación, seguramente era lo más sensato.

Metió todas las cajas y la silla de su mesa de escritorio en el ascensor. Al verse en el espejo, entre las cajas y las patas invertidas de la silla, pensó que el hecho de que las personas estuvieran vivas no era del todo comprensible. Hacía siete años se había mudado al apartamento de Carlos. Entonces había subido en otro ascensor con espejo rodeada también de cajas y de sillas. Ahora se marchaba. Abrió la puerta del ascensor y la sujetó con la silla. Luego llevó dos cajas hasta la puerta del portal. La medicina la había acostumbrado a considerar la muerte como un punto de referencia para orientarse. Sin embargo, pensó, no había coordenadas en la muerte, el único punto de referencia era estar viva. Como una cinta transportadora en la que eres, se dijo, depositada y de la cual un día te expulsarán. La muerte no llegaba sino que había un momento en que salíamos de la vida.

Ainhoa volvió por las otras dos cajas. Ella estaba viva, pensó, sus pies casi volaban sobre la cinta transportadora. Debía recordar esa imagen en las noches débiles, sus pies sobre la cinta, algo que la llevaba y a lo cual ella sumaba su impulso pero, aunque no lo hiciera, el desplazamiento continuaría. Cerró el ascensor y cogió la silla para sujetar esta vez la puerta del portal. Estaba viva, no podía cerrar los ojos y dejar de estarlo, le haría falta empeñarse, saltar para salir de la cinta transportadora y nada más lejos de su intención. Llevó las dos primeras cajas al coche. Cuando estaba abriendo el maletero vio a Carlos en la moto. Iba solo.

Él también la había visto. Se encontraron en el portal.

—Me he adelantado —dijo Carlos—. Te ayudo —añadió cogiendo las otras dos cajas.

Ainhoa fue a buscar la silla y la puso en el asiento de atrás. Carlos iba a cerrar el maletero.

—¿Queda algo?

Ella negó con la cabeza. Estaba de pie, tocando con los dedos el cristal de la ventanilla como quien va a decir una última palabra antes de subir al coche.

—Carlos, ¿podemos hablar un momento?

—Sube —dijo él.

La cinta, Ainhoa trataba de verla. El dolor y el error la aturdían, pero morir, se dijo, es estar fuera de todo esto.

Carlos dejó el casco en la entrada y se metió en el baño. Ainhoa oyó el agua del grifo, sabía que Carlos estaba lavándose la cara y las manos, siempre lo hacía al llegar a casa. Ella permaneció de pie en el recibimiento, azorada como un invitado que no conociera la casa y a quien nadie hubiera mostrado el camino. El sonido del agua cesó. Ainhoa echó a andar por el pasillo hasta encontrarse con Carlos. Tenía presente el salón sin sofá y siguió a Carlos temiendo que la llevara a la habitación del niño. No lo hizo. Empujó la puerta del estudio.

—¿Te parece bien aquí?

Se sentaron los dos en el camastro que tenían para posibles invitados. No había sillas y las dos mesas estaban cubiertas por las cajas de cartón.

—Ha salido una plaza de medicina interna en un hospital

de Bilbao —dijo Ainhoa—. La he pedido porque han vuelto a surgir problemas en Puerta de Hierro.

—Ya —dijo Carlos sin casi darle tiempo a terminar—. ¿Sólo por eso?

—Sobre todo por eso.

—Te irías con Diego, claro.

—Por lo menos el primer año me parece mejor que esté conmigo, pero es una opinión.

—Y cuándo voy a verle, ¿los fines de semana?

—Hay períodos de vacaciones más largos, más largos.

—No quiero desaparecer de la vida de Diego. Voy a perderle.

—No lo perderás, lo haremos bien. Lo sabes, tenemos que hacerlo bien.

—Ya te han contestado, ¿verdad? A lo de la plaza.

—Sí y no. No me han contestado oficialmente, pero sé que tengo bastantes posibilidades.

—¿Y qué quieres que diga?

—Tu opinión.

Carlos se quedó mirando al frente sin hablar. Cuando el silencio empezaba a ser inadecuado, violento, dijo:

—Mi opinión es que los espías sólo tienen una vida, los adúlteros sólo tienen una vida, y los separados, y los divorciados, también.

—No me voy para «emprender una nueva vida», si te refieres a eso.

—Sí, me refería justo a eso. Entonces, ¿para qué te vas?

—Para no quedarme sin trabajo. Y creo que en el fondo me parece razonable, como dirías tú, tener una tierra, ser de un sitio, no olvidar la lengua de mis padres.

—¿Puedo preguntarte si también trasladan a tu médico?

—No es mío y no lo trasladan.

Carlos se levantó. Las mangas remangadas de la camisa y,

en general, la ropa de verano le hacía parecer más pequeño. Varias cajas de cartón amontonadas que sobresalían detrás de su cabeza reforzaban esa impresión.

—Voy por una cerveza, ¿quieres algo?

—Otra, gracias.

Ainhoa lo vio salir, empequeñecido también por la suela fina de los mocasines. Permaneció atenta a un recorrido que debía de tener inscrito en el cerebro porque podía predecir en qué momento él abriría la nevera, cuándo sonarían los vasos sobre la mesa de la cocina y cuándo la tapa del cubo de la basura. Carlos ya volvía. Entró con su andar peculiar que le inclinaba hacia atrás y hacia los lados, como si sólo pisara con los talones, y a Ainhoa le pareció que ese bamboleo ya no reflejaba alegría, tan sólo inestabilidad. Mientras le daba el vaso de cerveza, dijo:

—Si te vas, hay cosas que nunca podremos hacer. ¿Y si te quedas a vivir allí? ¿Vivirá Diego un año con cada uno de nosotros?

—No lo sé, seguramente. No sé que va a pasar.

—La vida es corta, Ainhoa.

—Pero es ancha —dijo ella pensando de nuevo en la cinta transportadora donde habían sido depositados, en el impulso que esa cinta contenía.

—¿Es qué? —preguntó Carlos.

—Ancha. Hay espacio para tu hijo, que el año que viene a lo mejor está en Bilbao, para el tiempo que vivimos juntos, para lo que hagas ahora.

—No tan ancha —dijo Carlos—. Me he enterado de que está en marcha un despido de cinco trabajadores en Electra. Esteban es uno de los cinco. No sé cómo puede caber eso.

—¿Van a echarle?

—Aún no es seguro. De todas formas, hay más cosas que no caben. A lo mejor Diego se pone malo una noche y me necesita cuando yo estoy a quinientos kilómetros.

—Estaré yo. Y si pasa al revés, estarás tú.

—¿Y si nos quiere a los dos?

—Va a tenernos a los dos.

—Juntos.

—Diego perderá unas cosas y ganará otras. Yo sufría por no haber sido el chico que quería mi padre y encima ser enfermiza y causa de preocupaciones; tu único hermano se murió y tú veías la estrechez en que vivían tus padres. ¿Quién no tiene su tragedia infantil?

Ainhoa iba a decirle que estar vivo era ser vulnerable, que sólo los muertos no lo eran. También ella necesitaba oírlo, pero se calló porque Carlos había cerrado los ojos y con la mano se sujetaba la frente, y hacía rotar los dedos sobre las sienes como si le doliera la cabeza.

—No cabe todo —repitió él un poco después—. Hay cosas que no deben hacerse. Cosas que están mal.

—Pero caben. Ojalá que cuando fuéramos a equivocarnos se nos cortara la respiración y dejáramos de existir unos minutos. Lo malo que hacemos cabe; la vida es así de ancha.

—Cabe el remordimiento —dijo Carlos cogiendo el pelo suelto de Ainhoa como un ramo y llevándolo todo al mismo lado del cuello—. ¿Cuándo te irás?

—En junio sé seguro si me dan la plaza. Empezaría a trabajar en septiembre y me iría en agosto para buscar casa y organizarme.

Ainhoa se puso de pie. El vuelo de su vestido verde oscuro rozó a Carlos. Esta vez no habían discutido, pero la sensatez de ambos, en contra de lo que intuía, no la empujó a abandonarse al contacto de la mano de Carlos. Se ahogaba. Necesitaba aire y un sitio para contemplar la desolación contenida en toda aquella sensatez, tallos tronchados, tierra quemada. Carlos, sentado aún, le abrazaba los muslos. Ainhoa llevó las manos a esa cara escondida sin tocarla. Hacía falta tiempo. Los dos tendrían, se dijo, que vivir junto a ese terreno arrasado y aunque en los casi ocho años hubiera también árboles, arroyos, ella necesitaba un plazo para afrontar los tramos negros. Se soltó del abrazo de Carlos poco a poco.

—En cuanto sepa seguro lo de la plaza te llamo.

Carlos se levantó.

—Te acompaño.

Cuando llegaron a la puerta se miraron indecisos. Carlos besó a Ainhoa en la mejilla. Ella se acercó al ascensor, dijo:

—No te quedes ahí.

El martes 14 de mayo un aire soleado se hacía visible en el borde de las fachadas, al fondo de las calles y sobre las papeleras públicas. Santiago entornó los listones azul marino de la persiana. Era la una del mediodía. Minutos después llamó a Sol.

—Hola, soy Santiago. Me gustaría —añadió con voz grave— pedirte un favor. Es un favor. No tiene nada que ver con nuestra relación.

Se oyó un timbre.

—Un segundo —dijo Sol—. Voy a abrir.

Un favor, algo que se pedía y nada más, pensaba Santiago. Sin prolegómenos. Prefería ser descortés antes que volver a ser hipócrita. Se oían voces al fondo por el auricular. La academia de música para niños donde Sol trabajaba tenía algo de piso de dentista con su sala de espera y las puertas de las clases de cristal esmerilado. Sol lo hacía casi todo. Por las mañanas se ocupaba de las matrículas, cogía el teléfono, abría la puerta. Además daba clases a tres grupos, pero cobraba, al menos mientras estuvo con Santiago, noventa y cinco mil pesetas al mes y sin contrato, por horas.

—¿Santiago? Perdona —dijo ella—. Puedes pedirme un favor e incluso preguntarme qué tal estoy. No voy a hacerme ilusiones, si es eso lo que temes. Ha pasado más de un año, sé que estás viviendo con alguien. Yo tengo un novio del coro.

Santiago sintió un escozor, un rasguño. Dijo:

—Me gustaría verte una tarde pero como si nos hubiéramos encontrado.

—Explícate algo más.

—Me dijiste que no vendiera motos, y lo intento. No quiero que ninguno de los dos nos creemos expectativas. Sería una tontería entablar ahora alguna clase de relación.

—Me estás pidiendo una cita con el compromiso de que sea una cita y punto, ¿no?

—Siempre que consideres que eso se puede pedir.

—De acuerdo —dijo Sol—. En este momento no lo veo mal. ¿Cuándo y dónde?

—Dónde, había pensado en nuestro banco del Retiro, el que está encima de la chopera. Cuándo, dilo tú.

—Depende de la hora. Si terminamos antes de las ocho, puedo cualquier día excepto el viernes.

—¿Podrías hoy a las cinco?

—Doy una clase de cuatro y media a cinco y media. ¿A las seis?

Santiago aceptó. Un plazo de dos horas le obligaría a comprimir cuanto había imaginado, pero quizá eso fuera bueno y le librara de cometer una equivocación. No avisó a Leticia porque esa semana ella tenía un cursillo de especialización en la biblioteca y llegaría a casa después que él.

Comió solo, acordándose de Carlos. Los dos, los tres, pensó, habían llegado a un punto muerto. Carlos no les devolvería la llamada y ni él ni Marta se atreverían a insistir. Últimamente pensaba a menudo en el día que Carlos les pidió los millones. Antes, al principio, solía reprocharle en su interior que les hubiera juntado como si quisiera chantajearles, aprovecharse de la violencia de la situación y de la necesidad que tenía cada uno de no quedar peor que el otro. Ahora, sin embargo, creía comprender el miedo de Carlos a una negativa, qué inseguro debía de haber estado para comprometerles de esa forma.

Pidió un café solo doble; disponía de dos horas hasta su cita con Sol y esperaba terminar la lectura de una tesis excelente, titulada «Legitimación de la fantasía y orden espontáneo en Bernard Mandeville». Legitimar la fantasía, legitimar aquellas satisfacciones imaginarias que no son un anticipo de lo que está por venir, sino mero ingrediente ideológico, así la vanidad para los ricos, así el patriotismo para los pobres. Así el romanticismo, pensó, el culto a la irrealidad. Pese a conocer la función que cumplían ciertos sentimientos imaginarios, no lograba prescindir de ellos, eran como los restos de una armadura azulada, resplandeciente y sin embargo de grosor inverosímil, más delgada que el envoltorio de las chocolatinas. Esos jirones de plata no protegían a nadie de los golpes, pero él seguía confiando en deslumbrar al adversario con su resplandor.

Estuvo leyendo, aunque no llegó al final. Luego condujo hacia Madrid. Cuando aparcaba junto al Retiro, vio pasar a Sol. Se dio prisa en maniobrar, anduvo a zancadas para alcanzarla y puso la mano en su hombro. Sol llevaba unos pantalones elásticos que resaltaban su delgadez. Una camisa desabrochada flotaba encima de una camiseta de tirantes. No había cambiado nada, pensó. La misma coleta alta de pelo rizado dejando el largo cuello al descubierto, los mismos zapatos planos de cordones, la misma expresión agreste y casi sexual en la cara, sus dos muñecas tan delgadas que Santiago podía sujetarlas juntas con el índice y el pulgar.

Se habían dicho «¡hola!» sin detener el paso. Lo que llamaban su banco estaba al final de una pequeña cuesta y como suspendido sobre la gran explanada de la chopera. Les gustaba por ser un banco discreto desde donde, no obstante, la vista divisaba un espacio de casi medio kilómetro. A veces había equipos jugando al fútbol en el campo de arena. Pero otras veces el campo estaba vacío. Entonces, algo de la impresión de haberse escapado de Madrid, de ver el mar, de estar en lo alto de una colina, se les contagiaba. Comprobaban que el paisaje tenía dimensiones más amplias que el ancho de una calle o el techo de una habitación y, lejos de agobiarse por su propia pequeñez, en esos momentos se sentían dichosos, al tanto de la medida limitada de sus cuerpos. Santiago pensó que había dejado a un lado ese sentimiento de salud cual si hubiera superado una prueba; ahora le pesaba.

—Te veo muy bien —le dijo Sol, ya sentados en el banco.

Podía tratarse de una ironía destinada a sus zapatos caros y a su americana de hilo. Sin embargo Sol le miraba serena y Santiago decidió devolver el cumplido.

—Tú no puedes dejar de ser guapa.

—Cuéntame —dijo ella.

—Voy a casarme. En julio.

—Te deseo mucha suerte —dijo Sol despacio.

—Y yo te lo agradezco.

Santiago encendió un pitillo. Distinguía dos hombres con chándal, o tal vez fueran niños, al fondo de la explanada. Todas las hojas de los chopos estaban quietas. Cuánto de lo que él sabía de sí mismo podía decirle a Sol sin agraviarla. Estoy aquí porque empiezo a confundir las arrugas de la risa en la cara de mi abuela, ya no puedo imaginarlas bien ni sé qué me diría ella si viviera y yo le contase: «Abuela Joaquina, me caso con Leticia Tineo».

—Sol, te he pedido que vengas para que me ayudes. Y entiendo perfectamente que me digas que no, de verdad.

—He venido aquí porque me apetecía. Ni me he sentido obligada a venir ni me sentiré obligada a hacer lo que me pidas si no me gusta. Venga, di.

—Sólo quiero hablar. Contarte lo que me da miedo y que me digas qué te parece.

—Bien —dijo Sol.

—¿Te acuerdas del poema de Yeats? «Si tuviera los mantos bordados de los cielos, esos mantos tejidos de oro y plata.» No me sé bien la primera estrofa, pero en la segunda dice: «Entonces yo extendería esos mantos a tus pies. Mas siendo pobre, amiga, no tengo más que sueños».

—«He extendido mis sueños a tus pies» —siguió Sol—. «Pisa pues suavemente porque pisas en mis sueños.»

Santiago asintió. Buscaba justo eso, oír en otra voz algo que para él había sido un consuelo y un arma. Sol no se había dejado llevar por una emoción resucitada a destiempo, no había recitado el final del poema como si los dos regresaran a un lugar compartido sino con normalidad, vocalizando bien. Estaba en la mano de Sol disponer libremente de esos versos incluso para rehuir el culto a la irrealidad que proponían. Pero no estaba en la suya, se dijo, él los necesitaba pese a no darles crédito. Los necesitaba, pensó, como se necesita cuanto ha sido arrebatado.

—Gracias —dijo—. Quería oírtelos recitar. Yo ya no podré.

—¿Vas a dejar de ser pobre o se te han acabado los sueños?

—Lo primero, que debe de llevar aparejado lo segundo.

—Bueno, ya encontrarás otro poema que te guste. Con éste nunca te has llevado del todo bien. Pasabas del elogio a los ataques feroces.

—Porque fomenta el autoengaño —dijo Santiago—. Está bien que el manto no sea para envolverse sino para pisar en él: el rico pisa los sueños. Pero, aun así, la sensación que deja es que el pobre es especial.

—Sí —dijo Sol—. Entonces, ¿qué problema tienes?

—Me da miedo perder algunas cosas. —Santiago estuvo a

punto de dejar ahí la conversación. Tal vez necesitaba una despedida, contar siquiera con un testigo que le hubiera visto segundos antes de subir a bordo. Y, sin embargo, por qué en esos últimos segundos no iba a serle concedida también la facultad de poner su vida en orden—. No es por Leticia —añadió—, pero me cuesta hacerme a la idea de que me he enamorado de alguien tan distinto.

La luz flotaba entre los árboles formando volúmenes, cilindros, lingotes iluminados detrás del pelo de Sol. Santiago ya no miraba la explanada, quería ser envuelto él mismo por un manto, por la espesura sin nombre. Sol, en cambio, había subido las rodillas al banco; apoyaba encima la barbilla y la boca, y mantenía el timón de la nariz recto en dirección a la explanada. Allí miraba al contestar.

—Cuando lo dejamos, Carlos me dijo algo que me vino muy bien. Puede que también te sirva a ti.

—¿Ves a Carlos?

—Alguna vez. Mi novio es hermano de uno que trabaja en Electra. Te hablé del hermano el último día —dijo inclinando la cabeza para mirarle.

—¿Y sabes si Carlos está contento en ese trabajo?

—La última vez que le vi no estaba muy bien, pero era por lo de Ainhoa.

—¿Le ha pasado algo a Ainhoa?

—No, me refiero a la separación.

—Van a separarse —dijo Santiago como para sí.

—Se han separado ya, creí que lo sabías.

Santiago se puso de pie. Luego pasó por delante del banco un par de veces.

—Joder —dijo.

Sol deshizo su postura y sugirió que anduvieran un rato. Llegaron callados a la rosaleda. Torcieron hacia el Palacio de Cristal.

—Perdona —dijo Santiago—. He llamado a Carlos alguna vez, pero no lo he localizado, y no tenía ni idea.

Sol no contestó. Cuando llegaron al pequeño estanque junto al palacio, dijo que iba a coger el metro en Ibiza. Los dos se encaminaron a la salida más próxima.

—Entonces, ¿qué te dijo Carlos cuando lo dejamos? —preguntó Santiago.

—Dijo que enamorarse es una elección. Al principio puedes no darte cuenta pero, si la cosa sigue y, desde luego, si te casas, debes saber que estás eligiendo.

Santiago trató de encender un cigarrillo sin lograrlo. De su mechero sólo brotaban chispas. Pidió fuego a un hombre que se cruzó con ellos.

—Disculpa, sigue —le dijo a Sol.

—Carlos distingue entre decidir y elegir. Se decide de acuerdo con la voluntad: quiero esto y decido, entre varias posibilidades, qué me viene mejor para conseguirlo.

—¿Y elegir?

—Elegir es pensar primero cuáles son tus propósitos, valorarlos. Si pierdes algo que has decidido, lo normal es cabrearte, o deprimirte. Pero si pierdes algo que has elegido es distinto, no lo pierdes todo. —Sol aminoraba la velocidad—. Yo te perdí a ti, pero no mi proyecto. Te fuiste, me figuro, porque habías elegido proponerte cosas que conmigo no cumplirías y con Leticia sí.

—Me cuesta hablar de nosotros —dijo Santiago—. Hablemos sólo de esa teoría de Carlos. No está mal, pero algo falla, Sol. ¿Qué hace uno con todo lo que no puede controlar?

Sol le miró.

—Llora —dijo, y se apoyó en el respaldo de un banco—. Tengo que irme. —Le cogió la mano, puso la palma boca arriba—. Como a lo mejor pasa mucho tiempo hasta que volvamos a quedar, voy a decirte lo que veo. Aquí está, en esta línea que parece un afluente —dijo riéndose—. Tu problema ahora no es lo incontrolable, Santiago. Tu problema es qué haces con lo que puedes controlar.

Santiago la atrajo hacia sí. Se besaron en los labios dos veces.

—Cuídate —dijo Santiago.

Sol le pasó la mano por la oreja y echó a andar. Se volvió un momento.

—Hasta luego —dijo levantando la mano.

Santiago regresó al coche. En algunas zonas del parque la oscuridad ganaba posiciones. Santiago andaba distraído, pensaba a ráfagas en la tesis que había leído esa tarde y en Carlos, o se representaba la imagen de Sol yendo por una calle, o se decía «A lo hecho pecho» y luego reparaba en una ardilla, en un farol apagado. Al llegar al banco de la cita, desde donde se vislumbraba ya la puerta del parque, Santiago miró la hora. Quizá estuviera a tiempo de ir a buscar a Leticia a la salida del cursillo.

Un vermut a finales de siglo, un limitado período de existencia se aproxima como nube que no se detiene. El sábado 25 de mayo, a las doce del mediodía, tres vidas en vigor convergieron en el bar de un hotel en Madrid. Recién llegada, Marta buscaba con la mirada a Santiago o a Carlos. Distinguió a Carlos al fondo.

—Marta. —Santiago estaba detrás de ella.

Avanzaron juntos. Carlos se levantó al verles y hubo intercambio de saludos y besos. El camarero les sorprendió en ese momento, aún no habían pensado qué querían tomar pero Santiago pidió un vermut blanco, seco, y Carlos y Marta le imitaron.

—Un vermut a esta hora es una buena idea —comentó

Marta—. Aunque tendría que haber locales con habitaciones donde la gente pudiera encontrarse para hablar sin la obligación de tomar nada.

—El ateneo era eso —respondió Carlos con la atención puesta en la caja roja de juanolas que intentaba abrir.

—Sí —dijo Marta—. Seguramente ahora hay sitios parecidos, pero nosotros ya no los conocemos.

Un cruce de miradas y Santiago dijo:

—Me niego a hablar de lo viejos que somos.

Los tres se refugiaron en una risa fugaz.

—¿Qué vais a hacer este verano? —preguntó Carlos.

—No lo sé todavía —dijo Marta—. ¿Tú?

—Estoy pendiente de Ainhoa por el niño, me gustaría llevármelo una o dos semanas a Edimburgo con Alberto y Susan.

—¿Qué tal están? —preguntó Santiago.

—Bien, como siempre.

Santiago, al ver que el camarero se acercaba, decidió esperar a que les hubiera servido. Estaba nervioso y una interrupción aún le pondría más nervioso.

El camarero iba depositando los vasos sobre la mesa y los llenaba. Marta se puso a mirar sus movimientos; como siempre que se abstraía últimamente, recordó las negativas de Guillermo. Por fin lo había llamado para decirle que Carlos había devuelto el dinero, y le había propuesto quedar. Guillermo no quiso. A los pocos días, Marta volvió a llamarle, podían ir al cine, o charlar, o dar un paseo, y Guillermo dijo «Esta semana no me viene bien». «Bueno, déjalo», había contestado ella, turbada.

—Os he llamado —dijo Santiago—, además de para que nos viéramos, para contaros que este verano voy a casarme.

Brindis. Exclamaciones.

—No me coges en el mejor momento para hablar del matrimonio —dijo Carlos—, pero eso me da credibilidad. Puedo decir que vale la pena con completo conocimiento de causa.

—A mí me pasa algo parecido —dijo Marta.

—Lo tuyo es distinto —replicó Carlos—. Habéis tenido problemas, pero sabes que Guillermo siempre va a estar ahí.

¿Ahí? ¿Dónde era ahí? Marta habría querido preguntarlo en voz alta. Sin embargo, debía dar la razón a Carlos en que su caso era distinto porque Guillermo aún no se había marchado del todo.

—De momento, lo único que sé que va a estar ahí es mi trabajo —le contestó—. Aunque es verdad que mi caso es distinto. Guillermo y yo no nos hemos separado del todo —dijo y pensaba que Guillermo no estaba ahí sino más lejos. Enseguida cambió de tema—: Cuándo te casas, Santiago, dónde, cuéntanos.

—A mediados de julio, en un pueblo del Ampurdán, por lo civil. Me gustaría que vinierais, pero va a ser algo muy pequeño —exageraba—, sólo la familia.

—¿Os iréis de viaje? —preguntó Marta.

—Sí, aunque todavía no hemos decidido adónde. —De nuevo faltó a la verdad, aunque esta vez sólo era un aplazamiento. Lo del viaje a Bali que iban a regalarles los padres de Leticia se lo contaría a la vuelta.

—Así que —dijo Carlos— cuando termine el verano tú serás un hombre casado y yo un padre soltero.

Santiago sonrió. Si había dos personas, pensaba, con quienes podía hablar de su inseguridad, eran Carlos y Marta. A ellos podía decirles: me han cambiado el sistema de calificaciones. Los valores son muy parecidos pero es como si de pronto se puntuara sobre doscientos cincuenta en vez de sobre diez, y yo soy lento, no me da tiempo a convertir las notas cuando ya debo pasar al siguiente ejercicio. A ellos podía contárselo, pero le faltaba audacia. Primero quería asentarse, cómo iba a decir: no estoy bien ni mal, o mejor, estoy bien, estoy contento, quiero casarme con Leticia, quiero que vengáis a nuestra casa, que Irene juegue con Diego, estoy bien, es sólo que aún no sé qué opinión tengo de mí mismo.

—¿Qué tal tu nueva casa? —le preguntó Marta a Carlos.

—Bien. Ya la conoceréis. De momento es una casa neutra.

—¿Neutra? —dijo Santiago.

—Quiero decir que si alguien viniera no podría adivinar fácilmente qué tipo de persona vive ahí.

Carlos bebió dos sorbos seguidos de Martini. Sentía que ya era suficiente, si bien reconocía que para decretar el restablecimiento de su amistad, el paso de la crisis aguda a la convalecencia, necesitaban seguir un poco, hacerse algunas preguntas más e incluso hablar de algo ajeno a ellos mismos, justo como estaba haciendo Marta ahora al contarle a Santiago datos sobre el asunto de las vacas locas que no habían salido en la prensa.

—Sería curioso —decía ahora Santiago— que con una hamburguesa comida a los veinticinco años hubiéramos firmado nuestra sentencia de muerte.

Carlos asintió, claro, sería curioso, y se decía aguanta diez minutos más, no pienses nada. Y miraba el pequeño reloj negro de Marta que conocía desde hacía años; la camisa que Santiago llevaba puesta la había comprado en el viaje a Roma que hicieron lo tres; era verdad, pensaba, tenían pasado en común, pero no lograba quitarse de la cabeza que estaban trabajando para restablecer una relación sin considerar que eran ellos, cada uno de ellos por separado y no la unión de los tres, quienes habían sido abatidos.

—Os tengo que dejar —dijo después de contar veinte.

—Carlos, ¿has terminado el traslado? —preguntó Marta, y siguió—: Si necesitas ayuda, o para poner la casa.

—Esta vez no he querido hacer mudanza —dijo Carlos—.

He ido llevándome unas cuantas cosas cada día. Lo grande lo he llevado en una furgoneta de uno que a veces transportaba cosas para Jard. Ya sólo quedan cosas mínimas. Gracias de todas formas. En cuanto a la casa, prefiero no tocarla de momento.

Santiago había llamado al camarero. Le pagó diciendo:

—De todas formas queda pendiente una invitación como es debido para celebrar mi nuevo estado civil.

Los tres se levantaron. Santiago y Carlos dejaron que Marta pasara delante y así salieron del bar, y así bajaron la escalera. Al llegar a la puerta giratoria se separaron los tres. Salieron a la Gran Vía.

—¿Tenéis coche? —preguntó Santiago.

Recibió la respuesta afirmativa con alivio, pues deseaba quedarse solo cuanto antes. Estaba tan nervioso como cuando salía a cenar con Leticia y sus amigos, y él, después de haber intervenido con rotundidad en la conversación, empezaba a reprocharse alguna de sus frases. Por el camino de vuelta, ese reproche solía mezclarse en un cóctel incómodo con las palabras que había oído y con la elaboración de respuestas no dadas. Un cóctel que le impedía razonar, que rebotaba dentro de su cabeza como le estaba pasando ahora. Necesitaba estar solo, que la reciente escena fuera perdiendo fuerza en contraste con el resto de sus actividades. Perdiendo, se dijo, importancia.

La Suzuki de Carlos estaba en la esquina. Quitó la cadena. Santiago y Marta no le miraban, pero tenían, pensó, que haberse dado cuenta de que había cambiado de moto.

—Nos veremos —dijo, y se puso el casco. Ellos le saludaron con la mano.

—¿Dónde has aparcado? —le preguntó Santiago a Marta.

—Al final de esa calle.

—Entonces te acompaño. El mío está más lejos.

Echaron a andar. Carlos les vio desde la moto. Levantó la

mano. Ya había arrancado y, ahora, su casco rojo era todo su mundo. Ahí, tras la visera, junto al cuero almohadillado estaba la confirmación del despido de Esteban. El chico aún no lo sabía pero junio iba a ser su último mes en Electra. Hacía tres días que el director de recursos humanos se lo había comunicado a Carlos: un despido de cinco trabajadores, lo llamaban despido menor, por causas organizativas, con veinte días de indemnización por año trabajado. En el caso de Esteban el prorrateo, había calculado Carlos, no llegaba a sesenta días, doscientas y pico mil pesetas. Carlos pasó un semáforo en ámbar. Esteban aún no lo sabía, y por supuesto, se dijo, él había hecho bien en no contárselo a Santiago y a Marta. Un tema, Dios, les habría dado el tema, los tres habrían podido reunirse no en torno a la nada, al equívoco, sino en torno a esa única piedra de escándalo, y qué sencillo de repente darse golpes de pecho, qué claridad al fin si Esteban fuera la víctima propiciatoria, el inocente sacrificado para ablandar el corazón, para aplacar la ira de los dioses. Acepta, oh, Señor, esta ofrenda. Agudiza, gracias a la rabia de este parado, las contradicciones. Haz, señor, de la historia un viento favorable y más cercano el día de la revolución. La revolución, sí, una moto nueva, un cargo fijo, una buena boda.

Durante cuatro días sopló el viento llevándose el polvo y la calima. Al quinto, el sol tocaba un Madrid sin veladuras, un paisaje de líneas divisorias. Era el jueves 5 de junio de 1996, la vista distinguía el límite real de los tejados, óxido en los cables tendidos, el color duro, liso, de las fachadas remozadas, destellos en los marcos de metal, en los cristales, gamas del gris en las fachadas aún sin remozar.

A las seis menos veinte de la tarde, Guillermo terminó de peinarse en el cuarto de baño de su apartamento. Llevaba puestos unos pantalones vaqueros azul oscuro y un jersey de algodón del mismo color. El jersey no le quedaba mal; él lo sabía y sabía que a Marta le gustaba que no llevara camisa debajo de ese jersey. Además, la unión de las dos prendas de igual color hacía que sobre la imagen de un Guillermo vestido prevaleciera cierta conciencia de desnudez. Se movía con más libertad y más seguro, como si recordase todo el tiempo que debajo de los tejidos había un cuerpo y la piel. Sin embargo, Guillermo decidió quitárselo. Fue al armario y eligió una camisa de color teja. La estuvo planchando.

No era seguro que viera a Marta. En cambio, sí iba a ver a la familia de Segundo Velasco y ellos preferirían una indumentaria más convencional, de algún modo más respetuosa. Regresó ante el espejo, se dio un aprobado y salió con prisa. El acto empezaba a las siete pero tenía por delante un largo trayecto de metro y autobús hasta llegar a Sociología. Segundo Velasco, biólogo precozmente interesado en nociones de ecología social, además había sido el íntimo amigo de su padre. Había muerto hacía tres años. Entonces Marta fue con Guillermo a la ceremonia de incineración. Marta conocía a Segundo Velasco no sólo porque ambos fueran a visitarle cada dos o tres meses sino también porque, cuando Marta empezó a trabajar en el Ministerio de Transportes, Segundo aceptó ser un interlocutor frontón a quien Marta acudía para comentar determinados asuntos. Guillermo aún se preguntaba si no debería haberla llamado para el homenaje, aunque estaba seguro de que a Marta le había llegado la invitación. La noticia había aparecido también en los periódicos, si bien con letra pequeña pero, dada la minuciosidad con que Marta leía la prensa, tenía que haberla visto.

En el andén esperó sentado. Tres años habían hecho falta para encontrar una institución que contribuyera a publicar los escritos de Segundo Velasco. Pero ahí estaba el libro, por fin.

Subió al metro. Guillermo pensaba que Marta, enterada, debía asistir y que él la había puesto a prueba, un ultimátum unilateral a lo mejor injusto porque Marta podía estar fuera de Madrid o enferma o retenida por un trabajo urgente. Pese a todo, si Marta no asistía al homenaje, él dejaría de confiar. Tal vez ya había dejado de hacerlo, y las llamadas de Marta le habían encontrado abúlico, sin ganas. No quería seguir así. Se había marchado creyendo que estarían separados cuatro o cinco meses, o bien toda la vida. Nunca imaginó que la indefinición pudiera alargarse más de un año: casi catorce meses examinando el tiempo, preguntándose por Marta, por las otras mujeres, por su trabajo, por la función de cuatro millones; casi catorce meses viéndose vivir. Había tenido un ligero romance con una de las chicas de la fundación, y ya no sabía si había sido ligero por la chica o por él, porque él aún necesitaba decirle a Marta: «Nos habíamos comprometido a que esto saliera y si no ha salido no es por causa de un dios ciego y loco, del fulgor o la magia, del amor arbitrario, sino por causa de los deseos que no nos pertenecían. Yo creí que podríamos levantar nuestro espacio, pero la vida es juego de contrarios, para salir de un área de influencia es preciso entrar en otra, reconocer otra fuerza y yo no la encontré. Quise una casa, tú querías una imagen de ti misma, y para qué las queríamos».

En el transbordo, Guillermo atravesó rápido los pasillos, acelerando aún escaleras arriba hasta notar el peso de la sangre; no era tan tarde, pero le hacía bien sentir los límites de la física, el pecho como un animal de carga que pudiera extenuarse y caer.

El tren estaba a punto de partir cuando llegó al andén. Corrió de nuevo y una vez dentro, de pie, oía sus latidos en la cara. El tren arrancó. Guillermo vio su imagen reflejada en el cristal, un hombre a punto de cumplir los cuarenta con aspecto de chico todavía. Quién que no estuviese obligado a llevar traje y corbata o que no hubiera sido demasiado zarandeado por la vida, quién no seguía pareciendo un chico a los cuarenta. No había señores de cuarenta años pero nosotros, se dijo, queríamos madurar. Se sentó al poco y entrecerró los ojos. A su lado, una chica debía de llevar el agua de colonia que usaba Marta. Se consintió aspirarla con un extraño escepticismo de último día, cuando todo parece posible y por lo mismo, tal vez, indiferente.

En la parada de autobús encontró a dos colaboradores de Segundo Velasco. Hicieron el trayecto hablando de los avatares de la publicación del libro. Ellos insistían en resaltar la desproporción entre la importancia de las obras y su espacio en la memoria social. Guillermo no quiso discutir, pese a estar en completo desacuerdo. No había desproporción, pensaba, sino que la memoria social era deliberada y selectiva. Asombrarse, tanto como añorar más micrófonos, más homenajes, más artículos, sólo contribuía a reforzar la creencia en un orden plural con excepciones dignas de lástima.

Bajaron del autobús poco antes de las siete. Los dos colaboradores apresuraron el paso en el vestíbulo de la facultad.

—No me esperéis —dijo Guillermo. Había visto a Marta fumando junto a una de las gruesas columnas de hormigón.

—Hola. El homenaje es abajo.

—Vengo de ahí —dijo Marta—. He subido a esperarte.

El salón de actos estaba al treinta por ciento de su capacidad, o quizá menos. Las intervenciones no duraron demasiado, pero en cuatro de las cinco se acudió al mismo tono nostálgico y dulcemente reivindicativo. Sólo una profesora de la universidad a distancia se centró en las aportaciones de Segundo Velasco a la ecología social. Habló en concreto de sus estudios comparativos entre la génesis histórica de la propiedad de la tierra y la apropiación del medio ambiente. Sin embargo, sus palabras sucumbieron bajo la atmósfera de nostalgia y complicidad. Guillermo se había ido alterando. Le sublevaba esa actitud que parecía dar carta de naturaleza al regusto en la derrota ajena; le sublevaban esos amantes de los perdedores que gozaban dedicándoles discursos mientras ponían todo su empeño en no ser como ellos. Las altas paredes blancas, la lejanía de los ponentes, las sillas azules casi nuevas y, a su izquierda, el pelo corto y negro de Marta, su cara atenta, contribuían a refrendar los aspectos caritativos del acto.

Después de los aplausos finales, Guillermo se acercó a saludar a la familia, besó a la viuda de Segundo Velasco y estrechó la mano de los dos hijos.

—¿Un café? —dijo Marta por la escalera.

Guillermo la guió hacia el bar de la facultad. En las paredes había carteles de protesta, prendidos con cinta de embalar, escritos en grandes pliegos de papel blanco. Lemas a favor de la insumisión, la exigencia de un referéndum europeo sobre Maastricht, recordatorios sobre el procesamiento del general Rodríguez Galindo acusado de ordenar la muerte de Lasa y Zabala. Guillermo, señalándolos con la cabeza, le dijo a Marta:

—Parece que los estudiantes no se quedan quietos.

—Algunos —dijo ella—. Y otros mejor harían quedándose quietos. —Marta le indicó una pintada neonazi que estaba justo detrás.

En la cafetería, Guillermo fue a la barra a pedir dos cafés con hielo. Marta le esperaba en una mesa. Llevaba una camiseta negra de manga larga y, de lejos, parecía una estudiante.

—Flaco favor —dijo mientras ponía los cafés en la mesa— hacen este tipo de homenajes. Los otros y los nuestros, los responsables y los irresponsables, y al final, los buenos y los malos otra vez. Cualquier recurso sirve con tal de no pensar.

—No te ha gustado el acto —dijo Marta.

—No me gusta el método de proponer sentimientos para que todos nos encontremos. Y después del sentimiento, ¿qué? El sentimiento no produce acuerdo. Lloras, gritas, te enfadas, te enamoras, pero no puedes avanzar.

—Era lógico que el acto fuera un poco sentimental.

—No era nada lógico. Segundo Velasco, tú lo sabes mejor que nadie, intentó toda su vida sacar la ecología del ámbito de lo sentimental. Se opuso al discurso de que los empresarios manchan los ríos porque son malvados. Quiso que se pensara. El famoso poema de Pavese tenía que haberse titulado «Pensar cansa».

Marta puso su mano sobre la de Guillermo. Él dejó estar la suya unos segundos y luego la quitó.

—En los últimos años —dijo— el país está volviéndose cada vez más sentimental. Por ahí no iremos a ningún sitio. Mientras uno sepa que al enterarse de un atentado lo que tiene que hacer es sentir rabia, odio, y el calor multitudinario que da arroparse con otros que sienten como uno, ¿para qué va a molestarse en pensar? ¿Para qué va a intentar concebir una solución que supere el conflicto?

—Una parte del conflicto está hecha de sentimientos —dijo Marta.

—Pero esa parte no puede llevar el timón.

Marta volvió la cabeza. El camarero recogía las sillas ostensiblemente.

—Van a cerrar —dijo Guillermo.

—¿Tú no te cansas? —dijo Marta.

Se levantaron, eran los últimos clientes. Guillermo miró el local vacío un momento mientras seguía a Marta, quien había echado a andar muy deprisa aunque, poco a poco, fue aminorando el paso.

—He venido en coche —dijo ella en la puerta—. ¿Quieres que tomemos algo o te acerco a algún sitio?

—Vamos a tomar algo, si quieres. En Moncloa han puesto un quiosco tranquilo.

Marta conducía como si en vez de café con hielo hubiera bebido coñac; el aire formaba en torno al coche cornisas redondeadas. Durante las últimas semanas había estado preguntándose por qué una vez le dijo a Manuel Soto que preferiría que su hermano Bruno fuera como Carlos, y no como Guillermo. ¿Lo hizo sólo para defenderse de las críticas de Manuel, lo hizo para avalar ante sí misma sus desacuerdos con Guillermo, o lo pensaba de verdad? No lo pensaba de verdad, o al menos no recordaba haber estado pensándolo antes ni en el transcurso de aquella conversación sino haberse ido moviendo casi siempre por instinto, para defenderse o conquistar. Sólo recientemente se lo había planteado. El sábado del vermut en el hotel había cogido el coche y se había ido a Navacerrada. Después de comer algo, se internó a pie por un camino entre arbustos. El camino estaba abandonado. Cuando las jaras le cerraron el paso, Marta se sentó en una piedra y ese año sin Guillermo se le apareció como si fuera tinta sobre tinta; sería legible sólo cuando se lo contara, o quizá ni siquiera hiciera falta contárselo, escribírselo, como diría Santiago. No haría falta porque ella no buscaba en Guillermo redención sino reconocimiento. Le miró ahí a su lado. Llevaba una camisa de manga corta color teja, bien planchada, sus manos morenas descansaban sobre el pantalón azul.

—Es ahí a la izquierda —dijo luego Guillermo—. Si vemos un sitio, puedes aparcar.

De entre las mesas vacías, escogieron la más alejada del quiosco. Marta encontró algo concreto que decir.

—El otro día vi a Carlos. Quedé con él y con Santiago.

—¿Cómo estaba?

—No demasiado mal, creo. Tampoco bien, la separación es muy reciente.

—Yo tenía ayer un mensaje suyo en casa. He estado llamándole hoy, pero no le he encontrado.

—Será por lo de Esteban —dijo Marta—. A mí también me ha llamado.

—¿Esteban?

—Un chico que estaba en Jard, el más joven. En julio se queda sin trabajo. A mí me llamaba por si podía meterle en algún proyecto de la Comunidad Europea para gente de formación profesional.

—¿Y has encontrado algo? —preguntó Guillermo.

—Por ahora no. Hay una posibilidad en un sitio que están montando en Guadalajara, pero no creo que acaben antes de final de año.

—Me imagino cómo se debe de sentir Carlos al ver que, después de toda su odisea, ha acabado siendo el señorito que le hace a Esteban el favor de conseguirle un trabajo —dijo Guillermo.

—Si se lo consigue —dijo ella.

—Aquí no viene nadie.

—¿Buscamos otro sitio?

—No, no importa. Estoy cansado, Marta. Pero no cansado en abstracto, no cansado del mundo. Estoy cansado de lo concreto.

Se habían sentado en ángulo y hablaban sin mirarse. Desde su sitio, Guillermo veía el suelo de hierba, gente andando por la acera y, muy al fondo, los coches que entraban y salían de Madrid.

—Voy a intentar apartarme —dijo.

Marta vio en ese momento al camarero y le llamó al tiempo que cogía su tabaco.

—¿Y qué vas a hacer? —preguntó después de encender un pitillo.

—De momento, dejo la consultora. No estudié sociología por dinero, ya tengo un trabajo. Quería adquirir una visión analítica de la realidad, y ahora quiero usarla libremente. Ya sé que es un detalle menor, pero voy a ver qué pasa con lo menor.

El camarero era un hombre viejo. Marta pidió un granizado de limón y Guillermo una horchata. Cuando se marchó, Marta dijo:

—Ahora gano más. Podríamos buscar una casa aunque dejes la consultora.

—Ya no quiero una casa. Marta, no veas ingenuidad en esto. Sé bien que las necesidades no se crean en el vacío. Tienen su contrapartida en la amenaza. Tú se lo decías a Segundo Velasco, el deseo de un coche no es nada si además no se construye la dificultad de vivir sin él.

En cada extremo de la terraza había un globo de luz. Marta miró a Guillermo, no podía creer que esa cita fuera una despedida.

—Quiero estar contigo —dijo.

El camarero trajo las bebidas. Guillermo, sin tocar la suya, contestó:

—Mi madre dice que el problema es la falta de madurez de los sueños. Creo que es algo que le contó mi padre. Sueños, ni siquiera proyectos. Marta, yo ahora no tengo ninguna de las dos cosas. Sólo intuyo lo que no quiero hacer.

Ella no dijo nada, pero acercó la silla. Por la noche, el cuerpo de Marta le parecía a Guillermo cubierto por una capa de agua y aire. En la cama, en penumbra, a veces él pasaba la mano por encima y era como sacarla por la ventanilla, como aferrar el viento, y al llegar a la uva de los labios Guillermo notaba un agua condensada. De noche, a veces Marta respiraba como después del placer. Guillermo podía ver esa respiración, la estaba viendo ahora. Pensó que si otra vez Carlos fuera a su apartamento, él le hablaría de Marta: la conozco, le diría, la conozco, no ves que yo he visto su respiración. Marta acercaba el rostro, él iba a besarla.

Miró hacia el suelo de hierba. El color verde ondulaba bajo las sombras de las farolas. Marta no cambiaría; se haría tal vez más paciente en sus deseos. Quizá por eso estaba ahí. Quizá, se dijo, besarla no fuera sólo un gesto sentimental sino que Marta estaba ahí y había escuchado que él no tenía proyecto ni sueño porque para tenerlo necesitaba salir del área de influencia de los proyectos impuestos. Sacar más de lo que pusimos, irse con el botín antes de que los demás tomaran su parte, si sólo pudiera librarse de ese afán que no era suyo.

Anochecía. Estaba cansado, sí, cansado de lo concreto, porque odiaba ser quien pierde la recompensa ganada mientras otros se crecen a su costa. Cansado y no admitía que en el derrotismo hubiera épica. No cantéis la derrota, compadeced al vencido pero sin halagarle. Cantad el comportamiento en la lucha y los motivos justos. Se dijo que perder al fin era ponerse al servicio del vencedor. Dónde hallar, en cambio, un espacio antagónico, qué lugar tenían para no volver, qué sitio si quisieran dar los pasos hacia algún sitio. Guillermo entró en la respiración de Marta. Allá lejos las luciérnagas de los coches continuaban su marcha idéntica y distinta. Cerró los ojos. Ninguno de los dos cambiaría. Empeñándose quizá lograran vivir unos metros más alejados del imán. Unos metros más que los padres de Marta, unos centímetros más que los suyos. Apenas unos centímetros, pensaba, o es que no sé que somos gente sola.

Marta había metido las manos por las mangas, anchas y cortas, de la camisa de Guillermo.

Llegó julio. El día 3, por la tarde, el aire trajo ozono. Una tormenta avanzaba hacia Fuencarral y su aparato eléctrico producía pequeñas cantidades del gas azul pálido, explosivo, y dejaba un fuerte olor a salitre, a mar agitado sobre la calzada.

A las cinco y cuarto, en Electra, Carlos se levantó para cerrar la ventana situada a su espalda. Gruesas gotas de lluvia rebotaban en una balda metálica cubierta de carpetas y papeles. Estaba de pie cuando vio la luz blanca de un relámpago. Esperó la llegada del trueno. Ese amago de rotura de la superficie celeste nunca le había asustado. No cabía la posibilidad de una grieta en el trueno, no cabía la imprevisión, un pastor carbonizado, un hijo tan lejos. El ruido colmó la tarde y Carlos quiso que durase más, que se abrieran los cimientos del cielo, lo quiso pues sabía que no iba a suceder. Luego tiró de la ventana de báscula y se quedó mirando las rayas inclinadas de la lluvia, la explanada del aparcamiento, los coches y, en las plazas ya vacías, los huecos del asfalto oscurecido. Nada, se dijo, una tormenta de verano. Probablemente cuando saliera la lluvia habría cesado y él, después de pasar un trapo por el asiento de la moto, volvería a casa bajo el sol.

Nada, nunca pasaba nada, y Carlos volvió a su mesa recelando una vez más de sí mismo, de la normalidad con que había organizado su nueva vida en la calle Calvo Asensio y de cómo su tendencia a hacer planes no se había visto apenas afectada por la marcha de Ainhoa. Quedaba con gente, se le ocurrían actividades para hacer con Diego, incluso le llevaba de excursión sin que le aterrara la soledad, esos momentos en el tren cuando Diego se quedaba dormido y él veía la imagen de su propia vida deslavazada.

Carlos consultó su archivo de datos sobre ordenadores industriales. Tenía proyectos para el departamento de Electra, siempre que no se confirmara su plaza en Bilbao. No había caído, no le habían derribado como creyó al principio. La venta de Jard, la marcha de Ainhoa, el paro de Esteban habían resultado ser heridas de superficie, y se dijo que era ahí donde quería llegar. Si hubiese tenido que afrontar un crimen, o la ruina absoluta, entonces sí habría pasado algo. Pero había una mansedumbre fatal en el lento fluir de las semanas. En cada plan de viernes por la noche, y cuando se negaba a pensar en los motivos de Ainhoa, cuando evitaba a Lucas, cuando le leía cuentos a Diego, cuando conducía la moto, cuando miraba una tormenta desde la cuarta planta, mes a mes, y siempre, él se estaba jugando su vida y lo sabía. Porque pasarían veinte años y su vida sería lo que hubiera hecho con ellos y con los treinta y cuatro anteriores. Lo sabía, pero esa lluvia torrencial le aliviaba, Dios, cómo le aliviaba pensar que se abriría el mar Rojo y cuando volviera a cerrarse él estaría al otro lado, esos últimos meses, esos años locos quedarían atrás, clausurados en el tiempo.

A las seis y veinticinco se había trazado un esquema con los próximos proyectos que esperaba presentar. Quedaban grandes zonas vírgenes en el mundo de los ordenadores industriales. Zonas, se dijo, que conducían al software. Él había querido permanecer cerca del *jardware*, el *jardware* era un recordatorio de la carne, de la materia, era lo contrario del idealismo. Sin embargo, el hardware se regía por la progresión aritmética y Electra pedía progresiones geométricas. Ya no llovía. Carlos empezó a recoger.

Cuando llegó a la moto, dejó la cartera en el suelo y se puso a secar el asiento. Una piedra de grava rebotó contra la rueda delantera. Levantó la cabeza, pero no vio nada extraño y volvió a bajarla. Había guardado el trapo, estaba desatando el casco cuando otro guijarro golpeó en la raya roja de la Suzuki. Carlos miró con más atención esta vez y, detrás de un coche, distinguió la silueta que tiraba la gravilla. Esteban no estaba escondido, simplemente un tanto ladeado con respecto a la trayectoria de sus proyectiles, por eso no le había visto la primera vez.

—¿Me llevas a Madrid? —le dijo acercándose.

Carlos asintió de un modo casi reflejo:

—¿Adónde vas?

—A mi barrio —dijo Esteban—. Batán, te queda lejos, ¿no?

—Puedo acercarte —dijo.

Arrancó la moto y esperó a que Esteban subiera. Salió luego con prisa del aparcamiento. Le perturbaba ir con Esteban detrás como si se le hubiera subido a la chepa. El tercer día de paro del chico y ahí le tenía: cabeza afeitada, camiseta blanca, pantalones vaqueros. Una carga con veinte años de vida pasada y cuántos por delante.

En realidad, él había aceptado esa carga, se dijo en la carretera. Llevaba alrededor de un mes moviéndose para ver si le encontraba un trabajo y aunque todavía no lo había conseguido, estaba pendiente de una gestión que podía salir bien. Esteban se le había adelantado, pensó. A lo mejor había ido a recoger algo a Electra y después, para ahorrarse el transporte y porque le resultaría violento usar el autocar de la empresa, después Esteban le había esperado. Al llegar a una curva notó la espalda de Esteban sobre la suya, el cuerpo que se inclinaba con el suyo y con la moto. Redujo la velocidad para preguntarle cuál era el mejor camino. Esteban le dijo que fueran a la Casa de Campo, su casa no estaba demasiado lejos y allí podrían hablar un rato.

Carlos aceleró de nuevo. Hablar, pero si ya habían hablado. En junio, él mismo le había dado la noticia, adelantándose a la comunicación de la empresa. Le había dicho que iba a intentar encontrarle un trabajo, habían blasfemado los dos y Carlos había visto en los ojos de Esteban rencor y furia. Lo aguantaría otra vez. Seguramente era su obligación, pero esa obligación debía terminar en algún momento. Carlos condujo en silencio hasta la Casa de Campo.

—¿Aquí te vale? —preguntó.

—Un poco más lejos.

Siguiendo sus indicaciones llegaron al comienzo del lago.

—Podemos quedarnos aquí —dijo Esteban.

Carlos frenó. Mientras ataba la moto con el casco, Esteban le esperaba medio sentado en un pequeño promontorio.

—Bueno, tú dirás —le dijo Carlos.

—¿Yo?

—¿No querías antes que habláramos?

—Creo que no —contestó Esteban—. ¿Te he dicho eso? No. Quería estar contigo un rato. —Tras un silencio de ambos, dijo—: Como no tengo nada que hacer.

—La semana que viene —empezó a contar Carlos, pero Esteban se había levantado y estaba junto a la orilla.

Tiró una piedra, haciéndola brincar cuatro veces seguidas en el agua. Tiró varias más, algunas botaron hasta seis veces. Carlos no sabía si acercarse o seguir ahí, mirando. De pronto Esteban hizo como que iba a tirar la piedra a donde estaba él. Luego volvió a tirarla al lago. Carlos se acercó.

—Me lo ha enseñado mi padre —dijo Esteban.

—Lo haces muy bien.

—Carlos, ¿tú sabías que el paro te vuelve maricón? Me desespero —dijo Esteban, y tiró otro guijarro que dio tres saltos—. Lloro. Hostia, tío, lloro y no han pasado ni tres días.

Carlos se sentía absurdo ahí de pie, con las manos colgando. No tenía ni idea de cómo hacer brincar las piedras en el agua. Lo había intentado alguna vez, pero nunca le había salido.

—Vas a cobrar el paro —dijo Carlos—. Intenta aprovechar este tiempo para hacer algún curso. Ya te dije que he estado moviéndome, hay dos trabajos que pueden salir después del verano.

—Gracias —dijo Esteban, y amagó una reverencia—. Te está costando librarte de mí, ¿no?

—Venga, Esteban.

—Venga qué —dijo él. Luego tiró la siguiente piedra imprimiéndole una trayectoria de arco que la hizo hundirse con fuerza en el agua—. ¡Venga qué! Un poco de miedo te daré, ¿no? Las chicas hacen escenas, Carlos. Se ponen histéricas y te gritan y te pegan, ¿no te ha pasado nunca? Las chicas no suelen tener mucha fuerza, pero qué pasa si yo pierdo el control como una chica.

Carlos, que había metido las manos en los bolsillos, las sacó y sin querer echó un vistazo hacia la moto.

—Mira, mira. Estás pillado. Por aquí pasa bastante gente, podrías pedir ayuda, y qué. Estás pillado, Carlos. Tienes miedo.

—Y tú te estás equivocando.

—¿Me vas a dar una clase?

—Dámela tú —dijo Carlos—. Enséñame a hacer botar las piedras.

—A cambio de qué.

Carlos se dio la vuelta y fue hacia la moto. Pero antes de llegar retrocedió. Sentado en el montón de tierra, veía a Esteban de perfil, cómo elegía primero la piedra, cómo echaba el brazo hacia atrás y luego esperaba los brincos en el agua. Carlos se quitó su reloj y hacía girar la correa metálica con los dedos. Al poco, el chico echó a andar hacia él.

—¿Cuánto has peleado por mí? —Se había sentado junto a Carlos.

—Todo lo que pude —respondió él sin dudar, pero sabiendo en ese momento, por primera vez con certeza, que mentía. Cuando el director de recursos humanos le comunicó la decisión, él se había limitado a expresar alguna duda con indiferencia, pues no estaba ante el interlocutor adecuado. Horas después llamó a Claudio Robles, a quien sólo había visto en una ocasión desde que se cerró la venta. Le dijeron que estaría fuera tres días. Carlos esperó, fue terco con las llamadas. Contaba con que Claudio Robles juzgara conveniente tratarle con cierta deferencia todavía. Y así fue. Carlos consiguió una entrevista; logró que en el transcurso de la misma se le mostraran cifras, informes; asistió incluso a un esbozo de confidencia sobre ciertos proyectos inminentes que hacían innecesaria la presencia de mano de obra de las características de Esteban. Entonces Carlos se quejó y tuvo conciencia de que su queja se le consentía casi con desidia, casi como si a Claudio Robles le aburriese contribuir a la comedia que ambos estaban representando.

Esteban seguía ahí, pendiente de lo que él añadiera. Todo lo que pude, ir más lejos sólo habría servido para que yo me perjudicara, pero no para ayudarte, y Carlos era incapaz de añadir eso. Se levantó.

—Estás pillado —dijo Esteban—. Mi padre dice que nosotros todavía podemos esperar algo. Pero tú. Rodrigo también lo dice, dice que es mentira lo de la colina y la ametralladora. La ametralladora se la encargáis a otros. Vosotros vivís como niños pijos que reciben su paga, y vais a estar igual a los sesenta años.

—Esteban, ¿qué hacías hoy en Electra?

—He ido a vender. Me han dado ciento veinte mil pesetas por las acciones.

—Ya —dijo Carlos volviendo a ponerse el reloj—. Se ha hecho tarde. ¿Te llevo?

—Mejor no —dijo Esteban.

El martes 7 de agosto de 1996, en la costa sur de la isla de Bali, el mar estaba rojo debajo del cielo.

Santiago vio a Leticia en la tumbona. Ella también le vio y le hizo señas alzando el brazo y agitándolo. Tenía en la mano un libro cerrado. Él terminó de atravesar el porche del hotel y entró en la playa. Se sentó en la tumbona contigua a la de Leticia. Un camarero le había seguido. Santiago pidió un gin-tonic.

—¿La providencia es una idea de la religión cristiana o es más general? —quiso saber Leticia.

Santiago no la miró. Le atraía responder a las preguntas de Leticia porque era un terreno donde se sentía seguro. Pero, al mismo tiempo, no podía evitar que le doliera. Como si una goma tirante se rompiese, él notaba un pequeño latigazo en la mano, en la mejilla. Con qué despreocupación declaraba Leticia su ignorancia. Lejos de ser un peligro, en su caso la ignorancia se convertía en un capital, pues incrementaba las ocasiones para el aprendizaje. «Yo he tenido que correr el riesgo de ser fatuo y pedante, Leticia, yo nunca pude preguntar así.» Santiago encendió un cigarrillo y se puso a hablar de que en la religión griega existía el hado concebido como una potencia superior a los mismos dioses. El cristianismo opuso al hado la fe en un Dios providente. Un Dios, dijo, surgido del Antiguo Testamento que, sin excluir la intervención del hombre, introdujera con su actividad la justicia en las vidas humanas.

Leticia extendió la mano buscando su blusa bajo la tumbona, en la arena. La tomó, se la puso sobre el bañador y dijo:

—¿Tú crees en la providencia?

Un chasquido rítmico de olas llegaba desde la orilla. Santiago trató de distinguir el libro que Leticia había estado leyendo. Su pregunta debía de venir de ahí, pero el libro estaba medio cubierto por una toalla doblada y Santiago no pudo averiguar cuál era. Miró el deslizarse de la blusa por los muslos de Leticia. Detrás, a la izquierda, un bosque amurallaba la playa. Cómo sería decir que sí. Ese océano rojo que empezaba a oscurecerse por los extremos, providencia. Providencia el viaje, y la impresión real de lejanía, y los templos hindúes en la noche, el lujo, las luces del hotel, y ellos dos rubricando un compromiso en aquel archipiélago.

Pero el viaje era vano, pensó; del viaje podía prescindir mientras que algunos días él sí había considerado la mirada vigilante de los dioses, un soplo de verdad que proclamaba cómo Santiago Álvarez, hijo de Santiago Álvarez y de Consuelo Cruz, nieto de Joaquina García, había de unir con justicia su destino a Leticia Tineo, hija de Jorge Tineo y Blanca Moll, nieta de la dama catalana Blanca Franch i Margarit. Santiago creyó ver esa cadena de vida. Qué le importaba el viaje a Bali si ya había sucedido cientos de veces antes de que ellos lo hicieran y seguiría sucediendo después. Incluso las variaciones ya habían sucedido. Como cualquier otro punto sobre la faz de la tierra, la isla era un lugar de certidumbre, ya había sucedido. La experiencia del viaje estaba muerta pues ya no existía la posibilidad de no llegar y eso había sepultado la pregunta por la llegada: en qué consiste llegar. Al cabo, pensó, el viaje a Bali no era un viaje, las agencias vendían el conocimiento de lo ya conocido, pero todavía estaba en pie una pregunta primordial: qué iban a decirse su abuela Joaquina y doña Blanca Franch i Margarit a través de Santiago Álvarez, de qué manera, en la cadena inextricable de vida, debían hablarse las voces acalladas y las voces que habían tenido la palabra.

Los dedos de Leticia rozaron los suyos junto al vaso.

—Anda, contéstame.

Él supo que sólo podía consentirse una respuesta, y que esa respuesta era ajena a cuanto había estado pensando.

—No, Leticia, no creo en la providencia. Yo soy —dijo— mi propia providencia.

Final

Duermen, sobre su piel cansada el mundo está ordenado en apariencia. Al restaurante se entraba por una puerta en arco de madera pintada de rojo. Habían pasado dos años, un mes y catorce días desde la última vez que comieron juntos. Mientras esperaban el pisto, la menestra, la crema de puerros, hablaron de la guerra en el Zaire. El mundo ahora está fuera, fuera de las fronteras, la política está fuera y ellos duermen. Una orla de luz delimita el recinto comercial y comunicativo de la democracia. Como seda quieta de paracaídas flota la democracia y en el borde resplandece la aureola de luz. El resto es un abismo, éter negro, fuego negro, guerra abierta entre viejas colonias, aviones siniestrados, rosa negra inaccesible. Ellos están dormidos cuando el abismo visita la bocacalle próxima, y sobreviene el envenenamiento, y ocurre la explosión; cuando en los institutos de clase media baja se fractura el lenguaje pues el lenguaje sigue a los motivos, ellos duermen. Enseguida el abismo es confinado al otro lado de las pantallas, de la seda, allí donde no hay alteración posible, allí donde el dolor sólo enciende sentimientos, porque la democracia es una, simultánea, idéntica a sí misma, porque en la democracia comunicativa no hay desdicha, cualquier interferencia viaja al espacio exterior por los áureos canales y no hay muerte, no hay tiempo sino un circuito que cada año se repite, el antes no precede al después sino que son intercambiables y sólo en el abismo la luz no es uniforme.

Alguna vez, como fuga de agua, como grifo que se ha quedado abierto y a su través el agua se desborda y cae al suelo y se filtra, como gotera que cruza los ladrillos, rompe el yeso, moja la pintura, así el abismo afluye al presente continuo, rompe el sueño de Santiago, sacude la comida y la memoria. Leticia no se mueve. Santiago mira la oscuridad e imagina palabras sin continuación. Se da la vuelta. El paño rojo y el pan. Pudo haber dicho Carlos, salvaste mi honor, eso fue todo. Hoy los cuatro millones se mezclan indistintos en la cuenta corriente de Santiago Álvarez y Leticia Tineo, cambian como cristales en el caleidoscopio y las monedas, y los números, forman otra figura que no es reconocible, pero hubo un día, Carlos, hubo un cuarto de hora en que esos cuatro millones salvaron mi honor y yo no fui un don nadie, y no llegué desnudo, inerme, a la mesa del subdirector de la sucursal; no fui el hijo desvalido de mi madre sino un hombre cualquiera, una cuenta corriente cualquiera que se unía a la cuenta de Leticia Tineo y las cantidades no en mucho diferían, yo tenía cuatro, ella tenía cinco millones setecientas mil. Santiago abraza la almohada. A qué hablar si quien hubiera podido oír ya no está donde estuvo, y quien puede decir palabras adecuadas ya se mudó también. Santiago Álvarez Tineo vendrá para poner las cosas en su sitio, para asaltar las calles sin salida. Santiago cierra los ojos y el sueño cubre su rostro.

El mundo gira, los hombres y las mujeres duermen, la democracia comercial y comunicativa es un estanque de luz. Lisura. Seda. Tersa superficie inalterada. Sólo en el abismo la luz no es uniforme y se vacila, pero el abismo está fuera. El mundo ya no será cuartel de invierno, la política está fuera, la sociedad decrece y es una capa áurea, finísima, en donde el tiempo ya no es depositado. Duermen.

Como cartero comercial, como el oscuro vendedor que, franqueada la entrada al edificio, sube al último piso y los baja uno a uno y toca el timbre en cada puerta, así visita a veces las moradas el abismo: había, dice, otro mundo. Marta, sobresaltada, abre los ojos. Podría ser jueves y ella tendría que madrugar para llegar al aeropuerto, pero son las cuatro de la madrugada del martes, es ahora cuando el abismo ofrece información de enciclopedias, calendarios, y de cómo en lo negro la luz no es uniforme. No sólo hay sentimientos, no hay exclusivamente emoción en el abismo, altos sueños finales y entretanto un presente unívoco. En el abismo hay encrucijadas. Las jirafas pudieron quizá tomar medidas al ver que el fruto del Bien y del Mal estaba siendo expulsado de los árboles. Y Marta aguarda de pie, medio desnuda. Mira por la mirilla el otro lado de la puerta. Gracias, le dice al abismo, no necesito nada, ya tengo el sentimiento, el suave cerco azul, las novecientas noventa y nueve posibilidades. Mira a Guillermo, está de espaldas; sin embargo ella tiene la emoción cual si hubiera un estrato simétrico, una profunda hermandad en las alturas, lluvia sin peso, canciones suspendidas sobre la democracia. Habían comido juntos como tal vez harán de ahora en adelante, y hablarán de la casa que Guillermo y ella van a alquilar cerca de un parque, y no hablarán de historia, hablarán de geografía. Y ella quizá les cuente que va a dejar el ministerio para irse a una empresa de «estudios y proyectos», los llamados progresistas siempre estudian y proyectan, dimiten del hacer. Aquellos que instituyen la inteligencia como regidora de conductas no tienen fuerza, pues la inteligencia pondera, juzga, mide, mientras que el sentimiento multiplica; pasión y pides más pasión, rabia y pides más rabia, melancolía, y pides más melancolía. Por ello el sentimiento puede, por ello la sensación domina, porque está en su naturaleza invadir, acumular, expansionarse, y no está sin embargo madurar, crecer con otros. El sentimiento me protege del abismo, dice Marta, y es que nadie sabe qué será de su vida pero a veces yacer como en una piscina de intensidad, a veces la promesa de la pasión y el misterio, a veces una música triste es necesaria a modo de consuelo para que el hombre y la mujer se escuden, dice, en lo que no pertenece al tiempo pasado, ni al tiempo presente ni al futuro. Marta cierra los ojos y la noche vela su pensamiento.

Duermen. La política no está. La facultad de elegir qué criterios ordenarán la existencia se ha perdido. La democracia comercial y comunicativa es un estanque y ellos buscaban otras instancias de aprobación. Veían un salero. No lejos de su mesa, una manzana en un frutero blanco. Les trajeron el postre y Carlos dijo tiempo libre, es brutal la expresión. El tiempo libre sólo se define frente a otro tiempo esclavo. Y Santiago dijo sí, y Marta dijo sí. Después, una cucharada de flan. Santiago quiso rebelarse, Carlos, sacas el lenguaje de quicio. Yo precisamente encuentro en el horario reglado de mis clases mi único tiempo de libertad. Y Carlos dijo único. Se da la vuelta en la cama. Ha sido convocada una reunión de cuatro departamentos en Electra, a las diez. Sabe que verá a Lucas. Después, una cucharada de flan. El mundo ahora está fuera de las fronteras. Lucas está fuera de las fronteras. No se ven nunca. No vuelven juntos. Carlos mira la hora, las seis de la madrugada en una casa neutra. Debe seguir durmiendo pero teme que el fondo del colchón vaya a dar al abismo, al derrame rojo junto al lagrimal en el ojo de Lucas. Ya no le mira, no le habla porque le alarma ver la rosa negra en su boca cuando broten palabras y Lucas diga Carlos, hay algo peor que la retórica, y diga: peores los que ya no dan explicaciones, los que, burlándose de quienes hablan de justicia, son injustos y declaran yo soy mejor, al menos yo no engaño a nadie, y exhiben la envidia destructora y la codicia, y son inicuos, y oprimen, y abusan de la fuerza con la fina sonrisa inmutable. La casa está vacía. Carlos llama al sueño y el sueño viene, y le rinde.

El mundo gira, los hombres y las mujeres duermen. La política no existe y el devenir se atiene a los impulsos de lo voluminoso, de lo que puede multiplicar su presencia, de lo áureo. A veces el criterio llega desde el abismo, pende como plomada del techo de algunas habitaciones, pero no son las suyas. En Madrid, ellos duermen. Como un resonar lejano, como ruedas negras, como voces de televisión, como bares aún abiertos, como puertas de coches al cerrarse y ladridos, como la intermitencia de los pasos, como discusiones, como golpe de lluvia en la calzada, como el motor de las neveras, como llaves que entran en la cerradura, como el pulso repetido en cada cuerpo, como el sueño agitado y los gemidos crece un rumor y pareciera que es posible hacer más de lo que es posible. Y pareciera que la vida es un pájaro, que el batir de sus alas forma una brisa en las mejillas de los durmientes, despertándoles, pero la vida está atada a la tierra; y pareciera que se puede ver que no se ve lo que no se ve, mas sólo puede saberse. En la madrugada del 26 de noviembre de 1996, Carlos Maceda, Santiago Álvarez y Marta Timoner duermen. Sobre su piel cansada, el mundo está ordenado en apariencia.

Índice

Impreso en Talleres Gráficos
LIBERDÚPLEX, S.L.U.
Pol. Ind. Torrentfondo
Ctra. Gelida BV-2249 Km. 7,4
08791 Sant Llorenç d'Hortons (Barcelona)